LAODONG
JINGJI WENTI
YANJIU

劳动经济问题研究

主　编　孙月平

副主编　范恒林　黄　红　刘　俊

人民出版社

目　录

总　前　言

　　21世纪是一个充满变革、不断超越的世纪。世界多极化和经济全球化趋势在曲折中发展，科技进步日新月异，综合国力竞争日趋激烈。我国已经进入全面建设小康社会，加快推进社会主义现代化的新的发展阶段。我们党要始终代表中国先进生产力的发展要求，代表中国先进文化的前进方向，代表中国最广大人民的根本利益，团结和带领全国各族人民实现推进现代化建设，完成祖国统一，维护世界和平与促进共同发展的历史任务，关键在于有一大批能竭诚为党和人民的伟大事业而不懈奋斗的"有本事、靠得住"的领导人才以及多方面的人才。

　　党校是中国共产党教育培养党政领导人才和高层次马克思主义理论人才的重要阵地，对于提高党政领导人才素质和高层次理论人才素质，顺利实现党在新阶段的各项任务，具有不可替代的作用。中共江苏省委党校坚持解放思想、实事求是、与时俱进，不断深化教学改革，积极拓展教学内容，全面推进科学研究，在人才培养和学科建设等方面取得了显著成绩。坚持不懈地推进精品、人才和管理等科研三项工程,实施科研大推进和科研可持续发展两大战略,科研获奖等次及获奖数连续四届在全国党校系统优秀科研成果评奖中名列省级党校第一,并连续四届获全国党校系统优秀科研组织奖,在省内优秀社科成果评奖和社科规划课题评审立项中也连续数届名列前茅。现已先后获得马克思主义哲学、政治经济学、世界经济、国民经济学、区域经济学、宪法学与行政法学、科学社会主义与国际共产主义运动、中共党史、社会学、企业管理、行政管理等十一个硕士学位授予点,亦列全国省级党校之首。教学科研的进步、学科建设的发展,不仅扩大了我校在理论学术界的影响,也为我校提升领导人才和理论人才的培养层次,拓展研究生教育创造了较好条件。

根据中共中央有关文件的明确规定及国家教育主管部门的规范要求,我校自1999年开始进行了硕士研究生和干部研究生培养工作。为树立党校研究生教育的良好形象,确保党校研究生教育的含金量,我们认真学习和汲取普通高校研究生培养的成功经验,同时又注意体现党校的特点,一方面坚持规范运作,严格管理,一方面努力提高教学质量和培养水平。已毕业硕士生中多数考入重点高校继续攻读博士学位,干部研究生教育也受到了社会各界的较好评价。为适应高层次干部教育和研究生教育的需要,教研人员经过潜心研究,产生了不少较有质量的研究成果和教学成果,我们从中有目的地选择了一批理论系统性、学术前瞻性和实践性均较强的成果,编辑出版了《中共江苏省委党校研究生教育文库》,陆续同读者见面。

时代在前进,实践在发展,认识在升华。由于学识的限制,《文库》定有不尽如人意之处,敬请各位专家、学者、读者不吝赐教,以利我们不断总结提高。

《中共江苏省委党校研究生教育文库》编审委员会

二〇〇三年六月

导　论

　　人类的活动大体可以分为三类，即生理活动、劳动活动、闲暇与社会活动。其中，劳动活动是人类为获得生存、享受和发展的物质资料和精神产品的活动，是人类最基本的实践活动。人们对劳动的探索经历了漫长的历史过程，在这一过程中形成了不同阶段的劳动经济理论。它大致分为：孕育阶段、萌芽阶段、独立发展阶段和学科体系完善阶段。

　　在远古时期的一些学者和政治家的著作和论述中就已经孕育着劳动经济学说的胚胎。公元前8世纪希腊诗人赫西奥德在他的《劳动与时日》著作中热情讴歌了人类的劳动，认为只有劳动才能得到财富、荣誉、家庭和朋友。古希腊思想家色诺芬在其著作《经济论》和《雅典的收入》中，从奴隶制自然经济观点出发考察了劳动分工和劳动分工的意义。可以说色诺芬是劳动管理的较早探索者了。还有古希腊思想家柏拉图在其著作《理想国》和《法律论》中，从国家组织原理的角度考察了社会分工问题。他认为每个人都有多方面的需求，但是人们却只有某种才能，因此一个人不能完全无求于他人，而必须互助，于是形成了各种团体，这些团体联合起来便形成国家。他还从产品的生产效率方面说明了分工的必要性，他认为，一个人做多种之事不如专业于一事，如果一个人专门做一种和他性情相近之事，他所生产的产品必然很多很好，所以，一国中应当有专门从事各种行业的人。罗马政治家和演说家西塞罗也认为，不论具体的工作的职业有多少差异，劳动是十分重要的，离开劳动任何财富都不可能得到。他十分强调了劳动的普遍意义。我国古代春秋时期的管仲在中国历史上第一次将人们按职业划分为士、农、工、商，强调"四民分居"的观点。同时他还对"四民"分别提出了职业要求，他指出，战士要能武，作战时要团结一致，视死如归；农民要根据农时耕作，使用适当工具；工人要根据季节的需要，制造适用的工业品以满足社会需要；商人要根据季节的要求了解本地产品的贵贱有无，来往于各地。此外，我国古代的墨子、荀况对当时的劳动经济提出了相应的观点等。从国内外古代学者对劳动的论述，我们可以体会到先人们对劳动的强烈关注，但是，他们的论述还是质朴的、零散的、没有独立的思想体系。

产业革命以后，劳动经济理论开始破土出芽，成为经济科学和管理科学的重要组成部分。这一时期古典经济学的配第、斯密、李嘉图等都提出了重要的劳动经济理论。配第提出了"劳动则为财富之父和能动的要素"的观点，他还区分了生产人口与非生产人口，说明了人口状况和就业状况对征税和调整人口经济结构的作用。斯密在《国富论》（1776）一书中，不仅研究了劳动是价值源泉和价值尺度的基础理论问题，而且还研究了劳动分工对劳动生产率提高的作用，分析了工资决定和工资差别以及由劳动分工产生的工人境遇问题等。李嘉图提出劳动价值论、工资铁则、机器使用造成工人失业等观点，法国经济学家萨伊等提出了"就业自动均衡"理论。19世纪末美国的泰罗提出了科学劳动管理理论等。这些学者提出的劳动经济理论无疑对劳动经济学的形成和发展作了理论上的准备。但是，这一阶段的劳动经济理论还分散于经济学和管理学等学科之中，劳动经济学还不是一个独立的学科。

　　"劳动经济学"一词首次出现于1925年美国学者索罗门·布拉姆出版的《劳动经济学》一书中。这本著作的出版，标志着劳动经济学作为一门学科，进入独立发展阶段。此后，在欧洲和日本等国也建立起劳动经济学这门学科。我国于1931年也出版了朱通九教授所著的《劳动经济概论》。20世纪30年代"凯恩斯革命"使就业理论获得了重要发展。20世纪40年代，美国芝加哥学派又把劳动力市场理论增加到劳动经济学中，进行了一场"劳动经济学革命"，以克服原劳动经济学研究范围过窄、理论性不强的缺陷。20世纪60年代后劳动经济学在"人力资本革命"中又获得了发展。与早期的劳动经济理论相比，人力资本革命后的劳动经济学更重视对劳动供给的研究（早期的劳动经济理论注重劳动需求的研究）。分别研究了人力资本对劳动供给、经济增长、收入分配的重要作用等。20世纪60年代后一些社会主义国家的经济学家也提出了重要的劳动经济理论，如兰格提出了劳动自由选择理论，布鲁斯提出了分权式劳动决策理论，科尔奈提出了工资膨胀和在职失业的理论等。

　　随着理论与实践的发展，劳动经济学逐步深化、扩展。当前的劳动经济学有两大特点：一是研究内容更加全面。20世纪20年代以前劳动科学主要研究劳工问题、劳资矛盾、收入分配等内容；30年代主要是研究就业与失业（庇古和凯恩斯）；40年代研究劳动力市场（芝加哥学派）；50年代研究地区和行业工资变动；60年代研究人力资本；70年代研究滞胀问题；而20世纪80年代的劳动经济学移向对个人研究。90年代末期人们开始研究知识经济下的劳动经济理论问题。这样，当前的劳动经济学宏观与微观相结合，内容更加全面。二是劳动经济学体系日益完善。

如果说过去的劳动经济学只是一棵树的话，那么，当前的劳动经济学则是一片森林。人们分别从经济学、管理学、社会学、法学等建立起了较完整的劳动经济学体系。我国对劳动经济理论和问题的研究自20世纪20年代以来有两个高潮。第一次高潮是20世纪20-30年代，在这一时期主要是研究劳工问题（工资、劳资关系等）；如1924年陈达教授指导清华学校的学生对北京海淀区人力车夫的生活费进行调查；同年，甘博、孟天培、李景汉在北京对1000个车夫的收入和家庭支出进行了调查和分析，得出了他们入不敷出的结论；1926年孟天培和甘博调查了北京1900-1924年间的物价、工资及生活费用的变化；同年甘博等调查了北京近百年来的物价、工资及税收情况。这一时期出版的劳工问题专著主要有：唐海的《中国劳动问题》（1926）、马超俊的《中国劳动问题》（1927）、陈达的《中国劳动问题》（1929）、王云五的《劳工问题》（1933）、骆传华的《今日中国劳工问题》（1933）和何德明的《中国劳动问题》（1937）等。第二次高潮是我国改革开放以来，主要是研究就业、劳动力流动、劳动报酬分配和社会保障等理论和现实问题。这一时期又可分为三个阶段：第一阶段是从20世纪70年代末到80年代中期，主要是研究待业青年就业和运用收入分配来提高劳动效率（主要是农村联产承包责任制）等理论和问题；第二阶段是从80年代中期到90年代初期，主要是研究劳动力流动（农村剩余劳动力转移）等理论问题；第三阶段是从90年代以来，主要是研究劳动力市场、社会保障、下岗再就业等理论和问题。当前，在我国，劳动经济学体系已初步形成。

　　本书以劳动经济学为理论基础，研究人的劳动活动中的一些重大问题，主要围绕劳动者、劳动过程、劳动成果分配和劳动者保障四个领域展开。研究劳动者问题的有第一章劳动、劳动者与劳动力，第二章人力资本；研究劳动过程的有第三章劳动力供给与需求，第四章劳动力市场，第五章劳动关系，第六章劳动力流动，第七章失业与就业；研究劳动成果分配的有第八章；研究劳动者保障的有第九章社会保障理论，第十章建立与完善具有中国特色的社会保障制度，第十一章国外社会保障制度的比较与借鉴。

　　在内容上，本书侧重研究基本理论问题，研究中国的劳动问题，同时关注知识经济背景下的劳动问题，使读者能够对中国的劳动和社会保障理论前沿、实践进展有一个概略的了解。

　　在方法上，本书尽可能减少数学模型的应用，而注重理论与实践的结合，注重劳动和社会保障问题中的人文因素分析，力求在表述上通俗易懂，简明扼要。

　　希望本书对中国的劳动经济学教学和研究能够做出一些贡献。

第一章　劳动、劳动者与劳动力

劳动创造财富。劳动是人类社会活动最普遍的现象。"要尊重和保护一切有益于人民和社会的劳动。不论是体力劳动还是脑力劳动，不论是简单劳动还是复杂劳动，一切为我国社会主义现代化建设作出贡献的劳动，都是光荣的，都应该得到承认和尊重"。[①] 我们研究劳动经济理论应以劳动为起点。由于劳动者是劳动的主体，劳动又是劳动力的使用，所以，研究劳动也离不开对劳动者和劳动力的分析。

第一节　劳　　动

一、劳动的含义与分类

劳动有广义和狭义之分。广义的劳动是指人们在各种活动中劳动力的使用或消耗。在人类各种经济社会活动中，只要有人的体力和脑力的消耗或支出，都可称之为劳动。这是从生物学的角度对劳动所作出的最广泛的抽象或概括。狭义劳动是指人类从事的经济活动，它"是人类创造生活所必需的物质财富和精神财富

[①]　江泽民：《在中国共产党第十六次全国代表大会上的报告》，人民出版社 2002 年版，第 15 页。

的有目的的活动"①。本书所涉及的劳动是狭义的劳动，是人的经济活动。这里的劳动不仅包括工人的劳动，也包括干部、知识分子等社会各阶层的劳动；不仅包括体力劳动，也包括脑力劳动。

自然界的一切生物都在活动着，以获取自然物维持自己生命，植物靠吸收水分、养料、阳光、空气而生长；动物也在进行似乎是劳动的活动，如鸟筑巢、蜘蛛结网、蚂蚁构窝、蜜蜂建房等。但是植物与动物的活动都不是劳动。植物生长不是劳动显而易见，就人与动物来讲，人的劳动与动物的求生活动有着如下不同的特点：（1）主动性。人的劳动是以自身的主动活动引起、调整和控制人与自然之间的广义物质交换活动。这里，人改造了自然，自然也改造了人。而动物最多不过是被动地适应自然而进行的活动。（2）目的性。人的劳动是有目的的活动，这种自觉的目的性表现在：劳动的结果，劳动者预先是可知的，作为劳动目的决定着劳动者劳动的方式或方法。而动物的求生活动只不过是一种本能的活动，本能活动的能力是先天就有的，不是后天学得的，它是一种受到特殊刺激而反射出相对固定不变的活动能力。（3）创造性。人类劳动的创造性从其量的发展来讲具有增殖特点，可以成几何级数向前发展。从其质的发展来看具有质变特点：从自身劳动到利用工具劳动，从简单的综合劳动到体力劳动与脑力劳动的分离，以及劳动的进一步分工；不断地创造出新的劳动产品等等。而动物的获得性活动，在其量上，纵令天然条件丰裕，也不会超出自身生存需要；而在质上，只能是简单重复式

---

① 伊万诺夫·麦奇科夫斯基主编：《劳动经济学》，三联书店 1981 年版，第 1 页。

的活动。(4) 多层次性。如整个社会的经济活动可分为三次产业劳动，而每个产业中又可细分出多个行业。种植业既可手工劳动也可机械化生产或可智力种植，围绕这些劳动又派生出其他一些劳动部门，如开矿、工具制造、建筑、机电等。而动物只有简单的单一层次的活动。(5) 相依性。人通过劳动可以相互交换各自的劳动产品，而动物的谋生活动不存在互相交换物品的活动。由以上五点可知劳动是人所特有的活动，它与动物的谋生活动存在着根本的区别。

劳动最初是一个原始统一体，随着劳动的发展，它便不断地被分门别类，出现了许多劳动分类：劳动就其存在的形式分为活劳动和死劳动，活劳动是流动形态的劳动，死劳动也称物化劳动是凝结在产品中的劳动；劳动在其生产商品二因素的决定因素上，可分为生产使用价值的具体劳动和形成商品价值的抽象劳动；在以私有制为基础的商品经济中劳动又分为私人劳动与社会劳动；在工资和剩余价值的来源上，劳动又分为必要劳动和剩余劳动；人类劳动按其社会的服务方式可分为生产性劳动和非生产性劳动；劳动按其支出的特征可分为体力劳动和脑力劳动；劳动就其创造产品在满足人们需要的特点上分为物质劳动和精神劳动；劳动按其繁重程度分为重劳动和轻劳动；劳动按其复杂程度分为简单和复杂劳动；劳动按劳动者熟练程度分为熟练劳动和非熟练劳动。德国学者 L. 拉佩（1999）把当前人们的劳动分为三类：(1) 自我劳动（有益自己的个人劳动）。自我劳动以社会成员的自我需要和使用价值为准，实行自决、自管和自己负责的原则，包括家务劳动（做饭、购物等）、自理劳动（教育子女、照顾老人、自修学习、业余活动等）、邻里自助劳动（如轮流守户或打扫垃圾等）。(2) 谋生劳动（职业劳动）。它是指社会成员在私有、公共和非盈利领域里有益于社会的有酬劳动。(3)社会劳动（有益集体的劳动）。它以公民社会需要和团结参与为准，属社会公益事业，包括在社会项目（教育、卫生和艺术等）以及各种团体、协会和公民自发组织中从事的劳动。

二、劳动的意义

1. 劳动创造了人类自身

劳动是人区别于其他生物的根本标志。1876年，恩格斯在《劳动在从猿到人转变过程中的作用》一书中，提出了在从猿到人的转变中，存在着过渡期的生物。现代科学研究证实了恩格斯这一论断的科学性，从猿到人经历了猿人→古人→新人→现代人的发展过程。在这个过程中，劳动起了决定作用，正如恩格斯所说：劳动"是整个人类生活的第一个基本条件，而且达到这样的程度，以至我们在某种意义上不得不说：劳动创造了人本身。"[①]同时他还令人信服地分析道，在劳动中人的手与脚互相分工，形成了直立行走和手的高度完善，人的语言也是在劳动中并和劳动一起产生出来的，而劳动和语言又促使猿的脑髓逐渐地变为人的脑髓。

2. 劳动成为人类生活的基本条件

人类要生活，就必须有物质资料供人们的消费，这就必须通过劳动将这些物质资料生产出来，没有劳动，人类就无法生存下去。正如马克思所说："人们为了能够创造历史必须能够生活。但是为了生活，首先就需要衣、食、住以及其他东西。因此第一

---

① 恩格斯：《自然辩证法》，《马克思恩格斯选集》第3卷，人民出版社1972年版，第508页。

个历史活动就是生产满足这些需要的资料，即生产物质生活本身。"

3. 劳动创造社会财富

社会财富按其作为满足人们基本需要的产品来讲，可分为物质财富和精神财富。社会财富是劳动的产品，对此经济学家们从不同的方面进行了论述。亚里士多德说：社会财富"是属于家庭和国家的经过加工的丰富的物质"。晚期的重商主义者中有的提出了财富来自"商业劳动和工业劳动"。重农学派以农产品为财富，认为只有农业劳动才创造财富。在古典经济学中，多数经济学家都赞同劳动是财富的源泉。萨伊等人把劳动分为三种："人的劳动、自然的劳动、机器的劳动"，并进一步提出了著名的"三位一体公式"。麦克库洛赫也把劳动分为人的劳动、动物的劳动和机器的劳动。加尼尔认为，"一切劳动，不问主次，不分彼此，都协力于财富的生产。产品的交换，保证这种财富的生产。"在对前人研究成果批判与继承的基础上，马克思运用劳动二重性学说，科学地解决了社会财富的来源问题。他提出劳动是人所独有的，社会财富来源于劳动，但劳动具有二重性（具体劳动和抽象劳动），从社会财富的使用价值来说，财富来源于不同生产领域的具体劳动；从社会财富的价值来说，社会财富来源于劳动者的抽象劳动。马克思认为社会财富是"一切以物的形式存在的物质财富和精神财富"。他还多次论述到创造物质财富和精神财富的"物质劳动和精神劳动"、"物质生产和精神生产"这类问题。[①]

---

① 以上转引自胡学勤等：《劳动经济学》，中国经济出版社 2001 年版，第 23 页。

4. 劳动推动社会进步

社会进步是生产力的发展引起的生产关系以及上层建筑的变革。而生产力是由具有一定生产经验、劳动技能的人和生产工具构成的，生产工具又是在劳动过程中不断探索研究创造出来的。所以，劳动是生产力发展、生产关系变革的基本因素，是推动社会进步的动力。人们通过劳动认识和改造了世界，最终创造了社会。因而，在马克思主义者看来，整个世界历史不外是人通过人的劳动而诞生的过程，是自然界对人来说的生成过程。

5. 劳动是永不过时的重大课题

劳动问题历来是学者和政府关注的重大问题，许多名人名著都与研究劳动经济问题有关。亚当·斯密在《国富论》中提出了劳动专业化可提高劳动生产率的劳动组织理论；马克思把社会主义国家称为"劳动共和国"，把政治经济学称为"劳动政治经济学"；科学管理之父泰罗因提出科学管理理论而著名；凯恩斯称其名著《就业、利息和货币通论》为"我的充分就业经济学"；贝克尔、舒尔茨因研究人力资本理论而闻名；弗里德曼提出了"自然失业率假说"等。当前人类又需要研究知识经济时代的劳动问题。

任何一个国家政府如果不能妥善地解决劳动问题，轻者影响社会稳定，重者危及政权。因此，劳动问题在许多国家受到极大重视。一些市场经济国家把充分就业、不断提高工资、搞好社会保障作为政府经济发展的重要宏观管理目标。一些国家的领导人竞选时把劳动问题的解决作为竞选的纲领之一。我国是一个改革中的发展国家，劳动问题尤为突出。改革、稳定、发展急需解决的劳动问题很多，研究和解决劳动问题更具有重要意义了。

三、市场经济和知识经济背景下劳动的新特点

随着市场经济和知识经济的深化与拓展，劳动呈现出许多新的特点，主要表现在以下几个方面：

1. 服务型劳动的种类多、比重大。

社会经济发展水平的提高和市场经济调节范围的扩大，使很多服务型劳动从原来的物质生产部门中分离独立出来并实现了产业化，同时，现代生产、交换、分配和消费过程的需要又导致了很多新兴服务业的产生和形成，这两个方面使现代服务业部门不断扩张，仅世界贸易组织统计并要求各成员国之间相互开放的服务贸易部门就达到 150 多种之多，而细分化的各种各样的服务型劳动就更是渗透到经济和社会生活的每一个角落。另一方面，需求结构的变化使直接从事物质产品生产的劳动比重大幅度下降，而从事服务业的劳动比重大幅度上升。1965 年，全世界低收入国家中从事服务业的劳动力只占 13%，高收入国家中为 48%，而到 1990 年，世界高收入国家中从事服务业的劳动力达到 64%，而从事工农业的劳动力下降到只有 36%，这种趋势在最近十几年来还在进一步发展。

在社会总劳动中比重越来越大的服务型劳动，既参与了社会财富即使用价值的创造，也参与了社会价值如各国国内生产总值的创造。并且，这些服务型劳动已经成为全社会商品生产和市场经济运行中必不可少的重要组成部分。

2. 科技型劳动在经济发展中发挥着重大作用。

有的经济学家认为，在当代社会中，商品价值的创造已经由马克思时代的以体力劳动为主转变为以脑力劳动为主，这是有道理的。生产过程中科技型劳动的比重和作用上升而一般性劳动的比重和作用下降，就是其中一个重要表现。现代科技革命的发

展，自动化程度的提高和电子计算机的应用，不断地加强着这种趋势。科技型劳动包括科学研究、发明和应用过程的劳动，技术创新、技术应用和技术服务的劳动，包括企业内部的科技劳动和为社会服务的科技劳动。随着现代生产过程中科技水平的提高，产品和服务的技术含量的上升，不仅科技人员劳动的比重和作用在迅速增长，而且一般生产者的劳动中的科技劳动含量也在不断增加，就是个体农民所从事的农业劳动中，科技劳动的含量也已经起着不容忽视的作用。

科技型劳动既比一般性劳动创造了更多的社会财富和价值，又带动或促进了同一生产过程的相关劳动提高生产率，从而使这些劳动在社会必要劳动时间不变的条件下创造了较多的价值量。

3. 管理型劳动在经济运行和增长中的地位日益重要。

分工的深化和专业化的发展，商品生产和市场经济发展程度的提高，以信用为中心、以金融和信息技术为工具的现代经济运行过程的日益复杂化，大大地拓宽了管理型劳动的内容和范围，增强了管理型劳动的重要性。所谓管理型劳动，包括微观、中观和宏观的管理型劳动，对于企业经济、部门经济和国家经济的运行和增长起着重大的作用。与马克思的时代相比，当代的管理型劳动已经渗透到社会经济活动的各个方面，在社会总劳动中占有相当大的比例，成为现代生产力发展的一个重要因素，并且不断走向规范化和科学化。在适应市场经济发展趋势、运行规律和调节特点的基础上，管理型劳动的质量，直接影响着企业经济效益的增长、部门经济的协调发展和整个国民经济的有效运行。

管理型劳动不仅参与了社会财富和价值的创造，而且与科技型劳动一样，也能够带动其管理下的相关劳动提高生产率或工作效率，从而创造更多的价值量。

4. 劳动社会化、商业化和市场化的程度大大提高。

马克思的劳动价值中的劳动，主要是指与商品生产和市场经济运行有关的劳动，而将家务活动、自给自足和自我服务的劳动排除在外。但是，在当代社会中，很多个人事务和家庭事务的劳动社会化，形成了社会性产业；这些劳动转变为有偿性服务，成为一种商业化行为；同时，作为产业化和商业化的劳动，又形成了市场供求关系，产生了竞争和价格机制，实现了劳动的市场化配置。发达国家中家政服务、代理服务和中介服务的高度发展，就是个人和家庭劳动社会化、商业化和市场化的结果。我国社会主义市场经济的发展同样将出现这种趋势。

个人和家庭劳动的社会化、商业化和市场化，使这些劳动成为市场经济运行和国民经济发展的组成部分，同时也扩大了创造社会财富和价值的社会劳动的范围。

5. 从事精神产品生产和社会发展事业的劳动的比重大幅度提高。

经济发展水平提高和社会文化进步，使社会需求结构中的物质需求的比重不断下降，而精神需求和发展需求的比重大幅度提高，为适应和满足这些需求的增长，当代社会劳动中从事教育、文化、卫生、体育，以及其他社会发展事业的劳动的比重也大幅度上升，与马克思的时代相比发生了重大的变化。这些劳动中有一部分直接是商品生产和市场经济运行所必需的，还有一部分则有利于促进市场经济的协调运转和国民经济的有效发展。

6. 传统的生产性劳动和非生产性劳动的划分失去了意义。

一些古典经济学家，依据人们的劳动是否（直接）创造财富，提出了生产性劳动（主要是农业和工业的生产劳动）和非生产性劳动（商业、服务、科学研究、教育等部门的劳动）的分类理论，并认为前者创造财富，后者不创造财富（是社会必需的有益劳动）。这种劳动分类理论越来越不符合知识经济发展的现实。一方面，过去认为创造财富的生产性劳动产业（第一、第二产业）对经济增长的贡献越来越小（一些发达国家只占 GDP 的比例 30% 以下），而认为不创造财富的非生产性劳动产业（第三产业）对经济增长的贡献越来越大（一些发达国家已占 GDP 的70% 以上）；另一方面，科技转化为生产力的周期日益缩短，越来越成为直接的最重要的生产力因素。经济发展已经出现了传统劳动分类理论倒挂的普遍事实，证明了传统劳动分类理论是不具有现实意义的。

7. 知识创新者与资本所有者的支配和主导地位发生了换位。

在工业经济时代，资本是支配要素，居主导地位，从而形成了知识创新者受雇于资本家而处于依附地位的普遍现象。而在知识经济时代，知识是支配要素，居主导地位，越来越多地出现了知识创新者雇用土地和资本所有者为其"打工"的情况。知识创新者正在成为新的雇主，"知本家"越来越多地支配资本家。知识经济形成的知识与资本位置颠倒的事实，使劳动概念趋于广义化。

8. 劳动时间和空间具有了更多的灵活性。

在农业和工业经济时代，人们的作息时间都有明确的界限，劳动时间和闲暇时间相互分离。农业经济时代是"日出而作，日落而息"的作息时间制；工业经济时代人们是按时上下班的固定劳动时间制，劳动者不能自主地安排劳动与闲暇时间。而在知识经济时代，由于经济活动的高度自动化、网络化发展，上下班不再受 8 小时工作制的限制，人们利用计算机网络随时可以开展工作，人们对劳动和闲暇时间的选择有了更大的自主权，劳动实行弹性工作制就成为现实。

在农业和工业时代，人们的劳动空间是固定的。农业经济时代人们劳动空间主要局限于家庭或田间；工业经济时代人们劳动的空间主要局限于企业、机关及其他工作单位。而在知识经济时代，劳动突破了空间的限制，在有计算机网络的地方可随地上班工作。其一，网上招聘及"地球村"的形成，使劳动者就业范围突破了国与国界限，劳动力的国际流动更加频繁；其二，工作单位和岗位限定变得模糊，有才能的劳动者可以在多个单位或岗位上就业；其三，劳动地点选择具有多样性，或在家庭、或在车上等都能进行劳动。

第二节　劳动者

人"是一个具有许多规定和关系的丰富的总体"。①人不等于劳动者，劳动者一定是人。劳动所寄托的主体是人，深入研究劳动理论，必须对劳动者进行分析。

一、人性假设

经济学和管理学等学科都是以一定的人性假设为前提的，劳动经济理论也是以一定的人性假设为前提的，因此研究劳动者必须首先分析人性假设理论。"人性"问题是争论已久的问题，中国古代就有了"人性善"与"人性恶"之争。但是，对人性系统而全面地研究还是行为科学学派产生以来的事。所谓人性是指管理者对人的工作动机的根本看法，是管理者对人管理的指导思

_____

① 《马克思恩格斯选集》第2卷，人民出版社1972年版，第103页。

想。根据学者们对人性研究的概括,人性假设主要包括经济人、社会人、自我实现人、复杂人假设等。

1. 经济人

"经济人"又叫"唯利人"或"实利人"。起源于"享乐主义"的哲学观点和亚当·斯密的经济理论。美国管理学家泰罗的"科学管理理论"也是以"经济人"假设为基础的。美国一些学者对"经济人"做出了概括。这种理论认为,人的一切活动都是为了最大限度地满足自己的私利,工作目的是为了获取报酬。"经济人"的特点是:(1)大多数人天生懒惰,他们尽量逃避工作;(2)多数人没有雄心大志、不愿负任何责任,而甘愿受别人指挥;(3)多数人工作是为了满足自己的物质需要,因此,只有物质和金钱刺激才能激励他们努力工作;具有上述特征的人属被管理者;(4)少数人能够自己鼓励自己,能克制感情冲动而成为管理者。

如果认为劳动者是"经济人",劳动管理的重点是完成任务,就必须有严格的管理制度,实行标准化作业、程序化操作和规范化管理;管理的原则就是实行权威督导与控制,权力高度集中于少数管理者的手中,强迫多数人服从管理;管理者的职能就是充当"决策人"和"指挥人"的角色,决定一切,发号施令,充分运用管理权力;激励制度是实施奖惩,用金钱刺激劳动者工作积极性,同时对消极怠工者采取严厉惩罚措施。

2. 社会人

所谓社会人,是以追求良好的人际关系为根本动机的一种人性假设。美国行为科学家梅奥等人创立的行为科学就是以"社会人"假设为基础的。"社会人"理论认为,调动人们工作积极性的决定因素不是经济报酬而是良好的人际关系。其主要观点有:

（1）人除了物质金钱的需要外，还有社会的和心理方面的需要。（2）生产率的高低很大程度上取决于劳动者的士气，而士气又取决于劳动者的家庭、社会生活及单位中人与人之间的关系是否协调一致。（3）单位中除正式组织外还有非正式组织的存在，非正式组织对劳动者的积极性有重要影响，单位领导应使正式组织的经济需要与非正式组织的社会需要取得平衡。

如果认为劳动者是"社会人"，劳动管理应采取的管理原则是：管理的重点不应只注重任务的完成，而应转移到关心人，协调好人际关系上；由集权管理转向参与管理，参与管理是指不同程度地让员工或下级参与到单位的决策研究和讨论，通过参与管理有利于管理过程中上下级相互理解，从而使员工个人目标与组织管理目标协调；管理者不单是"决策人"和"指挥人"，而且还应当是"人际关系调节者"，担负起上下级之间信息沟通的责任，促进组织内人际关系的和谐；提倡集体奖励政策，认为组织上奖励个人会强化个人意识，从而激化群体中的人际矛盾，而奖励集体则能强化整体协作意识，促进集体内部团结，从而提高群体竞争能力。

3.自我实现人

自我实现人也称自动人，是从人自身能动性的发挥来解释人们主动工作动机的人性假设。这是由马斯洛、麦格雷格等人提出来的人性观。其基本内容是：（1）人具有五个不同层次的需求，即生理的、安全的、社交的、尊重的、自我实现的需求。自我实现是在工作中寻找成就，这是最高的需求。（2）一般人愿意工作，并且是勤奋的。（3）人具有自我指导、自我控制的愿望和能力，外界的控制和惩罚可能构成威胁，但不利于调动人工作的主动性。（4）大多数人具有相当程度的想象力和独创性，只有在不受外来控制，而是自我控制和自我指导下才能发挥。(5) 在正常情况下，一般人不仅肯负责，而且会主动寻求责任。

在劳动管理上，"自我实现人"与"经济人"、"社会人"有很大不同：(1) 从管理重点来看，经济人的假设强调完成任务重视采用奖罚措施，轻视人的因素和人际关系；社会人的假设则相反，重视人的因素和人际关系，把经济奖罚置于次要地位；而自我实现人的假设把管理的重点放在改善工作环境上，是要创造一个适宜的工作环境，使劳动者在这种工作环境下，能够充分发挥自己的潜力和才能，从而促进工作进展。(2) 从管理职能来看，经济人假设的管理者是工作的决策者或指挥者；社会人假设的管理者是人际关系的调节者；自我实现人假设的管理者是一个服务者，他们的主要任务是为发挥人的才智创造条件，减少或消除职工自我实现过程中所遇到的障碍。(3) 从奖励方式来看，麦格雷格认为对人的奖励可分为两类：一类是外在奖励，如工资、奖金、良好的人际关系等；另一类是内在奖励，它是指人们在工作中获得知识、才干、自主、自尊等，是充分发挥自己潜力后心理上的满足和愉悦。经济人和社会人的奖励措施主要是外在奖励，而自我实现人的奖励方式以内在奖励为主，因为只有内在奖励才能满足人的自我实现的需要，从而调动人的工作积极性。(4) 从管理制度来看，根据自我实现人的假设，人有自动、自治特性，管理制度应该保证劳动者充分施展自己的才能。因此，要下放管理权限，建立决策参与制度、提案制度、劳资会议制度、目标管理制度、自主管理制度等。

4. 复杂人

复杂人的假设是 20 世纪 60 - 70 年代由史克恩 (E. H. Schein)、莫尔斯 (John. J. Morse)、洛希 (Jay. W. Lorson) 提

出来的一种人性理论。复杂人是从人的心理行为的差异性和变化性方面来分析人的工作动机的人性假设。其主要观点是：（1）人有各种各样的需要和动机，而且不断变化，人们的需要结合成统一整体，形成错综复杂的动机模式。（2）人在组织中的工作和生活条件是不断变化的，因此会不断地产生新的需要和动机。（3）个人在不同或同一单位的不同部门工作，会产生不同的需要和动机。（4）一个人需要是否得到满足，决定于他本人的动机结构及其与本组织之间的关系。（5）人的需要和能力各有特点，对不同的管理方式会有不同的反应，因此，没有一种能适用于任何人、任何时期的普遍行之有效的管理方法。针对组织成员不同的心理需求及行为状况，管理者要采取灵活的管理原则：一是组织形式灵活。根据工作的性质不同，有的采用较固定的组织形式效果好，有的采取灵活变化形式效果好。二是领导方式灵活。单位不同，领导方式也不同。若单位任务不明确，工作混乱，应采取较严格的领导者方式，使单位走上有秩序的轨道；若单位任务明确、分工清楚、工作有序，应更多地采取授权的领导者方式，以充分发挥下属的积极性和主动性。三是善于发现组织成员的个别差异，因人而异地采取灵活多变的管理方式。

对人的不同假设形成管理者的不同的价值观、不同的管理理念，以及不同的管理风格。现代的劳动经济学多以经济人的假设为前提。我们认为，劳动经济学可把经济人作为研究的一般前提，但在现代劳动经济理论研究中，以至于在劳动科学、管理科学的研究中，不应以单纯的经济人假设为前提。

二、劳动者价值观

1. 价值观的概念

　　价值观是一个人对周围事物的是非、善恶和重要性的总评价，或称"世界观"、"心智模式"。人对各种事物，如工作、金钱、权力、幸福等在心目中有轻重主次之分，这种主次轻重排列成了个人的"价值体系"。人的价值观是决定人们期望、态度和行为的心理基础。在同一的客观条件下，具有不同价值观的人会产生不同的理想、需要、动机和行为。例如在同一单位里，有人对地位、权力看得很重，有的人重视金钱，有的人则看重人际关系等，这就是因为价值观不同所致。

　　2．价值观的形成

　　一个人的价值观是从他出生时起，在家庭和社会影响中积累而成的。父母、老师、亲戚、朋友、大众传媒等都是形成价值观的来源。虽然个人的价值观会随着生活的变迁而发生变化，但一些基本的观念往往是相对稳定的，它们对行为长期起着指导作用。人的价值观可以在人们的共同生活交往中互相学习效仿，因此在长期稳定的社会组织生活的人们也会形成大体相同的价值观，比如民族价值观、企业价值观、团体价值等。在共同价值观的调节下，人们的心理行为具有趋同倾向。

　　3．价值观的类型

　　人的基本价值观根据行为学家格雷夫斯的研究，人的价值观分为7个类型：（1）反应型。这种类型的人并不意识自己和周围的人是作为人类而存在的。他们总是照着自己基本的生理需要做出反应，而不顾其他任何条件。这种人非常少见，实际上等于婴儿。（2）部落型。这种类型的人依赖成性，服从传统习惯和权势。（3）自我中心型。这种类型的人信仰冷酷的个人主义，他们爱挑衅和自私，主要服从权力。（4）坚持己见型。这种类型的人对模棱两可的意见不能容忍，难于接受不同的意见，希望别人接受他的价值观。(5) 玩弄权术型。这种类型的人通过摆弄别人，篡改事实，以达到个人目的，积极争取地位和社会影响。(6) 社交中心型。这种类型的人把被人喜爱和与人为善看作重于自己的发展，他们往往受现实主义、权力主义和坚持己见者的排斥。(7) 存在主义型。这种类型的人能高度容忍模糊不清的意见和不同观点的人对制度和方针的僵化、空挂的职位、权力的强制使用，敢于直言。

史布兰格认为，在美国社会被重视的中心价值有 6 种，即以知识真理为中心的理论价值；以形式与调和为中心的美的价值；以权力地位为中心的政治性价值；以群体他人为中心的社会价值；以有效实惠为中心的经济性价值；以信仰为中心的宗教价值。[①]

对劳动者的劳动或职业价值观的研究有两种分类方法：

第一种是按照劳动或职业的领域进行分类，把人的劳动价值观分为 6 种类型：(1) 理论型。具有这种价值观的人最大兴趣在于探索知识，发现真理。科技研究人员一般具有这种价值观。(2) 经济型。具有这种价值观的人特别注重追求经济利益。大量从事企业活动的人具有这种价值观。(3) 艺术型。具有艺术价值观的人对事物的形式与和谐赋予很高的价值，并愿意表现自我。具有这种价值观的人适合于从事艺术活动。(4) 社交型。具有这种价值观的人最重视对人的爱，喜欢社会交往活动。(5) 权力型。具有这种价值观的人感兴趣的是权力和地位，他在任何需要有高权力价值观才能获得成功的职业或工作中做得很好。(5) 宗教型。具有这种价值观的人总是想方设法把自己与宇宙的信仰联

---

①　苏东水:《管理心理学》,复旦大学出版社 1992 年版,第 159－160 页。

系起来，他们热心于宗教活动并以此作为自己的事业（如牧师、和尚、道士等）。

第二种分类是日本学者田崎仁做出的，他把人的劳动价值观或职业观分作 9 类：① （1）独立经营型。这种类型的人不愿意受别人指挥，凭自己的能力或财力拥有自己的工作和生活领地。如个体户、私人律师等。（2）经济型。这种类型的人特别注重追求金钱，认为金钱高于一切。（3）支配型。这种类型的人特别重视权力和地位，以支配他人为心理满足。（4）自尊型。这种类型的人受尊敬的欲望很强，渴望能有社会地位和名誉；当受尊敬的欲望得不到满足时，由于过于强烈的自我意识，有时反而很自卑。（5）自我实现型。这种类型的人对利益并不关心，一心一意想发挥个人才能，并把充分施展个人才能看作最有意义的活动。（6）志愿型。这种类型的人富于同情心，把别人的痛苦视为自己的痛苦，在帮助别人的过程中获得心理满足与快乐。（7）家庭中心型。这种人重视家庭，安于生活，不敢冒险，对待职业也很慎重。（8）才能型。这种类型的人单纯活泼，重视个人才能表现与被承认，把深受周围人的欢迎视为乐趣，能以不凡的谈吐，新颖的服装博得众人好感，常使周围气氛活跃。（9）自由型。这种类型的人开始工作时无目的，但能调整行为以适应职业环境；他们常被周围人认为无责任感，但能承担有限的任务，不麻烦他人，无拘无束，生活随便。

4．价值观的作用

价值观不仅影响劳动者个人行为，还影响群体行为和组织行

---

① 转引自姚程群：《经济上的就业理论与就业促进》，中国劳动出版社 1996 年版，第 14 页。

为，因此价值观对于研究个人行为和组织行为是很重要的。（1）价值观是了解员工劳动态度和工作动机的基础。认识了价值观，才能知道人们选择什么职业，并在什么岗位上劳动，工作才有积极性和劳动效绩好。才能寻找出员工满意度不高，流失率严重的原因。（2）价值观是做好管理工作的重要条件。例如，组织颁布的一项规章制度，若与多数人的价值观相符，这项规章制度就会得到顺利认真的贯彻执行。相反，若多数人认为这项管理制度是错误的，它的贯彻执行就遇到困难和障碍。再如，消费者要求产品价廉物美，生产者要求增加盈利，职工要求增加工资和福利，政府要求企业多提供税收。面对各方面的不同要求，企业只有在平衡各方面价值观的基础上，才能做好管理工作，如果只顾一方，管理上肯定会出问题。（3）具有明确合理的价值观是成功组织的经验。一方面，作为组织领导人必须具有现代观念，如战略观念、市场观念、创新观念、竞争观念、人才观念、科技观念、信息观念等。另一方面作为整体必须具有共同的信念，并坚守这些信念。如日本松下公司的"产业报国，奋发向上"信念，丰田汽车公司的"家族创新"信念，本田汽车公司的"以人为中心"信念；韩国现代公司等大企业的"忠于团队为荣"的信念；新加坡企业的"重视效率"的信念；美国 IBM（国际商用机器公司）的"最佳服务"信念，彼勒公司的"追求优异"信念；我国深圳一些单位提出的"时间就是金钱，效率就是生命"的信念；江苏森达提出"视今天为落后"的信念；上海复星提出"修身齐家立业助天下"的信念；等等。

三、劳动者的现代化

社会经济现代化是人的现代化和物质现代化的统一，现代化首先是人的现代化，而后才是物的现代化。正如美国学者英克尔斯所说，"社会现代化促进人的现代化，现代化的人可以产生现代化的国家"。他对现代化的人的行为规范作了分析，把现代化的人的特性概括为12方面：（1）乐于接受新的思想观念和行为方式，能适应社会的各种变革；（2）头脑开放，能理解各种不同观点，尊重和自己的观点有分歧的意见；（3）不因袭旧的传统习惯面向现在和未来；（4）勇于对有争议的问题提出自己的看法；（5）随着形势的变化，及时地修正自己的观点和计划；（6）珍惜时间，讲求效率；（7）尊重他人（包括自己的子女）对职业的选择，不加干涉；（8）深谋远虑；（9）举止端庄；（10）相信科学技术的力量；（11）功过分明，赏罚得当；（12）从利益出发，控制自己的情绪脾气。在现代化过程中，人们早期注重物的现代化，现在注重人的现代化；发达国家注重人的现代化，发展中国家注重物的现代化。我国在实现现代化的过程中，要缩小与发达国家的距离就必须在人的现代化上狠下功夫。

第三节　劳动力

一、劳动力的含义与特点

劳动力这个概念是经济科学和管理科学中最常见的一个概念。它在实际使用中往往被赋予不同的含义。劳动力概念通常有以下三种含义：（1）指人的劳动能力；（2）指有劳动能力、从事劳动活动的人，也就是劳动者；（3）指一个国家、一个地区、或者一个部门的劳动者的总和。

在实际工作中，这三种含义往往是不加区别、不加说明地混合运用的。比如，当人们说"节约劳动力"、"浪费劳动力"、"开发劳动力"时，其中"劳动力"所指的是人的劳动能力，即用的是它的第一种含义。当人们说"招收劳动力"、"调配劳动力"、"管理劳动力"时，其中"劳动力"所指的是劳动者个人，即用的是它的第二种含义。而当人们说"工业劳动力"、"社会劳动力"时，其中"劳动力"所指的是一个部门或一个社会的全体有劳动能力的人，或全体劳动者的总和，即用的是它的第三种含义。

劳动力的三种含义既有区别，又有联系，后两种含义是以第一种含义为基础的。无论是什么人，无论是劳动者个人，还是劳动者总体，都只有在他们具有劳动能力的条件下，才能够被称为劳动力。因此，劳动力的第一种含义是基本的，也是我们要着重讨论的含义。

劳动力具有以下的特点：

1. 劳动力和劳动力所有者不可分割。

劳动力是人的劳动能力，是劳动者生产某种使用价值时运用的脑力和体力的总和。劳动力不能独立存在，作为劳动力市场交换客体的劳动力，只是劳动力的使用权，因而劳动力的交换只是劳动力使用权的让渡和租赁。寄寓劳动力的主体只能是人，所以在劳动力使用权让渡出去之后，劳动力的所有者依然与劳动力使用的所有方面有着全面的联系，如工作条件、环境、安全、职业发展前景等。劳动力的使用状况反过来又对劳动者产生全面的影响。

2. 劳动力的形成和再生产是社会劳动的结果。

劳动力具有生理特征：(1)劳动力的形成是以消费社会劳动为条件的；(2)劳动力的形成周期较长,现代社会至少需要 16 年；(3)劳动力不能储存。今天的劳动力不加以利用,随着生命的新陈代谢就将永远地失去。(4)劳动力不间断地作为商品交换,其承担者的生命必须得到维持,必须保证每天最起码的维持生命的收入或物质条件;(5)劳动力具有生命周期和生理间歇周期。劳动力是有生命的物质实体,其生命大体在40年左右,在一个自然时间单位,如一昼夜,必须保证劳动力一定的休息时间等。

3. 劳动力在劳动过程中起着能动性的作用。

任何生产都是与人的生产劳动息息相关的,离开了人的劳动,无法形成生产力,无法形成生产过程。其他资源开发利用的程度,也都要受到劳动资源开发、利用程度的制约。而一切经济活动的最终目标是劳动者和整个社会福利水平的提高。

二、马克思对劳动力的科学定义

马克思在《资本论》第一卷里给劳动力下了一个定义,他写道:"我们把劳动力或劳动能力,理解为人的身体即活的人体中存在的、每当人生产某种使用价值时就运用的体力和智力的总和。"这是一个科学的完整的定义。对这个定义我们应该着重掌握以下几点:

1. 劳动力是人所特有的一种能力。

自然界的其他任何能力,无论是风力、水力、畜力,还是电磁力、化学力、核动力以及现代电脑表现出来的人工智力,都不能叫做劳动力。这些自然力不管有多么强大,多么精确,不管能在什么程度上代替人的劳动,或者模仿人的劳动力,它们都和人的劳动力的性质是完全不同的。所以,不能把它们和劳动力混为一谈。

2. 劳动力是人在劳动中所运用的能力。

这就是马克思所说的人在生产使用价值的活动中所运用的能

力。这就把人的劳动力和人的其他能力区别开来了。并非人的一切能力都是劳动力，劳动力只是人的能力的一部分，是人在劳动中运用和体现的能力。人在其他活动和交往中运用和体现的能力，则不是劳动力。研究人的能力结构中劳动力所占的位置，提高人的能力结构中劳动力所占的比重，在人的能力开发中，着重开发人的劳动力，这些都是劳动经济科学要解决的重要课题。

3. 劳动力是存在于活的人体之内的能力。

劳动力的存在，是以人的生命和健康为基础的。人是劳动力的承担者，但并不是任何人都是劳动力的承担者，只是达到一定的成熟程度，具有一定的健康条件，能够参加社会劳动的人才是劳动力的承担者，才具有劳动力。具有劳动力的人，只是社会总人口中的一部分。

4. 劳动力是人在劳动中运用的体力和智力的总和。

劳动力由体力和智力两部分组成。人的躯体活动产生体力，人的头脑的活动产生智力。躯体活动受到头脑活动的指挥和控制；而头脑活动要通过对躯体活动的支配来反映和实现。因此，一切劳动都要同时耗费体力和智力，没有只耗费体力而完全不耗费智力的劳动；也没有只耗费智力而完全不耗费体力的劳动。只是在社会分工的条件下，由于某项具体劳动往往是以耗费体力（或脑力）为主，掩盖了它同时耗费脑力（或体力）的另一方面，才被人们简单地称为体力劳动或脑力劳动。事实上，一切劳动活动都是人的躯体和头脑活动的统一。每一个劳动者都兼有体力和智力。劳动力是体力和智力的总和。

三、劳动力商品的特殊性

劳动力作为商品，是用报酬购买到的一种工作能力，是一定时间内存在在活的人体内，每当人生产某种使用价值就要运用出来的体力和智力的总和。很明显，劳动力依存于人类自身，不能脱离于人身而存在，劳动力商品的这种特殊性，导致了两种不同的观念上的倾向：

一种倾向出自于劳动力商品的人类特性，从而否定劳动力的商品性。这种倾向多出于西方国家一些政治家那里。由于在历史上曾经有过奴隶买卖，有过历时百年的废奴运动，他们对于把劳动者当作商品买卖很敏感，讳言商品，对劳动者作为商品买卖的现象存在着历史性恐惧与敏感，认为视劳动者如粮食、石油、债务一样可以自由买卖，有辱人格。这种倾向也反映在西方一些官方文件中。例如，1914 年美国国会通过的《克莱顿法》的第 6 部分就声明人类劳动力不是一种商品或一种商业项目。1919 年《国际劳工组织宪章》明文确认，无论在法律上或事实上，劳动力都不应当视为商品。第二次世界大战后的《费城宣言》再次重申了这一观点。

另一种观念上的倾向源于劳动力商品与其他商品之间的差别，从而使人们对市场概念是否符合于劳动者产生疑问。劳动者是非标准化的，每个劳动者都具有独特的外在形式和内在品质，所从事的每项工作的要求和条件也不尽相同；而市场上的其他商品都是相对标准化的，事实上不存在像劳动力商品那样——由成千上万异质的劳动者组合成的群体，于是看起来劳动力商品缺乏市场化所必需的同类性特征。同时，劳动力商品的人类性还会以其他方式显示出来。劳动者本身可以通过接受教育等手段对劳动力质量作出自我改善，他们可以对工作质量进行自我控制。与其他的生产要素如土地和资本不同，劳动者还会因受到激励而出色地工作，也会因为愤怒而消极对待工作，从而影响工作过程和工作结果。劳动力商品所具有的与众不同的这些特征，显然与市场概念或市场逻辑有常理上的相悖之处。

但是，普遍存在的雇佣关系，工资率变动对劳动力供求的影响，都表明了劳动力市场实实在在存在于现实经济生活之中。问题的复杂性在于劳动者、劳动、劳动力三个概念均体现于同一实体，从而使人们难以清晰区分它们之间的差别，也很难作出科学合理的抽象。马克思在这方面的一个杰出贡献就是在劳动价值学说研究中区分了劳动和劳动力之间的差异。他指出，劳动是价值的实体和内在尺度，但本身没有价值，劳动者在市场上出卖的只是他的劳动力或劳动能力。马克思对劳动过程的研究，完全基于这样一个理论上，即认为劳动力是资本家在劳动力市场上购买到的工作能力，而劳动则是一个单位劳动力在生产过程中实际耗费的能力。如果工资和价格已经给定，生产过程所形成的价值大小取决于从购买到的劳动者身上能够获得的劳动服务量的大小。马克思的研究实际上解决了由劳动力商品特殊性所产生的难题：(1) 劳动力市场的交易主体是劳动者，马克思有时把它们称之为"工人人口"；而交易的另一方为厂商、资本家；(2) 劳动力商品不同于其他的普通商品，劳动者不出卖其自身，而只是出卖或转让其劳动能力，这种劳动能力是市场上的交易对象；(3) 劳动力市场是劳动者和生产资料在资本主义条件下相结合的条件。马克思指出"不论生产的社会形式如何，劳动者和生产资料始终是生产的因素。但是，二者在彼此分离情况下只在可能性上是生产的因素。凡是进行生产，就必须使它们结合起来"。[①] 拥有生产资

---

① 《马克思恩格斯全集》，第 24 卷，人民出版社中文第 1 版，第 44 页。

料的厂商就构成劳动力需求一方；没有生产资料的劳动人口则为供给方，从而构成市场供求关系。

在马克思之前，古典经济学已经把劳动力商品和劳动力市场纳入到政治经济学分析范围之内，但是，他们并没有对劳动和劳动力作出区分。在早期马克思的经济学著作中，也没有作如此的区分。后来他肯定了劳动者出卖的东西不是自身，而是一种工作的能力，是体力和智力的总和，这是对千百万异质劳动力商品所作的合理的抽象，由此解决了任何一种市场所要求的交易对象的同质性或市场的同类性问题，从这一角度看，市场概念和市场逻辑运用于劳动力也是十分适合的。

现代经济学对劳动力市场分析同样要进行这样的合理抽象。如何把形形色色、成千上万的劳动力通过供给和需求曲线来描述其运动与机制，首先要解决的问题就是必须假定他们是同质的，而作这种假定之前是寻找劳动力的相同特征。除了劳动力毫无例外是人类体力和智力的支出外，生产过程中劳动力技术方面的相似性也是具有共性的特征。经济学家指出，尽管劳动者在很多方面各不相同，但是在"技术上的相似足以把他们联系到一条劳动力供给曲线上。"而在交易的另一方，大量的企业需要劳动者完成各种劳作，这些劳作在内容上各不相同，但却需要类似的技术。从集合的意义上讲，这些企业作为具有某类技术的劳动力需求者，技术上的相似性足以把他们联系到一条劳动力需求曲线上。① 这样一个由供求双方相互作用的劳动力市场概念就基本成立了。

---

① 杨先明等著：《劳动力市场运行研究》，商务印书馆 1999 年版，第 6 页。

四、劳动力资源

劳动力资源，亦称劳动资源或人力资源，是指一个国家或地区中拥有劳动能力、可以从事社会劳动的那一部分人口的总和。它包括劳动适龄人口中绝大部分可以参加劳动的人和一小部分劳动适龄人口以外的可以参加劳动的人。但是，在劳动适龄人口中有一部分人由于某些原因（疾病、工伤、意外事故和自然灾害等）完全丧失了劳动能力，没有条件参加社会劳动，这一部分劳动适龄人口不包括在劳动力资源之中。

劳动力资源，从内涵上讲，具有数量和质量两个方面的规定性。所以，判断一个国家或地区劳动力资源量的大小，不应只看其数量的多寡，而且还应考察其劳动力人口所具有的平均素质。从这个意义上说，劳动力资源是具有劳动能力的人口数量与其平均质量的乘积。

劳动力资源从数量上看，主要取决于一个国家或地区在一定时期内所拥有的具有劳动能力的劳动适龄人口的总体。一般来说，一个国家或地区劳动适龄人口越多，其劳动力数量资源量也就越丰富。但劳动力资源不同于劳动适龄人口，前者的划分，主要是以有无劳动能力为标准的，而后者的划分标准只有一个，即劳动年龄的上限和下限。某一时间内一个国家或地区的劳动力资源数量内容，主要包括以下 8 部分人口群体：（1）劳动年龄内的在业人口；（2）未达劳动年龄但正从事社会劳动的就业人口；（3）超过劳动年龄仍继续从事社会劳动的就业人口；（4）劳动年龄内的失业人口；（5）劳动年龄内的从事家务劳动的人口；（6）劳动年龄内的在学人口；（7）劳动年龄内的军队服役人口；（8）劳动年龄内的其他具有劳动能力人口。其中（1）至（3）为社会在业人口；（1）至（4）为现实劳动力资源；（5）至（8）为潜在劳动力资源。

劳动力资源的质量，是指一个国家或地区在一定时期内劳动者群体所具有的认识世界、改造世界的能力和条件。因为劳动力是人的体力和智力的总和，因此劳动力资源的质量也包括多方面的因素，概括起来，可以归结为身体素质、文化技术素质和思想道德素质三个方面。劳动力资源的质量实质上是德、智、体诸因素的结合和统一。只有德、智、体全面发展，才能称得上素质优良的劳动力资源。

劳动力资源与其他资源相比较，虽然有其自身的若干特点，但在稀缺性方面与其他资源具有共同的属性。劳动力资源具有如下稀缺属性：

1. 相对于社会和个人的无限需要和愿望而言，具有相对的稀缺性。一定时期，社会可支配的劳动力资源无论其绝对量有多大，但总是一个既定的量。任何一个既定的量与无限性相比，总是不足的，即具有稀缺性。

2. 具有绝对的稀缺性。社会和个人的需要和愿望不断增长、变化，已有的需要和愿望得到了满足，又会产生新的需要。因此，劳动力资源的稀缺性存在于社会历史发展的各个阶段，从而使劳动力资源的稀缺性具有普遍和绝对的属性。

3. 在市场经济中，劳动力资源稀缺性的本质表现是消费劳动力资源的支付能力、支付手段的稀缺性。消费资料的形成是劳动的结果，是消费各种资源的产物。若消费各种资源的支付能力、支付手段是无限的，那么，消费资料也就是无限的。然而，消费各种资源以生产或形成经济物品的支付能力、支付手段是有限的，这也正是资源（包括劳动力资源）闲置的根本原因之一。

无论是社会还是个人，在追求满足其自身需要和愿望的过程中，表面上是受到资源稀缺的约束，本质上则是受到支付能力、支付手段的约束。比如闲暇时间可以使得个人得到享受和获得发展，可以满足人们的多种需要和愿望。但是，闲暇消费仍然需要支付能力，用以保证闲暇消费得以进行的条件。再比如，失业或就业不充分是当前社会上的普遍现象，是劳动力资源闲置的典型表现。劳动力资源是稀缺的，怎么还会闲置呢？根本原因在于资源稀缺的本质——支付能力有限。若支付能力无限充分，就不会存在荒芜的土地、浩瀚的沙漠……生产多少经济物品都可以得到支付，也就不会存在资源的闲置。

劳动力资源的稀缺性以及劳动力资源在社会生产中的能动性作用，导致任何经济行为，任何经济决策都有成本。社会和个人追求某一目标，就意味着对另一目标的放弃。这里的成本概念不是指实际成本，而是指机会成本。这里的机会成本，是指将稀缺的劳动力资源用以满足此种需要和愿望而放弃的另一种需要和愿望的满足。

现代劳动经济学产生于劳动力资源的稀缺性与成本的存在，以及由劳动力资源的稀缺性而引起的选择问题，即劳动力资源的配置问题。因此，现代劳动经济学是研究稀缺的劳动资源配置的科学。

五、劳动力产权

运用马克思主义和现代西方产权理论，结合劳动力资源的特殊性质，从生产力发展的角度着眼，劳动力产权的界定应当明确以下几个方面：

1. 劳动力的个人所有权。

在生产资料公有制条件下，劳动者的劳动力仍然是劳动者借以谋生和获得个人发展的惟一手段，对此加以侵害或否定，无异于剥夺了劳动者的生存权利。当然，社会主义计划经济体制下实行的劳动力公有化，与劳动者不占有任何生产资料并失去人身自由的状况，具有本质不同，但无论如何，是与人的自由全面发展不一致的。关键在于，在社会根本不具备劳动力公有的条件时，否定劳动力的个人所有，只会抑制劳动者的自由个性的发展，窒息劳动者的劳动热情，从而阻滞社会生产力的发展。必须明确，在任何情况下，劳动力的所有权都必须始终掌握在劳动者本人身中，这是劳动力所有权与其他财产所有权的重要区别。其他财产所有权是可以买卖的，随着交易的完成，财产由一个物主转移到另一物主手中，与原来的物主脱离了任何联系。劳动力所有权不同，劳动力可以作为商品买卖，但这种买卖的对象只是劳动力的使用权而不是劳动力的所有权。因为劳动力所有权的买卖意味着劳动者人本身的买卖，像奴隶贸易那样，这已经永远是历史的陈迹了。马克思对这一问题分析得十分精辟：劳动者"作为人，必须总是把自己的劳动力当做自己的财产，从而当做自己的商品。而要做到这一点，他必须始终让买者只是在一定期限内暂时支配他的劳动力，使用他的劳动力，就是说，他在让渡自己的劳动力时不放弃自己对它的所有权。"①

2. 劳动力的使用权。

劳动者个人应当有权决定自己劳动力的使用方向。劳动者究竟适合干什么工作，其天赋何在，只有劳动者自己最清楚，所以，为使劳动者的劳动能力得以充分发挥，劳动力的如何使用，

---

① 马克思：《资本论》第 1 卷，人民出版社 1975 年版，第 191 页。

应由劳动者自主决策。

3. 劳动力的支配权（流动权）。

劳动力是宝贵的经济资源，具有在使用过程中不断充实、丰富和提高的特性，而当被闲置起来时却贬值很快，因此，为使劳动力得到最大程度地利用，就必须赋予劳动力所有者以自由支配权，允许自由转让。当劳动者向着更能发挥作用的岗位流动时，劳动力资源也就向着对他评价更高的地方去了，这会使社会总的福利增加，劳动者个人收入提高，同时又没有使其他人的境况变得更糟，显然，这是一种"帕累托改进"。同时，更为重要的，当劳动力能自由流动时，才会有真正的劳动力市场，形成劳动力的市场价格。这种价格为人们提供了生产和再生产自己劳动力商品的指示器，并引导劳动力所有者选择自己的劳动岗位，从而实现劳动力资源配置的动态优化。

4. 劳动力个人的收益权。

劳动力不是同质的，而是有质量差别，从而各自的贡献也会是很不相同的。劳动者应当拥有凭借各自劳动力获取差别收益的权利。至于劳动者应得到多少收益，是仅得到劳动力价值，还是除此之外还能够分享部分经济剩余，应由劳动力市场去给予评判。与收益权相联系，劳动者有选择丰富多样性的消费以再生产自身劳动力的权利。

5. 劳动力所有者的基本生存权。

考虑到劳动力产权界定的历史和道德的因素及劳动力同劳动者活的生命机体的不可分割性，劳动力所有者应拥有基本生存权。这是因为，劳动力的存在必须以劳动者经常不断地消费一定量的生活资料为前提。在市场经济条件下，失业是一种正常的经济现象，这时，为了维系劳动者的劳动力，其基本生活需要必须得到保障。这也是劳动力所有者的基本权利。这是人类社会发展到今天的文明程度所要求的。

当然，以上我们只是从劳动力所有者的角度分析了涉及劳动力的财产权利。在社会化大生产和市场经济条件下，产权是可以分解的，而且是经常被分割的。劳动力作为一种特殊的财产，其特殊性表现在它的所有权始终是掌握在劳动者手中的，同时，劳动力所有者拥有基本的生存权。至于劳动力的使用权、支配权（流动权）和收益权，则依产权的分解和组合情况不同而不同。比如，在劳动力通过市场交换由劳动力的需求方取得了在一定时期的支配和使用权后，对劳动力如何使用和支配则是雇主或企业的权利。同时，也正如我们已经指出的，任何权利都与收益相联系，对劳动力的支配权和使用权也会给其产权主体带来收益。

资本主义生产关系相对于它以前的各历史阶段是一个巨大的历史进步，这种进步不是在生产资料所有制方面（就它仍然是一种私有制代替另一种私有制而言），而是在劳动力的所有制方面。资产阶级革命把农民从封建的人身依附关系中解放出来，劳动者在人类历史上第一次有了安身立命的个人财产——自身的劳动力，反映了人类解放的历史进程。尽管从总体上说，这种进步仍然局限在劳动力对资本的隶属关系内，但它对于资本主义乃至于整个人类社会发展的意义却是不能低估的。

第一，劳动者拥有完全独立的个人劳动力产权，就具备了同生产资料所有者讨价还价的谈判力量。这从根本上改变了过去历史上劳动者总是依附于他人的孤立无助的困境。尽管资本主义初期这种力量还十分幼弱，直到今天还不够强大，但毕竟劳动者的平等地位的确立，为这种力量的发展壮大提供了可能性。

第二，劳动力个人产权的确立，使劳动者有了劳动力的支配权,有了择业自由。在市场经济条件下,劳动者总是向着那些工作条件较好、报酬较高的工作岗位流动,这意味着劳动者流向了最需要的地方,发挥了最大价值,增进了社会福利和个人收入,实现了劳动力资源的优化配置,对于产业结构的调整和改善具有积极的意义。

第三,劳动力个人产权的确立,是劳动力的大解放,从而也是生产力的大解放。劳动者在为资本所有者提供剩余劳动的同时,也在为自己从事必要劳动。它调动了劳动者的劳动积极性和创造性,使人们更富于进取精神和竞争精神。当我们说资本主义生产方式在它确立的几百年间创造的生产力比它以前的所有社会的生产力总和还要多许多倍的时候,不要忘了,这是与劳动力的解放密切相关的。

第四,劳动力个人产权的确立,使劳动者获得了凭借其生产要素获取个人收益的权利,这为劳动力的再生产特别是劳动力的内涵式扩大再生产提供了条件。在劳动力市场上,由于激烈的竞争,劳动力所有者为了实现其劳动力商品的"惊险的跳跃",就必须十分重视提高和改善自己的劳动能力。如果在资本主义前期劳动者应着力保持其强健体魄的话,在现代社会中,则尤其要重视学习和掌握先进的科学技术知识,使劳动力质量不断提高,以适应现代社会对劳动力的质量需求。结果,提高了劳动生产率,促进了生产工具的改进和科学技术进步,从而促进了社会生产力的发展。

第二章　人力资本

在市场经济中，劳动力个人产权的确立，为劳动者通过向自身投资从而逐渐改变自己的经济和社会地位提供了可能性。随着科学技术的发展，经济社会正在经历"从金融资本到人力资本"的转变，"人力资本已取代美元资本而成为一种战略资源"①。这种资本形式相对价格的重要变化，引起了现代市场经济条件下的劳动者家庭和国家的高度重视，同时也产生了人力资本投资的必要性。

第一节　人力资本与人力资本理论

一、人力资本理论的产生

现代西方人力资本理论的诞生经历了一个漫长的孕育过程。早期的许多经济学家在其著述中时常有人力资本概念的火花闪现，但由于受其时代的限制，他们对于人力资本尚缺乏系统的研究，占主导地位的思想则是过分看重物质资本对经济增长的作用。

被称为现代西方经济学之父的斯密曾在其《国富论》中指

---

① 约翰·奈斯比特、帕特丽夏·阿伯丹：《90 年代的挑战——重新创造公司》，中国人民大学出版社 1988 年版，第 2 页。

出："一种费去许多工夫和时间才学会的需要特殊技巧和熟练的职业，可以说等于一台高价机器。学会这种职业的人，在从事工作的时候，必然期望，除获得普通劳动工资外，还收回全部学费，并至少取得普通利润。……熟练劳动工资和一般劳动工资之间的差异，就基于这个原则。① 在这里，斯密实际上已经把人力投资和物质资本投资等量齐观，并把由于投资而形成的劳动力和一般劳动力区别开来。德国历史学派的先驱李斯特在其所著的《政治经济学的国民体系》中，则考察了教育——现代意义上的人力资本投资——对经济发展的作用。他特别区分了"物质资本"和"精神资本"这两个概念。人类的"物质资本"是由物质财富的积累形成的，"精神资本"则来自智力方面的积累。他强调指出，如何对人类的"精神资本"加以领会、运用及发扬光大，对于一个国家生产力的发展具有至关重要的作用。为此，必须重视教育投资。② 李斯特的"精神资本"概念的内涵现已成为西方人力资本概念的重要组成部分，而其对教育投资的强调则几乎达到了当代人力资本理论的水平。新古典学派的创建者马歇尔也曾明确指出："所有的投资中，最有价值的是对人本身的投资。"③ 然而，"虽然包括马歇尔在内的许多经济学家，在他们的著作中的此处或彼处也看到人力投资的现实意义，但是，人力投

---

① 斯密：《国民财富的性质和原因的研究》，商务印书馆 1972 年版，第 93 页。

② 李斯特：《政治经济学的国民体系》，商务印书馆 1961 年版，第 123－126 页。

③ 马歇尔：《经济学原理》（上），商务印书馆 1965 年版，第 125 页。

资却很少被纳入经济学的正规的核心内容之中"。[①] 可以说，直到上世纪中叶，正统的西方经济学说并没有真正把人力资源当做一种资本，而是把它当做非资本的生产要素，这种生产要素，不包含劳动者后天形成的知识和技能，是一种纯粹的与生俱来的能力，因而它们是同质的。对劳动力资源分析的意义仅在于数量的利用问题。

特定的思想观念产生于特定的历史时代。西方经济学的传统理论之所以长期持有这种观念，与当时的生产力发展水平有关。在相当漫长的历史时期内，社会生产所需要的基本上是体能健全的体力劳动者，科学技术在生产过程中的作用表现得并不十分明显和充分。因此，劳动力的再生产主要以劳动者恢复其体力为主要特征，科技含量是极为低微的。

第二次世界大战以后，科学技术的飞速发展带来了人类社会生产方式的深刻变化。科学、技术与生产三者的分离状况逐渐被三者之间的多向度、多层次的相互复合所消弭，科学技术被应用于生产的周期不断缩短，其对经济和社会发展的贡献日益突出。过去的以繁重体力劳动为主逐渐被以高智能的脑力劳动为主所代替。这就对劳动力的质量要求越来越高，而主要取决于后天投资的劳动力质量的提高又反过来促进了经济发展。

这种新的经济现象使得过去忽视人力资本的传统经济理论面临一系列问题：其一即为著名的"里昂惕夫之谜。"按照标准的国际贸易理论，资本富裕的国家应出口资本密集型产品，劳动力充裕的国家应出口劳动密集型产品。但美国经济学家里昂惕夫根

---

① 舒尔茨：《论人力资本投资》，北京经济学院出版社 1990 年版，第 3 页。

据投入产出法对美国外贸结构分析的结果却与此相反：美国出口的是劳动相对密集的产品，进口的则是资本相对密集的产品；其二，资本—收入比率的长期变动趋势与传统经济理论的矛盾。按照传统理论，一个国家的资本积累相对于其劳动越多，该国的资本相对就越便宜，该国就会更多地采用资本而少用劳动，则资本—收入比率就会随经济发展而越来越高，然而事实并不如此甚至相反；其三，经济增长过程中出现了剩余因子，在西方经济的增长过程中，国民收入的增长速度比用于产生收入的土地、资本存量和劳动的增长速度更快，由此产生了这个速度之差的来源问题的困惑；其四，为什么西德和日本在第二次世界大战中经济破坏惨重，但两国很快就又能恢复并超过战前水平？其五，工人实际工资大幅度增长的原因何在？

上述问题激发了经济学家们对人力资本的重视和研究，并最终形成了人力资本学派。在这个学派成长的过程中，舒尔茨、加里·贝克尔及爱德华·丹尼森等人都对该理论做出了贡献。该理论的主要观点是：

1. 关于人力资本的概念。

传统经济理论中的资本概念只包括物质资本，这是造成前述各种难题与困惑的原因。人力资本理论认为，完整的资本概念应包括物质资本和人力资本两种形式。物质资本是体现在物质产品形式上的除土地、劳动之外的厂房、机器、工具等物品；人力资本则是体现在人身上的资本，其本身也有着数量和质量上的规定。就数量而言，"人口数量，投身于有用的人口比例及实际劳动量，是基本的数量特征。"① 而人力资本理论着重考察的是由技术、知识、健康状况等决定的人力资源的质量方面。它特别强调，人力资本并不是同质的，受过良好教育和培训，掌握一定知识和技能的人力资本是一个国家经济增长的关键因素。

人力资本概念的提出，使得困扰人们的上述几个理论问题豁然开朗。因为美国是一个人力资本具有绝对优势的国家，所以它以出口人力资本密集型产品换取一般资本密集型产品；资本——所得比率之所以没有提高而是不断下降，是因为所得中有一部分是人力资本投资增加的结果，而这部分人力投资却没有加到资本中去；国民收入增加的速度之所以比投入的生产要素增加的速度快，是投入品特别是人力质量的改进所使然，是人力资本的贡献；德国和日本之所以能在短时间内重新崛起，则是虽然其物质资本战时遭到破坏，但其人力资本尚存所导致；工人实际工资的大幅度增长，是向人力资本投资的收益的体现。对上面问题的回答，也证明了人力资本对经济增长和社会发展的重要作用。

2. 关于人力资本的投资。

人力资本投资是一项能够带来收益的重要的生产性投资。人力资本不同于一般的劳动力，它是一种稀缺资源，具有经济价值，要得到它就必须付出一定的成本。人力资本投资的内容和范围主要包括：用于医疗和保健方面的支出，教育和培训的支出，劳动力国内流动的支出，移民入境的支出。

对人力进行投资，决非纯粹的消费开支，而是一种能够增加未来收入和满足需要的生产性投资。用于医疗保健方面的支出，

---

① 舒尔茨：《论人力资本投资》，北京经济学院出版社 1990 年版，第8 页。

可以提高人力资源的身体素质和工作能力；用于劳动力国内流动的支出，可以促进劳动力的自由流动，从而有利于优化配置人力资源，因为人力资源的错置无异于一种低效配置；用于移民入境的费用，可以增加本国高质量的人力资本和稀缺的劳动力资源，是增加本国人力资本的一条经济合算的途径；教育和培训方面的支出，可以转化为知识存量，提高劳动者的科技水平。由于科技进步对经济增长的日益突出的贡献，而科技进步又主要依赖于教育，所以教育和培训投资尤为人力资本理论所强调，美国 1909－1929 年间物质资本对经济增长的贡献是教育的两倍，而 1929－1957 年间教育对经济增长的贡献却超过了物质资本的贡献。[①]而据舒尔茨的测算，1929－1959 年间的劳动工资增量中，约有 36％到 70％是来自于工人增加教育的收益。[②]

人力资本理论通过实证分析，论证了现代经济增长主要取决于人力质量的观点，并强调对人力资本投资的极端重要性。

二、人力资本的内涵及其形成

1. 人力资本的概念与特征

按照《新帕尔格雷夫经济学大辞典》中有关条目的解释，"人力资本是体现在人身上的技能和生产知识的存量"。[③]

我们认为，人力资本是随知识、技术、信息的商品化，通过对劳动力投资，由劳动力个人产权转化而来的，能够实现价值增

---

① 舒尔茨：《论人力资本投资》，北京经济学院出版社 1990 年版，第 22 页。

② 同上书，第 13 页。

③ 《新帕尔格雷夫经济学大辞典》第二卷，经济科学出版社 1992 年版，第 736 页。

值的一种特殊的劳动力资本。

人力资本与非人力资本相比较，具有自己独特的特征。主要体现在以下几个方面。

第一，依附性。人力资本的依附性体现在两个方面：一是对人身的依附，人是人力资本的天然载体，一切体能和智慧等依附于活生生的人而存在，而且以人具有劳动能力为条件；二是对物质资本的依附性，人力资本只有在生产劳动中与物质资本相结合，才能实现其价值，否则，人力资本无从谈起。

第二，复杂性与可隐蔽性。首先，不管是实物形态的非人力资本，如机器设备，还是价值形态的非人力资本，如有价证券，其价值的大小，都可以通过一定的尺度来度量，而人力资本，如管理能力、知识等，是难以用得到普遍认可的标准来进行度量的。所以，人力资本的定价问题一直是经济学中一个悬而未决的难题。其次，在非人力资本市场上，虽然也存在卖方与买方的信息不对称问题，但非人力资本所显示出来的市场信号，总是可以让双方据此作出大致的估计。而在人力资本市场上，虽然也存在学历证书、职业证书、个人履历等人力资本价值显示信号，但相对非人力资本信息而言，这些信息是残缺的，而且是难以直观量化的。同时，由于人力资本价值更多的是在人力资本运用的过程中体现出来的，这必然决定了人力资本价值信息具有更大的可隐蔽性。即一个人能够做什么，不能够做什么，在工作中付出了多大的努力，只有他（她）自己最清楚，别人是无法知晓的。

第三，多样性与专用性。同丰富多彩的非人力资本一样，人力资本也是多样性与专用性的有机结合。每个人都有自己的爱好与特长，每所大学都有自己的不同专业，每个企业也都有各自的不同工种，这些差异从总体上表现出人力资本的多样性，从个体上表现出人力资本的专用性。正是人力资本的这种专用性，决定了单个人的人力资本的应用范围是非常狭窄的。一种在某一领域很有价值的人力资本，一旦转移到另一个不相关的领域，就会变得一钱不值。我们常说的"隔行如隔山"，指的就是这个道理。例如，一位经济学博士，在阐述相关领域的经济问题时，可能有独到见解，说得头头是道，但这个人可能不会驾驶汽车，当你责成他为你开车时，其人力资本就无法派上用场，从而在这个领域大为贬值。

第四，协作性。人力资本的专用性，决定了人力资本使用过程中必然对其他专用性人力资本具有依赖性，人力资本作用的发挥必须依靠其所有者之间的协作。一般说来，协作能够使人力资本的价值产生"$1+1>2$"的效果。相反，离开协作，人力资本的价值也会大打折扣。企业之所以用团队生产的方式取代了市场的交易，在很大程度上与这种协作生产带来的合作收益有关。

第五，递增性。人力资本与物质资本相比较，具有明显的递增性。由于物质资本的生产和消费是分离的两个过程，因而会随着不断使用而消耗，人力资本则不然，它的生产过程和消费过程是合二为一的，只会随着使用次数的增加而增加，如从一名普通的工人成为熟练的工程师。

第六，可变性。人力资本随着教育的投入、培训的费用、保健支出的增加和不断的使用，人力资本可以不断增值，但是如果人力资本不能够经常运用、学习和更新，人力资本也会贬值。在知识经济时代，由于知识更新较快，人力资本贬值现象更为明显。

第七，社会性。人力资本的物质载体是人本身，而人生存在特定的社会环境中，受到各种社会条件的制约。因而，人力资本除接受各种经济条件和人类生育条件的明显约束外，还受社会条件和特定生产方式的制约，这样，人力资本具有鲜明的社会属性。

第八，层次性。人力资本与物质资本相比，具有明显的层次性。它来源于能力的不同。如舒尔茨把人的能力分为五类：学习能力、完成有意义工作的能力、进行各项文体活动的能力、创造和应付非均衡的能力等。

2. 人力资本的类型

物质资本是同质的，人力资本由于人们的知识、信息、技能等方面存在着差异，它是非同质的。可是在现实生活中，只有在特殊的情况下，人力资本异乎重要的时候，它的非同质性才会引起人们的关注。在这里我们根据能力的划分，把人力资本分为四种类型：（1）一般型人力资本，对应的社会角色是一般劳动者；（2）技能型人力资本，对应的社会角色是专业技术人员；（3）管理型人力资本，对应的社会角色是各级各类管理人员；（4）企业家型人力资本，对应的社会角色是企业家、社会活动家等。

3. 人力资本价值的两种解释

第一，边际收益递增的人力资本价值论。人力资本的边际理论认为人力资本是具有边际收益递增的生产力形态资本，它具有价值的增值性。人力资本为什么具有价值的增值性呢？经济学家从宏观和微观两个方面进行了解释。

从微观看，有四种情况促使了人力资本价值的增值。一是在其他条件不变的情况下，由于人力资本的提高，致使生产率提高；二是在其他条件不变的情况下，物质资本的变动，致使生产率提高；三是人力资本和物质资本不变，由他们决定的运行规则变化，导致生产率的提高；四是人力资本、物质资本以及由此决定的制度均变动，劳动生产率提高。

从宏观看，人力资本递增也有四种情况。一是由于知识积累，人力资本变动，导致社会分工，从而提高了全社会劳动生产率；二是人力资本积累的外部效应，产生的全社会平均人力资本提高；三是人力资本和物质资本决定的制度进行变革，提高了劳动生产率；四是全社会劳动生产率提高，生产要素所含的劳动量减少，从而相应增加了劳动量，提高了人力资本的收益。

第二，人力资本的劳动价值论。人力资本的劳动价值论认为，人力资本之所以具有价值增值的特性，主要原因有两个：一是人力资本具有商品的属性；二是人力资本是一种特殊的商品。

从人力资本的商品属性看，原因有三：一是人力资本在形成过程中，需要消耗物质资本，而物质资本在商品经济条件下都具有价值，因而人力资本是具有生产自身的成本价值的。二是人力资本的物质载体——劳动者，一方面创造价值使自身价值体现到商品中去，另一方面又创造出超过自身价值的余额，由此导致商品价值的增值。三是劳动者在经济活动中付出了劳动，就有权取得劳动报酬，劳动报酬实际是用货币表现的人力资本的交换价格。

从人力资本这个特殊商品的形成过程看，人力资本商品是一种不同于一般商品的特殊商品。一般商品只能经过劳动者的劳动，原值不变地转移到新产品中去，而人力资本商品的生产、再生产的自身价值和它在生产过程中创造的价值是两个不等的数额。人力资本商品的增值价值可以视为人力资本商品所创造的价值总额减去基本价值的余额。

4．人力资本的度量

人力资本以知识存量为物质内容，通过一定的技能和能力来表现。它既具有质的规定性，又具有量的规定性。如何根据人力资本的定义进行衡量。常用的公式是：

人力资本总量＝劳动人口数量×劳动人口质量，即：

Z＝（劳动人口 i ×劳动人口质量 z）

劳动人口各国不同，我国现行的劳动年龄规定为：男子：16－60 岁，女子 16－55 岁。

人口质量：常用每百万人口大中小学生入学、中小学普及率，专业人员占全体劳动者比重等衡量。

这些衡量指标也不尽完善，没考虑到人力资本利用的程度问题。如一个高级知识分子，由于环境局限，可能作用还不如一个普通工人的作用大。

5. 人力资本的形成

舒尔茨认为，人力资本的形成主要通过以下五个方面的途径：（1）医疗和保健，从广义上讲，包括影响劳动力的预期寿命、体力、精力和耐久力的所有费用；（2）在职培训，包括企业所采用的旧式学徒制；（3）正规的初等、中等和高等教育；（4）不由企业组织的那种为成年人举办的学习项目，包括那种多见之于农业的技术推广项目；（5）个人和家庭适应于变换就业机会的迁移。[①]

医疗保健活动对劳动就业的影响，既存在数量上的意义也存在质量上的意义。前者主要与婴儿死亡率的降低和人均预期寿命的提高有关。就质量方面而言，它表现为劳动者健康时间的增多

---

① 舒尔茨：《论人力资本投资》，北京经济学院出版社 1990 年版，第 9－10 页。实际上，广义的教育还应包括由家庭和托儿所、幼儿园等提供的胎教和学前教育。

和更为旺盛的精力等，从而有利于增加劳动者参加生产劳动的时间和提高人均劳动生产率。各类正规教育和在职培训被认为对劳动者的观察能力、记忆能力、思维能力、想象能力、应变能力、操作能力及创造能力等智力因素的形成和智力水平的提高有很大影响，因而通过教育和培训，可以提高劳动力的质量，提高劳动者的工作能力、技术水平和熟练程度，从而提高劳动生产率，增加个人收入和国民收入。就正规教育特别是高中和大学教育而言，存在着双重的劳动就业效应。一方面它提高了未来时期劳动力人口的素质，另一方面又减少了当前劳动力人口的供给。

个人和家庭适应于变换就业机会的空间迁移，之所以也被视为一种人力资本投资，是因为它关系到如何最有生产效率和最能获利地利用一个人的人力资本问题。在存在公开或隐性失业以及劳动力学非所用、用非所长的情况下，劳动力的实际边际生产率小于其潜在边际生产率，从而造成人力资源的浪费。因此，只要迁移后的收入增量大于迁移成本，劳动力的空间流动就可能发生。

三、与人力资本有关的几个概念

1. 劳动与资本

在劳动经济学中，对劳动力市场的分析都是建立在这样的一个假设前提条件下：劳动力是同质的，即把工人的技能和受训练程度都看作是一样的，是无差异的，因此任何劳动者在劳动力市场上都是可以相互替代的。这个假设条件虽有利于分析劳动供给和需求的基本原理，但是却缺乏真实性。实际上，劳动力是不同质的，而不是同质的。当然，劳动者之间的差异可能体现在许许多多方面，然而，我们所研究的是他们在劳动力市场上所获得的劳动技术和能力上的差别。

传统的经济学家把劳动和资本当做两种不同的生产要素,其区别不仅在于劳动是同质的人力投入而资本是物质投入,更重要的区别还在于:资本本身是"被生产出来的生产手段",即它并不是从天上掉下来的,只能被生产出来。而劳动力却不同,它被看作是先天的,是与生俱有的。但现实劳动力市场中所提出的问题是,既然工人劳动技术和能力是一样的,为什么会出现工资差别?为什么大学生要比非大学生挣钱多?这些问题常常使劳动是同质的假定显得苍白无力。因为这些问题至少是部分地涉及到个人与个人之间或群体与群体之间在获得技术和受训练程度上的差别。这就是被经济学家们称之为人力资本理论所要研究的主要问题。

2. 人力资本与知识资本

知识资本是对人力资本的拓展。按照 K. E. 斯维比(1997)的解释,知识资本是企业一种以相对的无限知识为基础的无形资产,是企业的核心竞争能力。美国学者斯图尔特(1997)提出了知识资本的 HSC 结构,指出知识资本的价值体现在人力资本(Human capital)、结构资本(Structural capital)和顾客资本(Customer capital)三者之中。人力资本是企业员工所具有的各种知识和技能;结构资本是一个企业的组织结构、制度规范、组织文化等;而顾客资本则指市场营销渠道、顾客忠诚、企业信誉等经营性资产。由此可见,知识资本是在人力资本基础上发展而来的一个概念,它的外延大于人力资本。

3. 人力资本与人力资源

第一,两者的内涵不同。所谓人力资源,主要是指一国或地区基本已经开发的、具有劳动能力的总人口数。一般来说,一国或地区人力资源供给状况主要取决于该国或地区的人口数量、质量和结构等；所谓人力资本，主要是指体现在劳动者身上的资本。一般说来，劳动者的知识、技能、体力（健康情况）等构成了人力资本。

第二，两者的起源不同。人力资源是从资源中分离出来的。在资源中，既存在着物质资源，也存在着非物质资源，人力资源是非物质资源中的主体；人力资本是从资本中分离出来的。资本包括物质资本和人力资本等。

第三，两者的形成方式不同。对于具体企业来说，人力资源只是劳动力供给总量，是一种尚未开发出来的人力资本的来源；人力资本则是被某企业不断开发出来的人力资源，即通过企业的再培训、再教育，使人力资源演化为人力资本，并不断增值，成为适合于本企业发展的有用资本。

第四，两者供求关系不同。人力资源只能是供给总量的可能性，并不能准确地反映出市场的供求关系和质量要素的稀缺性；人力资本则是具有丰富内涵和经济意义，它代表着个人在某企业或事业部门中的人力资源配置情况，是人力资源有效供给的具体反映。

第五，两者的属性不同。人力资源的属性是属于自己的。当人力资源没有归宿之前或在寻找归宿的过程中，即使是自己具有了人力资本的能力，但这种能力只属于自己的；人力资本是由企业再投资开发出来的资本，由于企业对其人力资本进行了投资，那么按照谁投资谁受益原则，增值部分人力资本中应该有一部分是属于归宿（如企业）所有，而不应该完全归属于个人所有。假设上述推论不成立的话，那么，归宿（如企业）对其进行人力资本投资动机就无法解释。可见，人力资本的归宿并不完全属于自己。

第二节　人力资本投资

所谓人力资本投资，加里·贝克尔的《人力资本》曾经这样精辟地表述："通过增加人的资源而影响未来的货币和物质收入的各种活动，叫做人力资本投资。"人力资本形成于对人力的投资，这一投资内容广阔，其中主要是正规学校教育、职业培训、医疗保健、迁移以及收集价格和收入的信息等支出。医疗保健和营养投资影响着一个人的寿限、力量强度、承受能力和精力；教育和训练等投资将提高一个人的生产技能。所有这些付出都与提高人的生产能力有关，投资越多，人力资本存量就越大。

从宏观上看，人力资本投资活动大体上可以分成两种：一种是主要影响未来福利的投资；另一种是主要影响现在福利的投资。人们为自己或为孩子所支出的各种费用，不仅是为了现在获得效用，得到满足，同时也考虑到未来的收益，不管它是货币的，亦或非货币的。人们为了未来满足而进行的投资，在一般情况下，只有当预期收益的现值至少等于支出的现值时，才愿意做出这种支出。所谓预期收益的现值是资本机会成本的利息率贴现之后的价值。只有将预期收益作贴现后的现值，等于支出的现值，人们才会决定做出这项支出。人们投资于教育和保健等方面的支出就是按照这样的原则做出的。

与教育和保健同样重要的还有职业培训投资。虽然，工人可以在生产或工作中学习新技术，但是，经过职业培训的工人，其人力资本存量更能够得到充实和增加。劳动者人力资本存量增加的直接反映是劳动生产率的提高，这对于提供培训的企业，显然是十分有利的。职业培训会降低现期收益，并提高现期支出，如果它可以大幅度提高未来的收益，或者大幅度降低未来的支出，企业就将乐于提供这种培训。

人力资本投资形式之间存在许多的差别：正规学校教育、职业培训、健康保健等投资可以增加一个人所掌握的人力资本的数量，而寻找工作、劳动力流动等的投资是使一个人的人力资本实现最有效率和最有获利的使用。另外，由谁承担投资费用也存在着差别。在实行义务普及中学教育的国家里，教育及健康医疗费用大部分是由社会按照政府的直接规定而支付的。尽管如此，他们仍然全部属于人力资本投资的范畴。这种差别在一定程度上也是形成发达国家与欠发达国家个人人力资本存量和收益能力差别的一个重要原因。同时也是产生社会收益差别的一个重要原因。

一、作为人力资本投资的普通教育

1. 教育投资的成本与收益

一般说来，教育成本包括两个方面，一是直接成本，或称现时成本，如学费和教材费用以及其他相关费用等；二是间接成本或称机会成本。所谓间接成本或机会成本，就是你在上学时所必须放弃的收入。具体地说，上大学的这种机会成本就是大学生如果不上大学而直接参加工作，同样也能够获得的收入。直接成本与间接成本之和为某一层次教育投资的总成本，它分布在该层次整个学习期间。也许对小学生而言，这种必须放弃的收入是微不足道的，甚至为零。但随着你年龄的增长以及学历的提高，你的机会成本就越来越高。在有的国家，间接成本比直接成本大得多。

教育的收益包括以下几个方面：首先从个人的观点看，一是教育带来的较高的收入。根据萨尔·D. 霍夫曼估计，在美国高中毕业生的终生收入比非高中毕业生的终生收入高 40% 多，而大学毕业生的终生收入又比高中毕业生的终生收入高 40%。[①] 二是教育投资带来的生活质量的改善。这是因为，随着教育程度的增加，一个人可能对健康、孩子教育、闲暇享受有更全面的知识，从而可能有更好的健康状况，更高质量的孩子教育以及闲暇享受等。这些都会使生活质量有所提高。三是教育可带来"精神收入"。所谓精神收入，是指"以愉快、满足或一般舒适感觉来估算的收入"。教育会带来精神收入，道理不言而喻。为什么许多知识分子的货币收入并不高，他们仍然矢志不渝愿做知识分子？一个原因在于他们有更多的"精神收入"。一般而言，文化层次越高，精神收入也越高。

以上只是从个人的观点看教育的成本与收益。教育的收益也可以从社会的观点看。从社会的观点看，教育的收益除了上述三个方面之外，它还可能会产生一些外部经济效果。如全民教育水准的提高，可能会提高整个社会的生活水平，提高一个国家的国际形象，也可能会使一个社会建立更好的政治体制和经济体制等。

2. 教育投资决策

个人作出接受多长时间的教育和接受何种专业教育（主要是针对具有增加某一方面专业技能的中等职业教育和高等教育而言）的决策，于是就受到和教育相关的成本—收益比较的影响。由于教育的成本和收益都不是一次性的，而是在一定时期内的持

---

① 霍夫曼：《劳动力市场经济学》，上海三联书店 1989 年版，第 178页。

续支出或获得，因此这种分析还需要考虑货币的时间价值，即对成本和收益进行贴现。未来某一年的预期收入公式可以表示如下：

$$V_0 = E_t / (1 + r)^t \qquad (2-1)$$

式中 V_0 表示第 t 年收入的贴现值，E_t 表示第 t 年实际收入增量，r 表示利率即教育投资的机会成本。如果要计算某级教育 n 年的全部预期收入贴现值，只需把各年预期收入贴现值相加即可，其公式为：

$$V = \sum_{t=1}^{n} \frac{E_t}{(1-r)^t} \qquad (2-2)$$

需要指出的是，由于教育仅仅只是改变了个人未来时期的获利能力，不接受教育或接受较少的教育同样也可获得相应的收入（事实上，即使是目不识丁的文盲，在其一生中不能获得任何劳动收入的情况也是不多的），因此上式中 E_t 应表示为实际收入流增量，而不是实际的收入流量。

同样，教育的成本也必须贴现为现值，其公式为：

$$G = \sum_{t=1}^{n} \frac{C_{et} + C_{it}}{(1+r)^t} = \sum_{t=1}^{n} \frac{C_t}{(1+r)^t} \qquad (2-3)$$

式中 G 为 n 年全部成本贴现值，C_{et} 为第 t 年教育的直接成本，C_{it} 为第 t 年教育的间接成本（指因上学而放弃的收入）。

这样，个人对教育的投资（需求）就取决于贴现收入与贴现成本的比较。如果教育的贴现收入大于贴现成本，投资就是有利的，对教育的需求就会增加，反之，投资就不值得进行，对教育的需求也会减少。

对教育投资的经济回报进行评估的常用方法，是计算其内部收益率，它是指贴现收入与贴现成本相等时的贴现率，可以通过求解下列方程得到：

$$G = \sum_{t=1}^{n} \frac{E_t}{(1-r^*)^t} = \sum_{t=1}^{n} \frac{C_t}{(1-r^*)^t} \qquad (2-4)$$

$$或 \sum_{t=1}^{n} \frac{E_t + C_t}{(1+r^*)^t} = 0 \qquad (2-5)$$

在这里，r^* 表示内部收益率。一般而言，r^* 越大，投资就越是有利。在实际决策中，往往把它同其他投资的收益率进行比较。如果教育投资的内部收益率在所有各种投资中是最高的，进行教育投资便是明智的。

除了货币收益外，如前所述，教育投资对个人所带来的还有一些非经济方面的利益，如职业选择范围的扩大、工作条件的改善，对健康、闲暇质量、子女健康和教育的发展以及作出更好的消费选择的能力等。

从公共或社会角度考察教育投资，其分析过程同上述有关私人投资的分析是一致的，只是成本和收益所包含的内容有所不同。教育的社会成本也可分为直接成本和间接成本两部分。社会的直接成本除了包括由私人支付的费用外，还包括由政府和社会（包括社会团体和个人资助以及学校自筹的资金）直接支付的各种费用。社会的间接成本同私人间接成本一样，都是指学生因上学而放弃的收入。

就教育投资的社会收益而言，虽然个人教育收益的简单加总代表了社会在提供教育之后所获得的生产物品和服务的经济能力的增加，但在计算方法上，个人收益指的是个人税后所得，而社会收益则是指税前收入。

从公共立场看，社会投资教育还可以获得一些相关的外部收益。例如，"教育增加是与较低的犯罪率和较低的福利依赖率相联系的，这就既有利于潜在的受害者也有利于纳税人。教育也被认为可以改善政治体制和产品市场的功能，这又会使我们大家都受惠。"[1]

　　西方经济学家对发展中国家和发达国家的教育投资的收益率进行过大量的经验研究，并得出了大体相似的一些结论。首先，发展中国家的教育投资收益率是高的，不仅高于发达国家，而且一般比物质资本的投资收益率要高。据世界银行的一份引自 20 世纪 70 年代和 80 年代早期的资料显示（见表 2－1），26 个发展中国家初等教育的平均社会收益率为 28%，远高于其 13% 的物质资本收益率。这说明在经济发展初期，由于劳动力素质低下而使物质资本和自然资源的边际生产力受到抑制。同时这也说明，在经济发展初期，发展中国家真正缺乏的是较高素质的劳动力人口，而不是有形的物质资本。

　　其次，在发展中国家，尤其是教育十分落后的国家，初等教育的投资收益率比中等教育的投资收益率要高得多，而中等教育的投资收益率又比高等教育的投资收益率高。

---

　　① 霍夫曼：《劳动力市场经济学》，上海三联出版社 1989 年版，第179 页。

表 2 - 1　教育的经济收益率（百分比）

国家组别	教育水平		
	初级教育	中等教育	高等教育
市场经济工业国(10 个国家)	11	11	11
出口制成品的发展中国家(地区)	15	13	9
其他发展中国家(26 个国家)	28	17	14

注：①这些平均数所依据的经济收益率（教育经济学文献中称为社会收益率）大部分引自研究 20 世纪 70 年代和 80 年代早期情况的资料。有形资金的经济收益率，发展中国家平均为 13%，市场经济工业国平均为 11%。

②出口制成品的发展中国家为印度、以色列、新加坡和南斯拉夫。

资料来源：世界银行(1987 年世界发展报告)第 64 页，中国财经出版社 1987 年版。

　　第三，无论发展中国家还是发达国家，私人教育收益率都大于社会教育收益率，在发展中国家，前者比后者要高出很多（见表 2 - 2）。

　　较高的教育收益率对个人而言，意味着即使在达到劳动年龄之后，继续留在学校读书仍是有利的，虽然在短期会因此牺牲一笔相应收入，但却可以增加就业以后总的收入流量。对社会而言，向民众提供更多的受教育的机会，在短期具有减少劳动力供给的作用，在长期则有利于提高劳动力整体素质，有利于促进经济发展，从而增加对劳动力的需求。同时也应该看到，教育本身也具有创造就业的作用。伴随教育规模的扩张，对教师及学校后勤人员的需求会增加。另一方面，和教育相关联的一些产业如建筑、印刷、教学仪器生产等规模也会随之扩大，从而间接地增加了对劳动力的需求。

在发展中国家的农村地区，儿童往往参与一些辅助性生产劳动和家务劳动，因而加大了教育的机会成本，降低了教育收益率，同时由于农村地区教育供给的不足，及对女童接受教育的歧视，结果造成较高的儿童辍学率和较低的人均受教育年限。在城市地区，受内部失业和农村流民的影响，较低文化素质的人很难找到工作，或在职业选择和工资报酬上存在歧视，从而造成了对高等教育的过量需求，并带动初、中等教育过度膨胀，形成了教育深化（educational deepening）和知识失业（educated unemployment）。大量原本只需要较少教育就可胜任的工作被接受了更多教育的人承担着，从而使在校期间学习的相当一部分知识处于不得其用状态，相对于国民经济对人力资本的需求而言，出现了"教育过度"（overeducation）的情况。这也是导致前述发展中国家教育的社会收益率远低于私人收益率的原因。

表 2-2 对不同收入组和不同地区的教育收益率的平均估计

	社会收益			私人收益		
	初等教育	中等教育	高等教育	初等教育	中等教育	高等教育
	（按收入分组＊）					
低收入国家	23.4	15.2	10.6	35.2	19.3	23.5
中等收入国家	18.2	13.4	11.4	29.9	18.7	18.9
中高收入国家	14.3	10.6	9.5	21.3	12.7	14.8
高收入国家	–	10.3	8.2	–	12.8	7.7
世界	20.0	13.5	10.7	30.7	17.7	19.0
	（按地区分组）					
撒哈拉以及南美洲	24.3	18.2	11.2	41.3	26.6	27.8
亚洲＊＊	19.9	13.3	11.7	39.0	18.9	19.9

欧洲/中东/南非＊＊	15.5	11.2	10.6	17.4	15.9	21.7
拉丁美洲/加勒比海地区	17.9	12.8	12.3	26.2	16.8	19.7
OECD 国家	14.4	10.2	8.7	21.7	12.4	13.3
世界	18.4	13.1	18.9	29.1	18.1	20.3

　　＊低收入等于或低于每年 610 美元；中低收入 = 每年 611 - 2449 美元；中高收入 = 每年 2450 - 7619 美元；高收入等于或超过每年 7620 美元（汇率换算法）。

　　＊＊不包括 OECD 国家。

　　资料来源：乔治·帕萨切洛波斯，《教育投资收益率：一个最新的国际比较》，世界银行，22，No. 9（1994 年 9 月），1328。转引自杨先明等著《劳动力市场运行研究》，商务印书馆 1999 年版，第 114 页。

二、作为人力资本投资的职业技术培训

　　人力资本投资在一定程度上可以看做是个人和企业双方的投资行为，个人侧重投资于正规教育，企业对人力资本的主要投资形式则侧重于职业培训。职业技术培训这一人力资本投资，可以提高员工的工作熟练程度、技术等级以及对工作的热爱和责任感，标志着员工人力资本的技能存量，对企业劳动生产率发挥着积极的作用。从时间上看，对知识和技能的投资发生在三个阶段：早期儿童时代；青年和刚刚成年阶段；进入劳动力市场之后。前两个阶段是正规学校教育，大部分个人投资（部分政府投资）；第三阶段是企业对人力资本继续进行的培训投资，绝大部分由企业承担。

　　企业的职业技术培训投资的成本依培训的性质、种类的不同而变化。培训投资成本也划分为直接成本和机会成本。直接成本包括：雇员接受培训期间的工资、培训物质条件的费用等；机会

成本包括接受培训的人员在培训期间对产量的影响，其他培训参与人员的时间消耗等。几乎没有人能够在工作之前就掌握实际工作所必须的全部知识和经验，因为每一项工作中都有非它莫属的专业知识和技能。此外，也没有理由认为上完大学就学到了以后一生的工作知识和经验，职业技术培训投资极大地提高了企业的劳动生产率。

职业培训的形式有两种：一般在职培训和特殊培训。它们之间的差别在于工人学到的任何职业技能对工人接受训练的企业以外的其他企业用处如何。如果培训对其他企业也同样有用，那么不管这种技能的性质究竟是什么，它都是一般培训，也就是说：一般培训或称通用性培训，为的是提高工人的生产率，这种被培训的技能具有普遍性，在劳动力市场中的其他企业也能用得上，即培训所获得的技能对多个雇主同样有用，纯粹的普通培训如教授基本阅读技能、指导秘书如何进行文字处理、电工的技能培训等。如果它使提供训练的企业的生产率比其他企业提高得多，就要被当做特殊培训，或称专用性培训，即它的价值在某些方面是专门属于那个企业的职业的。这种技能对别的企业工人的生产率毫无价值，即培训所获得的技能仅对目前受雇的企业有用。纯粹的特殊培训如教授如何使用雇主独有的机器、工厂生产过程的组织等，比如受雇于索尼公司的工程师具有的专业生产技巧可能对索尼公司有很大价值，但对于具有不同设计的其他电器公司，则不存在价值效应。

企业进行职业培训需要支出一定的成本，而在职培训的收益率是在职培训成本的函数，如图2—1。

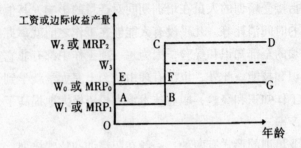

图 2 - 1　在职培训的成本和收益

在没有接受培训前，这个工人的边际收益产量是 MRP_0，用平行于横轴的 GE 来表示。经过培训后，工人的生产率模型是 ABCD 曲线。在职培训期间，工人的边际收益产量从 MRP_0 降到 MRP_1，当完成了特殊的或者一般的培训后，工人的边际收益产量提高到 MRP_2。培训的成本就是在培训过程中减少的产品价值。图中的 AEFB 部分。通过培训而导致的生产率的提高使工人的经济收益的提高成为可能，图中 FCDG 部分。

一般在职培训和特殊职业培训的收益及成本不同，一般在职培训的成本是由工人而不是企业支付的，其原因在于经过培训使工人技能提高的收益是由工人本人自己来获得的，不进行培训，工人的边际收益产量是 MRP_0，企业间保证了工人能够得到与这个生产率水平相对应的工资 W_0。如果由企业支付培训成本，企业就会继续支付工人 W_0 的工资。这种一般的在职培训企业没有支付培训费用的动机。当完成了在职培训，工人的生产率就提高到 MRP_2，如果企业有能力继续支付给工人 W_0 的工资，投资收益就会出现生产产出的价值与支付给工人的工资之间的差距，图中 FC 距离部分。由于一般培训所获得的技能是可以转移的，企业只支付给工人少于 W_2 的工资，工人就会另谋高就，寻找能够给予他的生产率相匹配的工资报酬的企业。企业在劳动力用工之间的竞争，再加上一般培训可转移的性质，使得企业支付给工人少于 W_2 的工资是不可能的。由于在这个工资水平上企业不能收回它的投资，所以企业不愿意支付一般培训的成本。

由于企业没有支付一般培训成本的动机，工人一定要自己支付。工人之所以有支付培训成本的动机是因为培训完成后，他们的工资就会提高到 W_2。由于特殊在职培训所具有的性质，培训成本是由企业而不是由个人承担的。这是由于特殊培训不具有可转移性，经过培训后的在其他任何企业的生产率都只能是 MRP_0。

工人的生产率尽管随着培训而逐步提高，然而并非每个企业或个人都认为职业培训是必要的投资。因为，每个人的生命周期是有限的，除了被提高的生产率而外，培训后工作时间的长短也是一个不能忽视的问题。一般来说，得到收益的时期越长，其培训的收益越大。所以对工人的培训投资在他们事业开始时应该最大，以后将逐步下降。另外，对于培训有时多少带有歧视的色彩。比如，妇女或年龄较大才开始工作的劳动者一般平均收入较低，多数企业不愿意投资于它们预期年龄较大或工作时间不长的工人，企业往往认为对他们投资的收益不能弥补成本。

最后，我们还要分析一下雇主提供的培训与雇员辞职率的关系。一般情况下，企业提供培训的多少与雇员辞职率成反比，即企业提供的培训越多，员工的辞职率越低。在发达国家中，日本雇主提供的培训最多，而美国较少。例如 1991 年，日本 79% 的人在进入企业的第一年接受了雇主的正式培训，而美国却只有 8%，欧洲国家也不过 19%。因此，不难理解为什么日本工人任职的平均期限长于美国。参见表 2—3。

我们知道，特殊培训的一个重要含义，是企业不愿意解雇已经予以投资的工人。即使在经济衰退时期也是如此，参见图 2—2。

表 2—3　　日本和美国员工在当前企业的任职年限对比

国家　　　　　性别	日本	美国
男性，大企业	8.2	4.8
女性，大企业	7.5	4.3
男性，小企业	5.9	4.0
女性，小企业	5.1	3.1

资料来源：《现代劳动经济学》，伊兰伯格、史密斯［美］著，中国人民大学出版社 1999 年版，第 145 页。

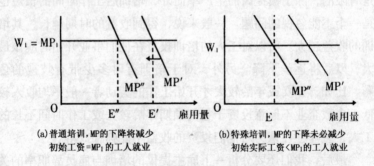

(a)普通培训，MP的下降将减少　　(b)特殊培训，MP的下降未必减少
初始工资=MP₁的工人就业　　　　初始实际工资＜MP₁的工人就业

图 2-2　需求下降对受过普通和特殊培训工人就业的影响

假设经济出现衰退，产品需求下降，与每一种就业水平相应的边际生产率下降，即从 MP′下降到 MP″，就那些衰退之前工资等于边际生产率的工人来说，此时边际生产率低于工资。为了在

市场变化的条件下取得利润最大化，雇主将减少雇用量，就业从 E′下降到 E″，如图 2—2（a）所示。对于一个以前的工资低于边际生产率的工人来说，由于过去经过特殊培训，因此，边际生产率尽管下降，但仍可能高于工资。企业也许无法得到足够的剩余价值以补偿培训支付的净劳动成本，但是，这些费用已经支出，并且无法收回。这样，企业不会再雇用和培训新工人，但也不会解雇已经接受培训的工人。毕竟，这些经过培训的工人的产出量高于工资，解雇他们只能进一步减少利润。如图 2—2（b）所示，即使是在经济衰退时期，雇主已经予以投资的工人，在某种程度上将受到的保护而免遭失业。当然，如果边际生产率降到低于工资的那一点，即使受过培训的工人也要被解雇。

第三节　人力资本投资理论中值得研究的问题

尽管人力资本投资理论对很多现象具有较强的解释力，但仍然有一些经济学家对这一理论提出了质疑，下面我们分四个方面对这些质疑进行一些介绍。总的来说，这些质疑对人力资本投资的成本和收益的度量提出了不同意见，有的也对人力资本投资理论的出发点表示怀疑，但是，我们不妨将这些意见作为人力资本投资理论的补充和深化，而不是替代。

质疑之一：人力资本投资是投资还是消费。这种意见认为，将所有与教育有关的私人支出全部视为教育投资的成本是有失偏颇的，因为一个人选择接受教育（主要指高等教育）似乎并不完全是出于提高自己生产力的目的，而是有着更加广泛和复杂的动机。在高等教育的支出中，有相当大的一部分能够给个人带来即时的和长期的消费收益。大学里的文学课、音乐课和一些文化活动本身就具有很强的欣赏性和娱乐性，而且这些课程和活动也能够提高一个人的修养和品位，扩大他的兴趣范围。当然这并不是说类似的课程和活动就没有投资的性质，文学课有很强的欣赏性，但也能够提高一个人的写作和表达能力，这对于工作的成功也是很重要的。同样道理，经济学课程中虽然有着大量的实用性很强的内容，但本质上经济学却是一种方法，能够帮助一个人理解社会和人生，其中充满了乐趣（可惜的是，很多人都认为经济学就是赚钱的工具）。问题在于，我们找不到一个合理的方法来明确地区分教育支出中有多少比例是投资性的，多少比例是消费性的。不管怎么说，笼统地将教育支出作为教育投资的成本会高估教育投资的成本，从而低估教育的收益率。

质疑之二：高等教育带来的工资和非工资收益。在计算高等教育的收益时，大多数经济学家都直接地比较大学毕业生和高中毕业生的工资收入，这样可能会低估高等教育的收益，因为无论用绝对数量还是相对比例来衡量，受过高等教育的人在工作中能够获得的非工资收益（比如公款消费、福利等）都要高于高中毕业生。此外，大学毕业生的工作有时还有一些不能量化的收益，比如说更好的工作环境、工作内容更加有趣、时间安排更加规律等。如果考虑到上述非工资收入和一些无法用收入衡量的收益的话，那么仅用工资来计算高等教育的收益就显然会产生低估教育收益的问题。

质疑之三：能力差异对收入的影响。尽管数据说明教育水平和收入水平之间有着明显的正相关关系，但这种关系是不是因果关系却不明确。批评者怀疑，观察到的收入差距并不完全——甚至并不主要——是由教育水平差异导致的。换句话说，我们通常说，"在其他条件相同的情况下，更高的受教育水平带来更高的收入"，但实际上，不同人之间的"其他条件"并不是相同的。众所周知，那些天生聪明、能够自律、进取心强的人更加倾向于选择接受高等教育，有时，富有和职业优越的家庭也更加倾向于让自己的孩子进大学。即使我们不考虑大学教育对一个人能力的提高，我们仍然有理由相信，由于进大学学习的人有着不同于其他人的条件，他们还是能够在未来的工作中获得更高的收入。也就是说，不同受教育水平的人之间的收入差距可能主要是由天生能力因素引起的，而不能完全归因于受教育水平的差异。换言之，人力资本投资理论会高估教育投资的收益。根据这种意见，有些经济学家尝试分离能力和教育对人际间收入差距的影响。例如，一项对 50 岁左右的男性双胞胎所做的研究说明，个人间的收入差距大约有三分之二可以由天生能力的差距来解释。[①]

值得强调的是，研究不同人之间的收入差距是由能力还是由教育导致的具有非常重要的政策含义。如果教育水平的确对收入水平影响很大，那么政府就可以实施一些针对穷人（包括失业者）的教育和培训计划，比如对参加职业培训的失业者进行补贴，以及对穷人进行教育的补贴，等等，这些计划将有效地缓解贫困，缩小社会的收入差距。相反，如果不同的人只不过是因为天生的能力不同才导致其收入差距，那么，在低收入者的教育和培训等方面花费的财政支出对缓解贫困将收效甚微。

质疑之四：筛选假说。筛选假说与上面所提到的能力问题联系很紧，这个假说认为，劳动力市场的信息不对称问题非常严重，所以雇主就根据职工的教育水平来判断他的能力。于是，当

[①] 对双胞胎进行研究可以认为他们之间没有其他先天的差异。转引自陆铭：《劳动经济学》，复旦大学出版社 2002 年版，第 103 页。

我们观察到教育水平和收入水平的正相关关系时，主要是因为雇主用教育水平这一信息来筛选那些能力较强的员工。这样一来，学校文凭和各种专业证书就成了获得更高职位和更高收入的"通行证"，由较高教育程度带来的收入增量就像是雇主为"可信度"所付的费用，而不是因为教育程度高的人生产力也更高。相反，没有文凭和证书的人并不见得就技不如人，但是他们没有足够的证据来让雇主相信他们的能力。与此相类似的是，在职培训也可能具有筛选职工的作用。或许也正是因为这种教育的筛选作用，我国自隋唐开始就用科举的方法选拔官僚，尽管大家都知道"八股文"没什么用处。

如果筛选假说的确成立的话，那么个人的教育收益率并不受到影响，因为这一收益率仍然取决于教育的成本和收益，而与教育的功能无关。但是从全社会来看，问题就严重了。如果教育的作用只不过是将能干的、自律的并有进取心的人与其他人区分开来，那么，一个国家耗费巨资来办从小学到大学的各级教育是否值得呢？显然，教育的社会收益率将被大大地高估。当然，仅凭直觉我们就可以知道，教育不可能对一个人的能力没有一点提高作用，因此经济学家们就希望通过实证研究来估计教育到底在多大程度上有"生产性"，但已经取得的结论却分歧很大。有的人认为，教育程度对收入水平的影响中大约有一半是由于筛选机制的作用。有人认为，如果教育的筛选作用非常强的话，那么企业的雇员就会比那些自我雇用者（没有受雇于人的劳动力）拥有更高的受教育程度，但是实证研究却发现，这两类人的受教育程度并没有明显的差异。还有人发现，个人的收入上升速度的确与其母校的质量和他个人的学习成绩正相关，因此大学教育不仅是能力的信号，而且对一个人的能力的确有促进作用。近年来，研究教育经济学的人又开始关注一种"同群效应"（Peer Effect），这种效应表明一个人的成绩受到他的同学的影响，同学相互之间的影响对人的能力的促进作用非常显著。①

现在，没有人怀疑教育程度与收入水平之间的正相关关系，但是对这一关系背后的原因却没有一致的意见，实际上各种理论解释之间与其说是相互替代的，不如说是相互补充的。

① 参见陆铭：《劳动经济学》，复旦大学出版社 2002 年版，第 105 页。

第三章　劳动力供给与需求

　　经典的经济学研究总是从需求与供给理论开始讲起的。就像萨缪尔森曾经引用的耳熟能详的一句话："你甚至可以使鹦鹉成为一个博学的经济学家——它只要懂得供给与需求这两个名词。"劳动力供给与需求理论作为劳动经济学的一个组成部分，其重要性就像供需理论在基础经济学中的地位一样。因此，任何不研究劳动力供给与需求的劳动经济学，在本质上都是不完善的。

第一节　劳动力供给

　　劳动力是生产要素之一，劳动力的有效供给是社会再生产得以正常进行的一个重要条件。这就表明了在一定程度上，增加劳动力供给，提高劳动力供给的产出效率，对促进国民财富的增长有着重要意义。在这部分，我们将劳动者和家庭均理解为具有理性的经济行为人，以此为基础研究劳动供给的决定，劳动供给的行为分析以及劳动力产权制度与劳动力个体效用最大化的关系问题。

一、劳动力供给概述

1. 劳动力供给的涵义

现代劳动经济学对劳动力供给的通常解释是，在某一特定时间内，某一价格水平下，劳动者（包括个人和家庭）愿意并且能够提供的脑力、体力之和以及与此相关的行为和活动。它主要由三部分组成：一是劳动力的数量；二是劳动力的时间；三是劳动力的效率。我们所说的劳动力供给实际上应该是这三个因素的乘积。

劳动力供给可以分成三个方面：个别劳动力供给、家庭劳动力供给和社会劳动力供给。在现实生活中，劳动力供给的决策主体是劳动者个人和家庭，是具有一定质量的劳动者。在劳动力供给决策时，决策主体一般面临两种选择：一是劳动参与决策，即是否去寻找工作；二是劳动时间选择决策，即在可支配的时间中，闲暇时间与劳动时间的选择。两种选择可以同时进行，也可以分别进行。

2. 劳动力供给的影响因素

影响劳动力供给的因素很多，但不外乎两个方面：经济因素和非经济因素的驱动。

从经济因素来看，主要有：（1）宏观经济状况。即总体经济形势好，经济增长率越高，就业机会越多，工资水平越高，从而会有更多的人有更强的就业欲望和信心，劳动力供给就越多；（2）市场工资率与收入水平的高低。工资收入是劳动力的价格，一个人选择闲暇，还是工作，作为代表闲暇机会成本的市场工资率的高低起着决定性的作用，它决定着劳动者是否提供劳动和提供劳动的多少；（3）经济政策因素。国家产业政策的调整将很大程度地影响劳动供给，比如资本和知识密集型第三产业的兴起使一些从第一、第二产业转移出来的低技能劳动者无法提供劳动力；（4）非劳动收入的变化。尽管现在社会财富还没有达到极为丰富的地步，劳动还是人们谋生的手段，但是劳动已不是人们谋生的惟一手段。非劳动收入在人们收入中的比例越来越大。如银行储蓄、股票债券等给人们带来可观的收入。一般而言，个人财富的多少直接决定了劳动者是愿意工作，还是愿意休闲。个人财富越大，劳动者参与工作的动机越小。

从非经济因素来看，影响劳动力供给的因素主要有：（1）劳动适龄人口规模。这一因素很大程度上决定了一个国家劳动力资源的总量，这个供应量里面也包括了现役军人、罪犯和丧失劳动能力的人，这些人不形成劳动力的有效供给。一般来说，国家规定的就业年龄越小，退休年龄越大，劳动适龄人口比例越大；（2）国家的教育发展和训练水平。一方面，劳动者受教育和训练的时间越长，其参加社会劳动的时间也相应减少。另一方面，劳动者的教育和训练水平越高，就会向社会提供效率更高的劳动，按照复杂劳动等于加倍的简单劳动的原理，虽然他为社会劳动的时间相对减少，但是他为社会所提供的劳动总量却是增加的；（3）工作制度。即工作周的长度、节假日的规定等等。此外，工作制度的固定性与灵活性也影响劳动力供给；（4）个人偏好。这根据每个人的兴趣、爱好以及社会文化、社会风气而变化。比如有的人热爱工作，有的人喜欢闲暇，有的人注重家庭生活，有的人注重单位工作等。个人偏好对劳动力供给的影响也是很大的。（5）社会观念的变化。比如女性独立意识的增强，商品意识程度的提高等等都将扩大劳动力供给。

此外，劳动保障制度和社会保障制度对劳动力供给也有影响，只是它们的作用各不相同。一般而言，健全的劳动保障制度有利于扩大劳动力供给，而社会保障制度的提高有可能降低劳动力供给。

3. 劳动力供给的类型

尽管影响劳动力供给的因素各种各样，但我们通过一定的假定和理论抽象，就可以准确地研究劳动力供给的规律。毫无疑问，价格对劳动力供给具有十分重要的影响作用。概括起来，劳动力供给对工资的反应主要有以下几种形式：

第一，无限弹性的劳动力供给。无限弹性的劳动力供给就是在某一工资水平时有无穷的劳动力供给。依据此工资水平，厂商可以雇佣到他想用的任何数量的劳动力；但在低于这一工资水平时，劳动供给为零，厂商不能雇佣到任何劳动力；高于这一工资水平时，劳动力供给也不增加。图 3—1 就表示了这条无限弹性的劳动力供给曲线：W_0 代表了工资水平，S 代表劳动力供给。

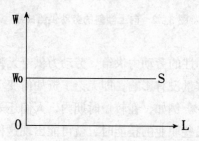

图 3 - 1　无限弹性的劳动力供给曲线

许多研究发展问题的专家（以普林斯顿大学的 W．A．刘易斯教授为首）认为，由于发展中国家的传统农业、贸易劳动中存在着"就业不充分"的劳动力，他们只有微薄的收入，因此城市现代工业部门提供以 W_0 的工资，就可以获得"无限的劳动力供给"。

第二，正弹性的劳动力供给。劳动力供给的正弹性反映了整个行业或某种职业可能的一种形状。在这种情况下，工资增加时

（相对于别处的工资）就会有较多的人愿意提供服务，而当工资减少时，愿意工作的人就少了。图3—2就表示了这种情况：供给曲线向上倾斜，具有正的弹性。弹性越大，为吸引一定数量的劳动力进入或者退出一种行业或职业所必须的工资变动就越小。

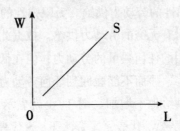

图3－2　　向上倾斜的劳动供给曲线

　　第三，无弹性的劳动力供给。劳动力供给无弹性就是指工资对劳动力供给数量没有影响，即无论工资如何变动，劳动力供给不增加也不减少。例如，在较短时期内，人们还来不及调整他们的工作计划或某些职业的技能时，就可能出现这种情况。这时的劳动力供给主要是由过去而不是由现在的经济条件决定的。这条曲线还有另外一层含义，即该经济社会的劳动力已经充分就业。因此，即使增加工资也不可能吸收更多的劳动力。

　　第四，逆变弹性的劳动力供给。这种劳动力供给的类型是指这样一种情况：在一定阶段，劳动力供给随工资的提高而增加，但是随着工资率的进一步提高，劳动力供给的数量反而减少，即出现一条向后弯曲的劳动力供给曲线。对于这种情况的解释是多样化的，比较典型的说法"收入与闲暇的替代效应"认为：在低工资阶段，由于收入水平仅能满足个体的基本需要，还有更多的需要等待满足，因此，工资的提高能够刺激劳动力供给的增加。

当工资率提高到总收入在满足物质需要后还有足够剩余，能够为闲暇的要求提供物质基础后，这时候闲暇所带来的满足感要超过收入带来的满足感，那么，工资增加就会导致劳动力数量减少。或者，当人们怀着一个固定目标而工作（例如，想买一辆价值2万元的旧汽车）并达到目标的时候，也会出现这种情况。图3—3就是反映这一现象的曲线。

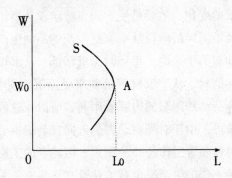

图3-3 向后弯曲的劳动力供给曲线

收入——闲暇替代理论给我们展现了一幅人类未来社会的美好图景，当人类社会的收入普遍达到一定程度后，人们将越来越多地享受闲暇，从而达到全面发展。当然，从当今世界来看，这一趋势恐怕现在只有少数富人和少数富有国家那里才能有所表现。所以，个人劳动供给曲线的后弯部分只是稀有的或者说是理论上存在的情况，在实际的经济分析中并没有太大的应用价值，我们通常只考虑劳动供给曲线的右上倾斜部分。这也是现实生活中的加总的劳动力供给曲线——一条在工资—劳动平面中向右上倾斜的曲线。

二、劳动力供给行为

1. 个人、家庭和社会劳动力供给

第一，个人劳动力供给。就是指劳动者个人一生向社会提供的劳动总量，是一生中每个阶段劳动供给的总和。要了解个人劳动力供给，必须从两个方面进行考察：一是不同年龄阶段劳动力供给的差别；二是退休年龄的决定。一个人不同年龄阶段所作劳动力供给决策的变化，主要是受不同年龄阶段从事市场工作的不同生产率以及不同年龄阶段从事家庭生产的不同生产率两个因素的影响。比如对男子来说，青年时工资率低，从事市场工作的生产率低，与此同时，从事家庭劳动和享受闲暇的机会成本也低，也即家庭生产劳动和闲暇的边际效用高，所以，这段时间是劳动供给较少的阶段；中年时是劳动者个人向社会提供劳动最多的阶段，因为这时候随着工作经验的积累，劳动者的工资率会得到提高，因而市场工作的生产率也高，并且在从事家务劳动和享受闲暇的机会成本提高的同时，随着孩子的成长，需要照料的时间减少，家庭生产的边际效用也降低，因而促进劳动者向社会提供更多的劳动；临近退休的老年阶段，个人劳动供给又会逐渐减少，直至为零，因为进入老年以后，工资率会降低，市场工作的工资率也会降低，家务劳动和闲暇的机会成本降低，效用提高，因此，劳动者会减少向社会生产提供劳动。我们通常也通过生命周期的就业决策图来描述这种情况（参见图3-4）。

退休年龄的决定，一方面取决于国家法律法规，另一方面也取决于工资率的高低和劳动者个人的收入状况。在工资水平一定的情况下，如果个人收入增加，则会减少劳动供给量，促进劳动者退出社会劳动；而在个人收入一定的情况下，如果工资率上升，则能吸引劳动力参加社会劳动，退休年龄会推迟一些。当

然，在我国，劳动力一般是在达到退休年龄时退出社会劳动，在绝大多数情况下，个人的决策权比较小。但是，也不排除少数人退休后继续从事社会劳动。

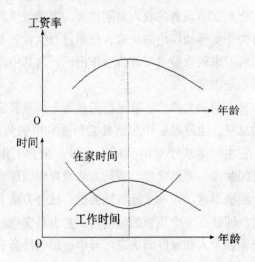

图 3 - 4 生命周期内的就业决策

第二，家庭劳动力供给。就是指家庭成立（结婚）到家庭解体（丧偶或离婚）家庭全体成员向社会提供的劳动量的总和。在家庭经济中，关于就业问题，存在着一定的分工协作关系。一般情况下，我们可以看到户主工作获得收入，必要时他的配偶及其他家庭成员也会去工作从而补偿收入不足。如果一个核心家庭，夫妻双方直至退休时并未离异，那么，家庭长期供给劳动等于夫妻二人的个人终生劳动供给的婚后部分及其子女在家时期（未和父母分家之前）所做的劳动力供给之和。这一劳动供给总量中，夫妻二人个人终生劳动供给的婚后部分可用个人长期劳动供给理论来预测。子女的劳动供给则受子女人数与子女受教育时间的影响，前者与劳动供给成正比关系，后者与劳动供给成反比关系。子女受教育的决策与不同文化程度青年预测终生折现收入差别有关。不同文化程度劳动者的收入差别越大，则愿意受教育的人越多。家庭有关子女劳动供给的决策，是通过对生育、养育子女所花的费用和所带来的收益进行评价后作出的，这其中除了货币因素外还包括心理因素。

第三，社会劳动力供给。就是指劳动者个人及其家庭为社会提供的劳动总量，也就是一个经济社会所能利用的劳动力数量。如前说述，它主要取决于适龄劳动力人口、愿意工作的人的比例、工作时间制度、劳动强度、劳动力的教育和训练水平等等经济因素和非经济因素。在一个经济社会里，社会劳动力供给总量不是固定的，即使在一个短暂的时期内，它也是变化的，每个因素都取决于无数个人和家庭的决定。其中，影响社会劳动供给总量的一个重要指标就是劳动参与率。

2. 劳动参与率

劳动参与率是衡量和测度人口参与社会劳动程度的指标，其含义是一定范围内的现实的劳动力占该范围的人口的比例，它不同于我们以上所采用的以劳动时间作为劳动力供给衡量指标的视角。但是，劳动参与率不是影响劳动供给的因素。社会经济因素和非经济因素影响劳动参与率的变动，再通过劳动参与率影响劳动供给。因此，它只是分析劳动供给变动的工具。

考察部分发达国家劳动参与率的变化趋势，可以看出，从20世纪60年代到90年代末，劳动参与率呈上升的趋势，在西方八大主要工业国中仅有法国和德国有小幅度的下降。同时，我们不难发现，各国男性的劳动力参与率均有大幅度的下降（只有日本是个例外），而各国女性的劳动参与率的变化趋势则表现出高度的一致，也就是普遍大幅度上升。由此可见，影响这30多年发达国家劳动参与率变化的主要是女性劳动参与率的变化。是什么导致了女性大量加入劳动力队伍，从而使得尽管男性劳动参与率有所下降而总体劳动参与率呈现上升趋势？我们可以归纳出以下四方面的因素：（1）产业结构调整，特别是第三产业的迅速发展创造了大量适合女性从事的职业和岗位；（2）社会发展和家庭结构的缩小使得女性从繁重的家务劳动中逐渐解放出来；（3）女性受教育程度的提高和独立观念的变化使越来越多的女性走上劳动力市场；（4）西方社会家庭离婚率的显著上升使得女性觉得为家庭而放弃就业不值得。

劳动参与率受经济周期的影响比较大，尤其在经济衰退时期，变化方向都有差异。针对这种状况，劳动经济学的研究者们提出了两种劳动参与假说：附加性劳动假说与悲观性劳动假说。

两种假说的前提观点是相同的，即男性成年人的劳动参与率与经济周期不存在敏感的反应性。这个劳动力群体不管短期工资和劳动力市场条件如何变化，不管是处于就业状态还是处于非就业状态，总是停留在劳动力市场中。这个劳动力群体被称为一级劳动力。与此相对应的劳动力群体被称为二级劳动力。二级劳动力主要由中年妇女和18—22岁的青年人构成。二级劳动力参与率与经济运行周期存在着较敏感的反应性。

附加性劳动力假说认为：在经济总体水平下降时期，由于衰退，一些一级劳动力处于失业状态。此时，为了保证家庭已有的收入水平，二级劳动力走出家庭，以期寻找工作。因此，二级劳动力的参与率与失业率存在着正向关系。

悲观性劳动力假说认为：在就业下降、失业上升时期，一些一级劳动力处于失业状态，但仍然滞留在劳动力市场，而许多二级劳动力对寻找新的工作机会的前景持悲观态度，因而宁愿推迟或者退出进入劳动力市场而不愿作为失业者。因此，二级劳动力参与率与失业率呈反向关系。

统计研究证明，在经济衰退时期，附加性劳动力效应与悲观性劳动力效应同时存在，由于两种效应作用方向相反，所以在经济周期中，劳动参与率表现为不同的波动状况。但总的说来，在经济衰退时期，多数情况下劳动参与率下降，即悲观性劳动力效应更强一些。

三、我国劳动力供给变化

中国是个人口大国，建国以来劳动力供给随着经济体制的变化也呈现相应的变动。计划经济条件下的劳动力供给和目前转轨时期的劳动力供给是不尽相同的，需要我们加以区别研究，才能找出变化规律，为解决就业问题提供参考。

1. 计划经济条件下的劳动力供给

在计划经济条件下，劳动仍然是谋生的手段，是参与社会财富分配的基本手段。对于任何一个有劳动能力的和在劳动年龄中的劳动力，都必须参加劳动生产，不劳动者不得食。但是，在传统的计划经济体制下，劳动力不是商品，劳动力的产权是国家所有制，由企业或行业具体所有，劳动者没有选择职业和工作地点的权利，这些都是由国家来决定的。计划经济体制下的劳动力是公有的，由国家支配劳动力使用。为了解决就业问题，国家采取了计划就业体制来强制性地安置就业。所以，可以将统计的经济活动人口作为劳动力供给总人数的相应指标。

经济学中的效用概念仍然可以在计划经济体制下分析劳动力

的劳动供给。个人在决定劳动与否的决策时，受两个基本因素的影响：一是劳动能够获得的收入；二是尽可能地得到不减少收入条件下的闲暇（计划经济条件下的闲暇主要是指少工作，选择在工作中偷懒等行为）。在计划经济条件下，工资基本固定不变，劳动力只能尽可能地扩大闲暇来提高自己的效用水平，表现出来就是劳动力在工作中"磨洋工"，吃"大锅饭"等等弊病。

计划经济条件下，劳动力供给却不受工资的作用，只受国家计划的作用，工资的晋升有另一套途径和方法。对于每一个劳动力来说，只有获得相应的技术等级或职务才能获得相应的工资，在每一个等级上，其劳动的多余付出，较难得到货币性的报偿。所以，劳动者增加的劳动投入，并不能带来更多的收入，对于劳动力来说，明智的决策是不多干。以计划为主的工资体系难以激励劳动力增加劳动供给的积极性。

当然，计划经济体制下，工资对劳动力的配置却可以起到重要的作用。例如国家对西部开发和重点建设的过程中，可以采取地区工资差别，以吸引劳动力支援边疆的建设。另外，良好的福利保障也是政府影响劳动力配置的重要手段，比如在收入水平普遍不高的情况下，国有企事业单位完善的福利保障，对于吸引劳动力起到了极大的作用。

在计划经济体制下，所有的劳动者都被假设作为同质的劳动力对待，劳动者没有个人的偏好，换言之，劳动者有同样的思想觉悟、同样的偏好，甚至是同样的素质，只不过是分工不同而已。在此时期，实行的低工资政策，其主要的目的在于两个方面：一是通过低工资来获得大量的劳动力，因为工资仅能够维持劳动者简单的生活，家里不能养闲人，每个人都必须参加劳动；二是低消费、高积累是促进国家工业化发展的重要政策。

　　在这种体制下，劳动力到了法定的劳动年龄，都由政府或者集体来安排工作。在城镇中，劳动力由政府有关部门安排进国有企事业单位，或集体经济单位。政府有较大的责任来为每个劳动年龄的劳动力安排工作。在农村，劳动力由乡镇安排在农业中就业，城镇劳动力供给不足，可以到农村中进行招工。

　　2. 转轨时期的劳动力供给变化

　　转轨时期的劳动力供给变化是建立在劳动力产权可交易条件下的，这就明显不同于计划经济条件下劳动力产权国家所有制。劳动力的权利可以转让，即劳动力完全拥有自己的体力和智力，并可以为此做出关于择业、选择工作地点、进行人力资本投入、争取个人收入分配的决策。在个人效用最大化的假设下，每个人都在努力寻找能够使其效用最大化的途径和方法。劳动力供给是由其投入的边际成本和工资，以及其他投入的收益共同决定的。个人和企业一样，都是追求利润最大化的经济个体。在市场交易中，劳动力对劳动的投入，也同样遵循边际产出与边际收益相等的原理，即每投入一个单位的劳动时间，能够使劳动者所增加的收益至少不小于劳动力的劳动时间的投入。

　　为了更好地揭示劳动力供给的变化，我们可以观察中国劳动参与率的变化趋势。一般说来，在经济转轨的过程中，这些转轨国家畸高的劳动参与率均有所下降。以俄罗斯为例，仅1992—1994年间，该国的劳动参与率就下降了4.2%。在我国，改革开放以来二十多年间城镇的劳动参与率总体上呈现下降趋势，但目前仍然处于较高的水平（参见图3-5）。也就是说，以劳动参与率这样的相对指标来衡量，中国的劳动力供给正处于一个不断下降的趋势中。

图 3 - 5 1978—1999 年中国城镇劳动参与率和总人口劳动参与率的变化

　　与此相适应的是，我国改革以后的就业体制发生了很大的变化：（1）劳动力获得工资的最低劳动时间要求提高了；（2）仅供给最低劳动时间的最低工资有所下降；（3）劳动的单位工资升高，"多劳多得"有了更为实质性的体现；（4）失业者在一定时期内可以领取失业救济金。这样的改革对偏好收入（劳动）者具有激励的作用，而对偏好闲暇者则有惩罚的作用。就整个社会而言，改革过程中的选择就业的劳动力供给的劳动时间普遍提高，从而提高了劳动力的使用效率。同时，会有一部分在旧体制下选择工作的劳动力在新体制下选择退出劳动力市场，通俗地说，这部分人觉得在新体制下就业不像原来那样"合算"了，于是劳动参与率在体制改革过程中有所降低。

　　体制转轨因素对劳动力供给影响的分析也同样适用于分析家庭劳动力供给行为的变化。在经济转轨时期，除了体制转轨因素以外，一些在市场经济国家影响劳动力供给行为的因素在我国也同样起了作用，这些因素包括：收入增长因素、产业调整因素和教育发展因素。这些都使得劳动参与率呈现下降的趋势。

另外，我们还可以根据人口普查资料统计出中国目前的劳动参与率。由于中国是发展中国家，城乡经济发展不平衡，经济文化、收入水平都存在着比较大的差距，所以以城乡劳动参与率有着不同的特点。我们可以假设：城市为非农业人口，县以下为农业人口。在这样的假设条件下，得出表3-1。

表3-1 全国市、县劳动参与率统计

年龄	城市劳动参与率（%）			年龄	乡村劳动参与率（%）		
（岁）	合计	男	女	（岁）	合计	男	女
总计	72.97	79.14	66.35	总计	81.85	87.40	76.09
15—19	43.08	42.33	43.89	15—19	72.29	68.28	76.49
20—24	80.77	81.00	80.51	20—24	94.88	96.66	93.06
25—29	92.60	95.31	89.60	25—29	95.66	99.03	92.17
30—34	94.78	97.30	92.05	30—34	95.53	99.21	91.55
35—39	95.08	98.11	91.85	35—39	95.46	99.19	91.82
40—44	93.60	98.25	88.48	40—44	94.31	98.88	89.38
45—49	87.29	97.06	76.89	45—49	91.49	98.02	84.24
50—54	67.15	90.13	42.99	50—54	83.55	94.79	70.86
55—59	49.04	73.34	22.20	55—59	71.83	88.10	54.30
60—64	26.27	38.96	12.33	60—64	52.94	72.62	32.57
65+	10.94	19.37	3.64	65+	21.96	37.13	9.40

资料来源：国家统计局人口统计司：《中国1990年人口普查资料》，1991年

概括地说，我国目前的劳动参与率具有以下一些重要特征：首先，劳动参与率呈倒"U"形，青年与老年劳动力参与率较低，25—55岁年龄段劳动参与率持续保持较高水平（一般达90%以上）；其次，男性劳动力参与率总体水平比女性劳动力高，

但 15—19 岁年龄组女性劳动力参与率高于同年龄组男性劳动参与率；第三，城市人口的劳动力参与率总体上低于农村人口的劳动力参与率；第四，同其他国家比较，我国女性劳动参与率偏高，总人口劳动参与率也偏高。

第二节 劳动力需求

劳动是生产过程中最为重要的投入品，劳动力的需求是商品需求的派生需求（Derived Demand），因此劳动力需求往往决定了一个经济中的就业水平，并反映出一个国家或地区的经济活动水平。劳动力需求的主体有三个，分别是企业、政府和从事自我雇佣工作的劳动者本身。在这三者中，最为重要的劳动力需求主体是企业，也最直接地反映出经济活动水平；政府的劳动力需求往往与政府的财政支出相关，是一个政策性很强的变量；而自我雇佣者的劳动力需求就是自身的劳动，其变化往往表现为个人劳动时间的变动，而不是政府部门的就业人数统计的变化。因此，我们在研究劳动力需求时，将主要研究企业的劳动力需求，社会的总劳动力需求。需要注意的是，在市场经济体制下，我们通常用利润最大化来描述企业的目标。为了理论的完整，我们还将探讨中国农村劳动力需求的演变。

一、劳动力需求及其影响因素

1. 劳动力需求的涵义

所谓劳动力需求，是指在某一特定时期内，一定工资率条件下，企业和社会愿意而且能够购买的劳动数量。更简单地说，劳动力需求就是企业和社会再生产吸收和容纳劳动力的能力和容量。劳动力需求是有效需求，是以工资支付能力为前提的，而且工资所购买的是劳动力的使用权，并不是劳动力的所有权。要正确理解劳动力需求这一基本概念的涵义，我们必须把握以下几个方面：(1) 对生产资料和消费资料的需求是社会的绝对需求，而对劳动力的需求是物质资料的需求所派生出的。人们需要劳动力，是因为劳动力能够生产人们所需要的物质资料和提供人们所需要的各种劳务。显然，在一定的技术水平和条件下，物质资料需求越大，劳动力需求也越大，物质资料生产的规模决定了对劳动力需求的大小。(2) 社会对物质资料的需求与对劳动力的需求有很多相似的地方，但也有着本质的区别。人们对物质资料需求的直接目的，可能是为了生产，也可能是为了消费，但对劳动力的需求的直接目的，则只是为了生产剩余。当劳动力生产剩余的能力为零时，需求量便不再增加。(3) 在市场经济条件下，商品需求量与市场价格水平有着相互依存的关系，作为生产要素需求的劳动力需求也是如此。在其他条件不变的情况下，劳动力需求与工资水平（率）成反向变动关系。工资水平提高，劳动力需求减少，反之亦反。这是我们分析劳动力需求的基本前提。(4) 我们所讨论的劳动力需求，是指有支付能力的需求。从根本意义上来说，社会再生产吸收和容纳劳动力的能力和容量，首先是社会生产的总规模决定的。(5) 劳动力需求的直接基础源于就业岗位的形成和扩大。所谓就业岗位，是指能够保证劳动力充分发挥作用的社会必要水平和强度的生产资料的数量和构成。生产资料包括劳动手段和劳动对象，它的货币表现形式为生产资金。生产资金扩大，就业岗位增加，劳动力需求也随之增加。

2. 劳动力需求的分析框架

如前所述，劳动力需求是一种派生需求。因此，任何对劳动力需求的分析，都必须涉及到对劳动产品需求的分析。换言之，对劳动力需求的分析，必须联系生产过程来分析。从这层意义上来说，劳动力需求理论也是一种生产理论。

劳动力需求可以从不同的角度来考察。在不同的市场条件下，劳动力需求的目标是不一样的。但是，不管在何种条件下，劳动力需求的分析框架一般都是：先做一些基本的假设，然后考察劳动力需求的行为主体（企业、政府）为了达到其目标在劳动雇佣方面所必须遵循的原则。

在分析劳动力需求时涉及的假设一般包括：（1）在分析劳动力需求时，必须涉及到生产技术的假设。或假设技术条件不变，或假设技术条件可变。前一种假设在设计劳动力需求基本模型时是不可或缺的，后一种假设在对劳动力需求进行动态分析时无疑是必要的。（2）必须涉及到生产目标的假设，也就是企业的利润最大化。（3）必须涉及到对企业购买劳动力投入和其他生产投入的市场竞争程度，以及企业销售产品的市场竞争程度的假设。劳动力需求，根据所考察的市场状况不同和时间长短不同，可以分如下考察角度：完全竞争条件下的劳动力需求和非完全竞争条件下的劳动力需求。

3. 影响劳动力需求的因素

影响劳动力需求的因素较为复杂，我们可以从宏观和微观两个方面进行分析。

第一，从宏观方面看影响劳动力需求的因素。

从根本上说，劳动力需求主要是由社会生产发展状况决定的。具体而言，包括以下四个主要因素：首先，社会生产规模的大小决定了劳动力需求的数量。一般说来，国民收入总体水平高、积累高、基本建设投资结构合理时，固定资产的投资规模就越大，社会劳动力需求的数量就越大。其次，社会经济结构的状况也影响了劳动力需求。具体表现在，一方面产业结构的不同对劳动力需求的影响，另一方面是所有制结构也对劳动力需求产生重大影响。第三，科学技术进步对劳动力需求有双向影响：一方面，科学技术进步引起劳动生产率的提高产生了对劳动力的排斥作用，另一方面，科学技术进步又能通过创造新兴部门、行业和职业来促进劳动力需求的增加。最后，制度因素也对劳动力需求产生重要的影响。其中既包括正式的制度安排，如就业制度、用人制度、福利制度等，又包括非正式的制度安排，如社会意识形态、伦理道德、习惯等约束。

第二，从微观方面看影响劳动力需求的因素。

从微观方面看，影响劳动力需求的因素，主要受企业的生产规模、企业的利润率以及技术水平和管理水平等方面因素的影响和制约。一般来说，企业生产经营规模越大，劳动力的需求量随之增大。同时，企业决定雇佣规模以最大利润量为决策原则的。当边际劳动生产率为正时，企业就会增加劳动力需求，反之亦反。最后，企业的技术水平和管理水平的提高，将使得企业对有创造力的高级人员的需要量增加，同时也会带来企业经济效益的提高，生产经营规模的扩大。

二、企业劳动力需求

1. 企业短期劳动力需求

用简化的眼光来看，企业生产过程中所使用的要素主要是劳动和资本。短期劳动力需求的研究是在假定除劳动以外的其他生产要素已经给定的前提下进行的。当资本固定不变的时候，企业的产出决策与其雇佣多少劳动的决策是一致的。为了实现利润最大化的目标，企业必须将劳动力雇佣至使边际生产率等于工资率的水平。

　　但是，在以上的讨论中我们忽略了一个问题，那就是假设市场机制是非常完善的，工资和价格都能够灵活地进行调整。而在现实世界中，商品市场上的价格往往是有刚性的。这时，商品市场可能会出现供大于求的情况，商品需求方处于市场的"短边"。于是，企业在进行劳动力雇佣决策的时候就必须考虑到它的商品是否能够卖得出去。不难发现，当商品市场的需求对企业构成约束时，企业的劳动力需求就由商品需求来决定了。这时，商品市场上的非均衡就通过"溢出效应"（Spillover Effect）传导到劳动力市场上了。

　　通过上面的分析，我们就可以对企业劳动力需求的影响因素找到更为准确的三个方面：（1）边际劳动生产率。也就是说，劳动力需求总是与特定的技术水平和资本存量相对应的，当技术水平有所提高或者资本存量有所扩大时，劳动力需求就会有所增加。（2）实际工资。在既定的边际劳动生产率的情况下，实际工资与劳动力需求呈反向变动关系，而实际工资由名义工资和物价水平共同决定的。在名义工资既定的情况下，物价水平的上升会导致实际工资水平下降，从而增加就业。在短期内，用通货膨胀的方法影响企业的劳动力需求是政府克服经济衰退，提高经济活动水平的重要手段。当然，如果考虑对通货膨胀的理性预期，那么，名义工资往往与物价同步上涨，这时通货膨胀对就业水平和经济活动便没有任何影响了。（3）商品需求。商品需求是对宏观经济非常敏感的变量，居民收入的下降、未来预期收入的下降都可能引起商品需求的下降，从而进一步导致劳动力需求下降。

　　一般来说，一个经济的劳动生产率总是处于不断上升的过程之中，劳动力的工资水平也同样在不断上升。我们可以有这么一个初步判断，在劳动生产率和工资水平的同步上升过程中，如果工资上涨过快，超过了劳动生产率的增长速度，那么就会起到减少就业的作用，相反，如果是劳动生产率上升得更快，那么就业水平就会上升。在 20 世纪最后 10 年中，美国经济持续增长，并保持了很低的失业率和通货膨胀率，经济学家们认为，其中主要的原因就是这些年来美国的劳动生产率在技术进步的作用下保持了快速的提高。

2. 企业长期劳动力需求

企业资本存量不变，只有在短期内才是可能的。在经济学所定义的长期，劳动和资本两种生产要素都是可变的，同时，劳动和资本这两种生产要素是具有一定的相互替代性的。因此，企业必须通过调整劳动和资本的使用量来达到其长期利润最大化的均衡。

我们知道，劳动和资本的相对价格在决定劳动和资本使用量的决策过程中起着关键性的作用（比如工资率的提高影响要素的相互替代）。但是，劳动和资本相对价格的变化对企业劳动力需求的影响还取决于企业所使用的生产技术，即生产过程中资本和劳动之间的替代性的强弱。企业使用的生产技术使得劳动和资本的替代性越强，那么企业最优劳动和资本使用量的变化对两者相对价格的变化越敏感。

在长期过程中，技术进步的作用是使得劳动和资本的生产率均得到提高，也就是说，技术进步导致等产量曲线的形状发生改变，在这种情况下，如果要考察劳动力需求如何变化，就必须区分技术进步的不同性质。[①] 技术进步可以被分为"节约劳动型"的技术进步和"节约资本型"的技术进步。"节约劳动型"的技术进步将使得资本—劳动比有所上升，而"节约资本型"的技术进步将导致资本—劳动比下降。从人类社会的发展史来看，技术进步的性质往往是节约劳动型的，因为随着社会的进步，劳动总是相对于资本越来越稀缺。

三、中国劳动力需求演变分析

不同的生产目的和生产性质，对劳动力需求的动机和原因是不同的。在市场经济体制下，对劳动力需求的动机是利润最大化，而在计划经济体制下，追求产量最大化是决定劳动力需求的主要动机。前面我们所分析的劳动力需求是以一般市场经济体制为背景的，这些基本方法必须结合中国特殊的体制环境才能被我们用于中国的现实问题的研究。中国在过去的二十多年里进行了市场化取向的经济体制改革，力图实现计划经济体制向市场经济体制的转轨。与此同时，中国作为一个发展中国家，其经济带有鲜明的"二元"经济色彩，农村和城市的就业体制有着很大的不同。在这里，我们就中国农村和城市劳动力需求的决定机制来进行分析。

1. 农村转型时期的劳动力需求

农村劳动力需求可以分为农业劳动力需求和非农业劳动力需求。

在计划体制下，农村部门的生产被分为两个部分。第一部分

----

① 这里所讨论的等产量曲线在一般的经济学教材中都可以找到，就不再赘述了。

是人民公社制度下的计划生产，第二部分是非计划生产。计划生产实行平均分配制度，影响农民生产的积极性，"搭便车"现象普遍存在，其效率远远低于农民在自留地上的生产。在中国传统的计划经济下，农村的农业劳动力需求主要是由计划产量和自留地数量决定的，计划产量越大，自留地数量越多，则农业生产中的劳动需求就越大。

农村改革后，家庭联产承包责任制以及其后的一系列土地政策实际上将土地全部变成了农民的"自留地"，因此大大提高了劳动的需求量。由于中国农村居民的收入较低，我们可以将农户的目标近似地认为是追求产量最大化，这时农业生产中的劳动力需求就变成由土地数量决定了。

转型时期，乡镇企业得到了快速的发展，也产生了大量的非农业劳动力需求。由于中国的实际情况，当时满足这种劳动力需求的不可能是城市劳动力，而只能是农村劳动力。乡镇企业是以利润最大化为目标的，实行市场化的就业体制，因此我们可以近似地认为它的从业人员数量就反映了它的劳动力需求。然而，乡镇企业的从业人员在20世纪的80年代经历过一段高速增长的时期后，就再也没有明显的增长，特别是90年代中期以后，乡镇企业主体和就业机制已经大大有别于过去的"辉煌时代"。

此时，农村劳动力需求又有了新的取向。非农业劳动力需求的主体已经由乡镇企业转变为城市经济。从1993年开始，中国农村住户中的外出流动就业劳动力已经开始超过乡镇企业就业的劳动力，并且这一趋势从1997年以后逐渐增强。

随着中国加入WTO，农村劳动力需求又有了新的变化。由于中国净进口的粮食将大幅上升，使得大量的农业劳动力就业机会受到威胁，国内的农业劳动力需求将有一定幅度的下降。虽然蔬菜、水果、鲜花这些高附加值的劳动密集型农产品能增加劳动力需求，但是随之相伴的资金和技术投入，不是普通农户能够在短期内可以调整的。因此，在目前的条件下，通过蔬菜、水果、鲜花这些高附加值、劳动比较密集的农产品的出口增加来抵消进口粮食对农业劳动力需求的冲击，从某种程度上说是十分困难的。只有加快城市化进程，大力发展第二和第三产业才是拉动农村劳动力需求，解决农村就业的必然选择。

2. 转型时期的城市企业劳动力需求

在计划经济条件下，企业对劳动力的需求量是按其计划产量指标和计划就业指标来确定的，企业领导人对劳动力需求的动机完全是受上级和个人行政目标的驱使，与计划经济时期的分配制度和激励制度有密切的关系。可以这么认为，在计划经济体制下，劳动力需求实际上是被政府垄断，劳动力只能供给国有经济单位和集体经济单位。它与市场经济条件下，劳动力需求的垄断不同。计划经济体制下对劳动力的垄断不是以追求利润最大化为前提，而是以产量最大化为目标进行生产。所以，它对劳动力的需求是在技术允许的条件下，尽可能多地使用劳动力，而不是有效地使用劳动力。在计划经济时期，存在着一个明显的矛盾，即劳动力增长的无计划与国民经济有计划增长的矛盾。这一矛盾的存在就带来了许多弊病，这里就不一一赘述了。

在经济体制转轨时期，国家采取放权让利到产权改革的路径使得企业目标逐渐向利润最大化靠近。经济改革以后成长起来的非国有企业一开始就处于市场经济环境下，其劳动力需求也可以由利润最大化目标推导决定。但是在国有企业当中，国家至今仍然严格地控制企业的就业存量，不允许企业进行经济性的裁员。换句话说，企业实际上仍然面临着国家的计划就业指标约束。而且这一计划就业指标一般总是大于企业的实际劳动力需求的。国有企业从业人员的数量变化与国家就业体制改革的进程相关。当然，即使在完全市场经济国家，政府对企业的劳动力雇佣决策也不是完全不干预的。但与我国相比，这种干预的范围是比较小的，采取的手段常常是经济手段。

在完全建立市场经济体制下，企业使用劳动力不像在计划经济条件下那样不计成本，因此，企业会尽可能有效地使用劳动力资源，发挥劳动力的作用。在市场经济条件下，企业对劳动力需求不具有无限扩张的性质和特点。我们不难发现，短期内我国企业劳动力需求量呈现进一步下降的趋势，具体表现在：（1）经济增长带动就业增长的能力在减弱，就业弹性降低；（2）城镇企业从业人员持续下降，下岗工人再就业难度大；（3）企业使用的农村劳动力呈现下滑态势。入世后，中国传统行业受到冲击，短期内如何扩大劳动力需求，解决就业问题是我们面临的重要难题。

第三节　我国劳动力供求分析

根据劳动力的供求理论，结合我国劳动力供求的实际情况，我们可以粗略地讨论一下有关我国劳动力供求理论的应用问题。

一、我国劳动力供求状况

中国是一个人口大国，又是一个经济相对落后的发展中国家。2000 年我国的劳动人口（16 岁以上有劳动能力人口总量）

达到 9.57 亿人，而当年的劳动力需求人口则不到 6 亿。[①] 劳动力供求矛盾问题十分突出。为了全面认识我国劳动力的供求问题，可以从以下几个方面进行总结。

1. 就业增长率较低

我国劳动力供求矛盾的一个突出问题是就业增长率较低，尤其在对比我国 GDP 增长率和就业增长率的时候更加明显（参见图 3-6）。即使和广大的其他发展中国家相比，我国的就业增长率也是较低的。在 1980—1993 年期间，低收入国家劳动力增长率为 2.1%，其中印度为 1.9%，巴基斯坦为 2.8%，而我国仅为 1.3%。[②]

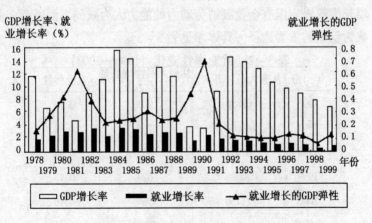

图 3-6　中国的经济增长和就业增长

数据来源：历年《中国统计年鉴》，中国统计出版社。

① 参见张车伟等：《2002 年：中国人口与劳动问题报告》绿皮书，社会科学文献出版社 2002 年版。

② 胡鞍钢：《中国就业状况分析》，《管理世界》，1997 年 11 月。

2. 就业弹性较低

就业弹性是指国民经济发展带动就业岗位增长的弹性。从 20 世纪 90 年代开始，我国就业弹性是比较低的，基本上都在 0.2 以下。"九五"期间，我国就业弹性由 1996 年的 0.14 下降到 2000 年的 0.10，平均就业弹性为 0.11。每年净增加的就业机会由 903 万个减少到 564 万个，最低点为 1998 年，仅为 357 万个（见表 3 - 2）。

3. 国有企业就业增长率低于民营企业

改革开放以后，民营企业就业增长率较快，而国有企业就业增长率较慢。国有企业吸纳劳动力的能力大为减弱，而民营企业成为就业的重要途径（具体参见表 3 - 3）。

表 3 - 2　就业弹性变化（1996—2000）

年　份	从业人员（万人）	从业人员净增长量（万人）	就业弹性
1996	68850	903	0.14
1997	69600	750	0.12
1998	69957	357	0.07
1999	70586	629	0.13
2000	71150	564	0.10
平均值	—	640.6	0.11

资料来源：国家统计局编：《中国统计年鉴》（2001），中国统计出版社，2001

二、影响我国劳动力供求的因素分析

对于我国劳动力供求矛盾突出的原因，许多人认为是由于建国以来人口增长过快带来了劳动力供给失控的结果。但是，我们认为这只是其中的重要因素，最根本的因素还是经济因素以及与此相关的制度因素。具体可以做如下的分析。

1. 劳动力供求与资本比率

影响劳动力供求的一个重要经济因素是劳动力和资本比率。劳动力和资本比率的关系有三种情形：第一种是劳动力增长低于资本量增长，这样会导致单位资本吸收劳动力的数量不断增加，大大缓解劳动力供需矛盾；第二种是劳动力增长快于资本量增长，单位资本量吸收劳动力能力下降，劳动力供需矛盾加重；第三种是劳动力增长等于资本量增长。根据我国目前劳动力现状的分析，不难发现我国属于第二种情形，这既是形成劳动力供求矛盾的原因，也是形成劳动力供求矛盾的结果。

表3-3 按所有制结构分类的年底从业人员数

年份	从业人员（万人）			构成（%）		
	国有单位	城镇集体	个体、私营乡镇企业等	国有单位	城镇集体	个体、私营乡镇企业等
1995	11261	3147	6464	54.0	15.0	31.0
1996	11243	3016	7150	52.5	14.1	33.4
1997	11044	2883	7900	50.6	13.2	36.2
1998	9058	1963	9498	44.1	9.6	46.3
1999	8572	1712	10091	42.1	8.4	49.5
2000	8102	149	9488	42.4	7.9	49.7

资料来源：国家统计局人口与社会科技统计司，劳动和社会保障部规划财务司编：《中国统计年鉴》（1996—2001），中国统计出版社，1996—2001

2. 劳动力供求与工资

工资作为劳动力供给的价格与劳动力需求的成本，对劳动力供求影响极大。假定在其他条件不变的情况下，如果工资率上升过快，劳动力的成本就会很快增加，就会导致企业选择资本密集的技术产品，而不愿意吸纳劳动力，自然就无法提高就业人口规模。根据胡鞍钢的计算，1990—1995 年期间，人均工资增长率为20.1％。[①] 可以这么认为，当前我国劳动力大量过剩的一个重要原因就是工资率增长过快。

3. 劳动力供求与边际产品

根据市场经济条件下利润最大化目标原则，企业的劳动力需求最优决策是劳动力的边际产品等于劳动力价格。从我国的劳动生产率的增长看，近些年农业劳动生产增长率速度为 1.7％，非农业劳动生产率增长速度为 20.85％，增长速度较快，但与 3％的农业经济增长速度和 34.75％的非农业增长速度相比，我国的劳动生产率仍然较低。[②] 同时，我们必须承认目前中国经济的增长仍然是靠资本的投入获得的，仍属于粗放型的经济增长。通过以上分析就可以明显地看出我国的劳动力边际产品是较低的。它是我国劳动力供求矛盾突出的最为重要的经济原因。

4. 劳动力供求与制度供给

制度是影响经济活动的重要因素之一。我国劳动力供求矛盾突出的原因从根本上说似乎是制度供给造成的。建国以来，我国一直实行低工资、高就业的政策，不仅导致家庭扩大向社会供给劳动力的规模，而且使劳动生产率低下，为进一步扩大劳动力需求带来阻力；我国的工资分配制度也影响劳动力的供求，在很长

---

①　胡鞍钢：《中国就业状况分析》，《管理世界》，1997 年 11 月。

②　周天勇：《劳动与经济增长》，上海人民出版社 1995 年版，第 93、94 页。

的一段时间内，在贯彻按劳分配的原则上，实行平均主义，工资能上不能下仍然是个大问题。结果工资不能形成调节劳动力供求的杠杆；社会保障制度也比较滞后，劳动者只有就业，才有权享受一系列的保险福利待遇，结果企业雇佣工人的风险相当高，企业劳动力需求的自主权受到限制。这些因素都影响着我国的生产，从而影响着劳动力的供求。

三、劳动力供求的平衡政策

劳动力供给与需求的分析，不能仅从局部均衡理论来解释，必须引进一般均衡和非瓦尔拉斯均衡理论。但是，在我国的现实经济生活中，劳动力供给与需求的非均衡又是常态的，经常出现劳动力短缺和劳动力过剩的现象。由于劳动力供给与需求既有长期的，也有短期的。长期和短期的劳动力供给与需求又分别受不同因素的影响和制约。因此，仅仅依靠市场机制是难以真正实现劳动力供求平衡的。例如关于人口因素，市场机制几乎无调节能力。改善劳动力供求的现状，应当通过市场机制的主导作用和计划机制的辅助作用相结合来进行。

从我国的情况来看，在今后的一段时期内，劳动力供给大于劳动力需求的现象将是个无法回避的现实问题。同时，劳动力供给的结构还不能较好地适应劳动力需求结构的要求。要实现劳动力供给与需求的平衡，应做好以下几方面的工作。

1. 注重以就业增长为核心的经济政策

入世后，中国劳动力资源的比较优势，劳动力资源的流动特征以及 WTO 的规则本身决定了 WTO 时代经济结构的调整必须以提高资源配置效率为目标，以就业增长为核心。就业增长也就意味着经济增长，而经济的不断增长又必将创造出新的就业机会。

就业创造与经济增长应当保持匹配。在强调经济增长的同时，我们必须注重经济质量的提高。有质量的经济增长方式应当是集约效益型的。粗放型的经济增长方式不仅不利于经济的可持续发展，更重要的是对增加直接就业的作用明显而潜力有限。从美国等技术先进的国家采用新技术的同时，劳动力就业不断增加的事实，可以看出技术进步并不排斥劳动力的就业。美国 1996 年国内生产总值增长中 33％来自信息技术部门，而失业率到 1997 年 4 月下降至 4.8％，达到 24 年来的最低水平，技术与就业率之间表现出来的是明显的正相关的关系。[①]

2. 控制劳动力供给、扩大劳动力需求

控制并压缩劳动力供给，首先要继续坚定不移地贯彻计划生育方针，降低劳动参与率；缩短劳动时间也是压缩劳动力供给的主要形式；大力发展各种教育事业，可以减少劳动力供给。此外，还可以通过劳动力流动、劳务输出等形式来缓解劳动力供求的矛盾。

而扩大劳动力需求则可以选择如下途径：深化改革，发展中小型企业；提高劳动生产率，扩大生产规模；调整经济结构，如积累和消费的比例、技术结构、三次产业结构等；加快城市化建设等等，扩大需求。

3. 协调劳动力供求结构

这主要是根据劳动力需求结构的状况，抓紧劳动力的就业前培训和就业后的再培训工作，促使短期内劳动力供求结构协调。

---

① 　陈文科：《技术创新与加快经济增长方式转变》，《国民经济与管理》（中国人民大学复印资料），1996 年第 5 期。

同时还要大力发展教育事业，提高全民族的科学技术和文化知识水平，并在深刻把握未来经济发展、技术进步的趋势和特征的基础上，进一步搞好专业教育和训练的工作，培养出适应未来经济发展要求的多层次的专业技术人员，使劳动力供给结构与劳动力需求结构之间保持协调。

4. 完善劳动管理制度

劳动力供求矛盾突出与一些不合理的就业制度、管理制度密切相关。应该消除城乡户口制、部门所有制，允许劳动力在城乡之间、部门之间和地区之间自由流动；建立起全社会的社会保障体系、减轻企业的社会负担；鼓励国有企业工人向非国有企业流动，减轻国有企业冗员问题；对社会歧视行业的部门和社会上的一些弱势群体，实行最低工资保护；打破国有企业对某些行业的垄断；改革工资分配关系，根据劳动的复杂程度、劳动力素质、劳动成果进行分配；充分考虑家庭因素对就业的影响，就业制度中应涉及对青壮年、老年工人的家庭关心和培训教育；根据行业生产产品弹性的不同，实行不同的行业保护制度，等等。

第四章　劳动力市场

　　任何一种产品和劳务，只要存在买卖双方且双方愿意从事交易，那么就必然存在着一个与之相适应的市场。劳动力市场是一种特殊的商品市场，长期以来这一词曾为理论界许多人所避讳。随着对传统社会主义经济理论的突破和经济体制改革的深化，我国的劳动力市场已悄然兴起并逐步得到认同。劳动力市场的买卖双方怎样进行交易才能实现劳动力资源的最优配置，是劳动力市场理论所要解决的问题，也是我们的社会主义市场经济体系建设中的一个薄弱环节。因此，建设一个与劳动力商品相适应的市场，既具有重要的理论意义，又具有重大的现实意义。

第一节　劳动力市场概论

一、劳动力市场的含义和特征

1. 劳动力市场的概念辨析

　　目前，理论界对劳动力市场内涵的理解仍存在争议，具有代表性的观点有：（1）劳动力市场是劳动力商品买卖关系的总和，是劳动力的买者和卖者之间的商品交换关系；（2）劳动力市场是劳动力进行流动和交换的场所；（3）劳动力市场是实现劳动力资源市场化配置的方式，是其内在机制和实现形式的统一；（4）劳动力市场是生产要素市场的重要组成部分，是按照市场规律对劳动力资源进行配置和调节的一种机制。

这四种观点，都在不同侧面和不同程度上接近了劳动力市场这一基本概念的科学界定，但同时也稍显不足。其一，现代劳动力市场的实质并不是劳动力的买卖关系，而是通过这一形式的运动来实现劳动力资源的合理配置，买卖关系只是劳动力市场所体现的经济关系的一部分。其二，以"市场"来定义劳动力市场，只体现了"硬件"部分，没有反映出劳动力市场的实质，丢掉了更重要的"软件"部分。其三，将劳动力市场理解为是内在机制和实现形式的统一较前者为全面，但是还没有体现通过市场机制合理配置劳动力资源所反映的经济关系和劳动力市场的经济意义。其四，劳动力市场不能简单地等同于机制，以机制来定义劳动力市场范围偏窄。

参考西方市场经济发达国家，劳动力市场是作为一种经济关系而存在的。国际劳工组织的有关研究报告把劳动力供求关系的所有问题都纳入到劳动力市场这一范畴之中，西方经济学论著在界定劳动力市场这一经济关系时，几乎包罗了社会劳动问题的全部内容。这些成果值得借鉴。

因此，劳动力市场并不是劳动力买卖双方的一个简单的组合，而是一个动态的和相互交融的概念。劳动力市场有广义和狭义之分。从广义上说，劳动力市场是指以市场机制为基础性方式对劳动力资源进行配置和调节经济关系的体系，其内容包括劳动契约、劳动就业、工资分配、社会保障、劳动立法、职业培训等等；从狭义上说，劳动力市场既是劳动力供求双方双向选择、进行劳动力交换的场所，同时又是运用市场机制调节劳动力供求关系的组织形式。由此可见，劳动力市场可以是有形的，但主要是无形的。说它是有形的，是因为它为实现劳动力交换提供各种服务机构和交换场所。说它是无形的，是因为它是一种经济关系，其实质又是实现劳动力资源市场化配置的一种机制，即借助市场机制在经济利益上促使劳动力合理流动和优化组合。

就像劳动力市场体系的建立不是一蹴而就一样，对劳动力市场的理解也是渐进的。我们应从以下几个方面来把握：（1）劳动力市场是劳动力要素的交换场所，既可以是有形的，也可以是无形的；（2）劳动力市场的基本要素是价格，价格影响着劳动力供求双方；（3）劳动力市场机制是在多种要素的共同作用下影响劳动力供求双方的行为；（4）劳动力市场不是劳动市场，将两者混为一谈是错误的；（5）劳动力市场与劳务市场也有很大的区别，劳务市场是一种特殊的消费品市场而不是一种生产要素市场。

2. 劳动力市场的特征

劳动力市场作为惟一能动的生产要素市场，与一般商品市场和一般要素市场相比，具有很大的特殊性。劳动者出卖的只是一定时间的使用权，任何时候劳动者对劳动力都拥有终极所有权，劳动者只是借助劳动力市场实现自身价值的让渡，并且可以多次让渡劳动力的使用权。劳动力市场的特殊性主要体现在以下几个方面：首先，劳动力市场是要素市场而不是产品市场。劳动力这种生产要素归个人所有，企业只能通过劳动力市场获得。其次，在劳动力市场上劳动力寓于劳动者本身之中。因此劳动者不仅关注劳动力的价格，还关注劳动力的劳动条件等非经济因素。特别是在发达国家的劳动力市场上，工资已不再是惟一决定性的因素。第三，劳动力市场的活动不仅受供求双方决定，而且受到政府、舆论、工会等社会力量的影响和法规的制约。最后，劳动者和工作存在着巨大的差异。由于劳动力供求双方存在着多样性和复杂性，造成劳动者和工作之间存在着巨大的差异。这些差异通过价格和劳动的结果等方面反映出来。

二、劳动力市场的构成和类型

1. 劳动力市场的构成

完整的劳动力市场是由许多要素组成的，这些要素的集中统一及协调运作构成劳动力市场机制的总体内容。健全的劳动力市场要素主要有以下五个方面：（1）主体要素，即劳动力市场上参与市场活动的劳动力供求双方；（2）价格要素，即劳动力的价格（工资）；（3）基础要素，包括劳动力市场赖以存在和运行所必须的硬件和软件的总和。其中硬件要素是指劳动力市场运作必须的场所、设备以及服务机构等物质条件，而软件要素则是指对劳动力市场运行规律的认识、观念与信息的导入等；（4）服务与保障要素，如失业保险、咨询服务等；（5）调控要素，也就是政府及管理机构对劳动力市场进行宏观管理和控制的手段与行为，如制定的各种法律法规、规章制度等。

2. 劳动力市场的类型

劳动力市场的划分有不同的标准。通常有以下几种划分：按地域划分有世界劳动力市场、全国劳动力市场和地区劳动力市场；按产业划分有工业劳动力市场、农业劳动力市场和服务业劳动力市场；按职业划分有民工市场、大学生市场、教师市场等；另外还有按人口、工种、交易规则划分等等。

所有这些划分，我们认为并不能说明劳动力市场运行的内在规律。根据劳动力市场的运行原则，我们把劳动力市场分为完全竞争劳动力市场、垄断劳动力市场和非完全竞争劳动力市场。完全竞争劳动力市场是一种理论性市场，工资率是完全可以改变的，劳动力的供给和需求也都是充分和富有弹性的，通过劳动力自由流动和竞争，自发实现劳动力资源在各种不同用途之间的最有效配置；垄断劳动力市场是一种极端的市场形式，信息极不对称是基本特征，很容易形成行政对市场的干预；非完全竞争劳动力市场通常是在一定程度上存在垄断的劳动力市场。在此基础上，根据劳动力市场主体的地位不同，我们可以进一步把劳动力市场分为需求约束型和资源约束型两种。需求约束型是指在劳动力市场上，劳动力供给大于劳动力需求，就业的总规模由劳动力需求量所决定，劳动力供给方处于不利地位，失业量较大；而劳动力需求方处于有利地位，具有压低工资，降低劳动条件的可能。资源约束型劳动力市场是指在劳动力市场上的劳动力需求大于劳动力供给，就业的总规模是由劳动力供给决定的。在这种市场上，劳动力供给方处于有利地位，失业量较小。

在以上的这个分析框架下，结合我国的劳动力市场的实际，我们采用二元的劳动力市场假说，把现实的经济生活中的劳动力市场划分为一级市场和二级市场。所谓一级市场是指工资相对较高，就业比较稳定，工作条件较理想，晋升机会较多；二级市场是指工资较低，就业没有保障，工作条件较差，工资与受教育程度和经历毫无关系。这种划分比较贴切地表现出我国工农之间、城乡之间、脑力和体力之间存在的明显差别。虽然改革开放以来，我国劳动力市场差别正在缩小，但在较长的一段时期，我国仍是比较典型的二元劳动力市场。

三、劳动力市场的功能和影响因素

1. 劳动力市场的功能

劳动力市场作为市场经济的要素市场之一，在社会经济运行中具有重要的作用，具体地说，劳动力市场有以下几个功能。

首先，劳动力市场具有劳动力资源的配置功能。劳动力市场的基本功能，就是通过劳动力使用权的转让与购买，实现劳动力在各种社会用途之间的分配，也就是劳动力资源的配置。这其中，起关键作用的是工资率比价（不同职业之间的劳动比价）。工资率调节着劳动力资源在不同职业之间的配置。劳动力市场在实现劳动者和生产资料的结合中起纽带作用，同时也在劳动力供求关系中起调节作用。劳动力市场的存在，为劳动者和企业提供了双向选择的条件，从而为劳动者找到较好发挥才干，实现自身价值的位置提供了可能，有利于劳动者积极性的发挥，有利于把劳动者的个人才能转化为社会财富。

其次，劳动力市场具有收入分配功能，是政府了解社会劳动分配状况的"窗口"。国民收入被生产出来，经过初次分配和再分配以后，最终分解为两部分：一部分归国家和企业支配，另一部分归劳动者个人所有。后者表现为劳动者的劳动报酬，主要采取工资的形式。市场经济条件下，劳动力这种生产要素要进入市场交换过程（即形成劳动力市场），因而劳动力的供求状况必然制约工资的变动，包括劳动力供求总量和结构的制约。这样，劳动力市场无形中就调节了国民收入在各行业、工种、技术职业和技术层次之间的分配。

第三，劳动力市场还制约着经济结构。劳动力市场就业结构是国民经济结构中的一个重要部分，对于国民经济的发展和经济结构总体的变动有着重要影响。从系统论的角度来看，就业结构是国民经济这个大系统中的一个子系统，它的自身状况以及它与其他子系统的联系，对国民经济总体运行和效益产生巨大的影响。劳动力市场就业结构的合理化，有利于社会经济各部门、各地区、各环节运动的正常进行，有利于经济资源的合理配置，有利于提高宏观与微观经济的效益，也有利于人们就业的稳定。

第四，劳动力市场能够促进经济发展。一个社会的劳动力市场的完善程度与经济发展水平密切相关。劳动力市场越是完善，其对经济发展的促进作用就发挥得越好。在传统的计划经济体制下，劳动力商品的性质被扭曲或人为地被排斥，谈不上运用市场规律去进行配置，严重影响劳动生产率和经济效益的提高，制约和消耗了经济发展的潜力。而在市场经济体制下，劳动力市场上需求决定供给，使得劳动力与生产资料按比例结合，从而使社会再生产按比例协调发展，促进经济发展。首先，在劳动力市场上，通过劳动力使用补偿，围绕劳动力生产和再生产费用的波动，调节劳动力的供给与需求，使需求者和供给者实现各自的经济利益要求，使社会再生产协调发展。其次，在市场经济中，一切生产要素都是按需要供给的，一旦供给与需求平衡，也就实现了包括劳动力在内的生产要素的按比例有机结合，使各种生产要素都得到最大限度的利用。再次，劳动力市场竞争机制的作用，迫使劳动者与劳动力使用者有意识地不断对劳动力素质进行综合开发，不断提高劳动者的职业道德和职业技能及技术水平。最后，劳动力市场能够实现劳动力按社会经济发展需要方向流动，避免了因劳动力积压而造成的浪费。

第五，劳动力市场具有利益激励的功能。在劳动力市场上，劳动者摆脱了对国家的依附地位，完全可以按照自己的能力、爱好和志愿选择自己的职业，真正处于同国家和用人单位平等的地位。"劳动力的所有者和货币所有者在市场上相遇，彼此作为身份平等的所有者发生关系"。[①] 劳动力市场承认了劳动力个人所

---

① 马克思：《资本论》，《马克思恩格斯全集》第23卷，第190页。

有，明确了劳动力的商品属性，确立了劳动者的劳动能力的商品地位。它给劳动者以选择职业的自由，有利于各尽所能、人尽其才，充分发挥人的积极性、主动性和创造性；落实用人单位招聘和辞退劳动力的用人自主权，有利于调节所有者、经营者和职工之间的关系，形成激励和约束相结合的经营机制。另外，工资收入和劳动力价格是刺激劳动力流动，调节劳动力供求平衡的杠杆，能够引导劳动力合理流动，刺激劳动者提高素质，满足劳动力需求对劳动力供给的要求，实现相对平衡。

2. 劳动力市场的影响因素

劳动力市场的运行受到经济因素和非经济因素两种因素的影响。经济因素主要是以供求为核心的市场要素，非经济因素包括以工会、政府为核心的组织要素和以文化、习俗为中心的社会要素。

第一，经济因素是影响劳动力市场最根本、最重要的因素。而所谓以供求为核心的市场性要素是指在劳动力市场由供求对比状态所决定的劳动资源配置及其价格。企业都是以利润最大化为生产经营的主要目标，对劳动力需求主要考察两个基本问题：其一是所雇佣的劳动力应当具备较高的劳动生产率以创造更多的财富，其二是在劳动生产率即定的前提下，尽量雇佣劳动报酬低的劳动力供给者。与此相对应的是，劳动力的供给者在效用最大化的目标下，会积极寻求那些能提供更高收入的企业和雇主。在不同的目标下，劳动力供求双方是如何达到劳动资源的有效配置的呢？现代劳动经济学理论认为，在其他条件保持不变的条件下，劳动力的需求和供给数量随着工资的变动而变动。工资下降，对劳动力的需求将增加，而劳动力供给将减少，反之亦反。在劳动力价格杠杆的作用下，劳动力供求双方达到平衡。当然，在现实的经济生活中，除了工资外其他条件不变的情况几乎是不存在的，劳动力供求双方也都会对未来经济形势做出自己的预期（比如经济衰退或高涨），因此，工资的变动与劳动力供求并不呈绝对的比例关系。但是，无论劳动力需求和劳动力供给如何改变，工资总是随着劳动力供求的变化而变化，并使劳动力供求达到新的均衡。

第二，非经济因素在很大程度上影响劳动力这种特殊的资源。非经济性因素包括组织性要素和社会性要素，前者是指政府、工会以及大型企业等各类组织，而后者则是指家庭背景、所属阶层、文化、歧视和风俗等等。

现代劳动力市场理论认为，组织性要素能够为劳动力市场提供必须的交易规则，这一系列的规则一方面能够促使劳动力市场的细化（如人事管理政策对从业资格的规定），另一方面可以影响工资水平，比如政府规定的最低工资水平、公务员的法定工资增长等等。组织性要素的存在可以弥补劳动力市场本身不能克服的缺陷。比如效率与公平的冲突、劳资纠纷等，从而保护劳动力供求双方的利益，促进劳动力资源的合理配置。但是，组织性要素的存在也会对劳动力市场产生负面影响。比如，当政府规定的最低工资水平超过劳动力市场均衡的价格水平时，企业就必须付出较高的代价获得劳动力资源，这对企业的经营是不利的。

社会性要素对劳动力市场的人员构成、劳动力供求状况和工资水平的产生的影响也是不容忽视的。这些影响因素具体表现在两个方面。一方面表现为影响劳动力市场的人员构成。家庭背景、父母职业、社会阶层对个人职业的选择幅度和在劳动力市场的流动性具有十分重要的作用。可以说在选择职业的过程中，作为个人能够跳出个人所属社会层面的可能性很小，这几乎是个规律。另一方面表现为影响劳动力的供求与工资。人们在选择职业时不仅关注工资收入水平的高低和福利待遇的多少，还取决于人们对工作的喜好程度与偏好。文化背景对价值标准的判断、信仰准则、行为规范也有着重要的作用。另外，歧视也是影响劳动力市场配置的一个重要非经济因素。例如种族、性别、原有国籍、宗教等都有可能引起工资差别，甚至职业差别。

第二节　劳动力市场运行

一、劳动力市场的运行机制与条件

1. 劳动力市场的运行机制

劳动力市场的运行机制是整个经济机制的一部分，它取决于整个经济的运行机制。可以说，劳动力市场的运行机制也是由相互联系和相互制约的供求机制、竞争机制、价格机制等组成的。

没有供给与需求，也就无所谓市场。劳动力市场的供求状况，主要是指劳动力资源量与需求量的关系。如本书第三章所述，影响劳动力供给与需求的因素是多方面的，但是劳动力市场的供给与需求的运动却基本上是在"看不见的手"的调节下运行的。劳动力市场的供求运行是不断地由不平衡到平衡，又从平衡到新的不平衡，再到新的平衡的动态过程，其平衡状态是偶然的，而不平衡则是常态的。因此，如何保持劳动力供求的总量平衡，在依靠市场自身供求机制调节的同时，还应当加强对劳动力市场供求状况的预测和监控，通过经济目标、政策及其他手段的干预，促成劳动力市场供求关系的动态平衡。

有市场，就必然有竞争。在劳动力市场中的竞争，主要是指劳动者在与生产资料的结合过程中所产生的择业竞争与在业竞争，以及企业为求得优秀人才而进行的人才竞争。择业竞争和在业竞争使得劳动者不断地提高自身素质与工作效率以适应工作要求，这也是劳动力市场在开发人力资源中起的导向作用。而人才竞争则促使企业不断地去改善工作环境，降低劳动强度，提高福利待遇，创造吸引优秀人才的条件。劳动者既是经济人，也是社会人，其对经济利益和社会地位的追求形成劳动力市场的竞争动力。

劳动力市场价格是评价劳动者素质、劳动能力及劳动效果的测量指标，也是自发调节劳动力资源在不同地区与行业之间合理配置的杠杆。从总体而言，劳动力的供求关系是影响和造成劳动力市场价格上下波动的主要原因。劳动力市场价格的经济意义表现在它既是宏观经济中劳动力流动的导向指标，同时也是劳动者个人择业的指示器；既是用人单位吸引优秀人才的手段，也是激励劳动者提高自身素质，以适应社会经济发展要求的加速器。

劳动力市场是在这三种机制的共同作用下，形成自己有序的运动。工资上升，劳动力流入，供给量增加，竞争加剧，形成供过于求；工资开始下降，劳动力流出，供应量减少，出现供不应求，工资又开始上升。在市场机制的交互作用下，完成循环反复的市场运动。

2. 劳动力市场机制的运行条件

劳动力市场的运行机制和其他市场机制一样，是在一定经济条件下的产物，它的正常运行也建立在满足其他经济条件的基础上。

首先，劳动力市场必须有明确的市场主体，这是前提条件。只有当劳动者作为"具有理性行为的自由人"，企业作为"具有独立自主权的经济人"同时出现在市场上，才有可能出现符合经济原则的交易行为，才能完成以劳动力市场价格的支付为媒介的劳动力商品的使用权的转让。

其次，劳动力市场价格（即工资）必须建立在劳动力价值的基础上，并相应地反映劳动力供求关系的变动。工资作为劳动力市场交易的媒体，是调节供求状况的杠杆，是反映市场交易是否平等公正的评判标准，如果出现了大偏差，那么一切市场运行都将出现扭曲和变形。

第三，劳动力市场必须有行为准则以约束市场主体。通过对市场主体利益的保护，对正常交易行为的肯定和对侵权行为的摒除，将劳动力市场机制的运行引入正常的轨道。规范市场运行的规则主要有：界定市场主体责任、界定市场主体事权、确定双方交易价值量以及惩罚规则等。

最后，劳动力市场运行需要社会保障作为支撑条件。劳动力商品的特殊性使它不能像其他商品一样在退出市场时可以随意处置，而必须健全一系列的社会配套措施，必须将其纳入社会经济循环的大系统之中。这些措施包括健全的失业保险体系、完善的技术培训体系、高效的市场交易组织、妥善的退休养老体系等等。

当然，劳动力市场的正常运行存在一定的缺陷，例如不能自然消除垄断，不能实现特殊的社会发展目标等等。因此劳动力市场机制的运行必须遵循一定的原则，由于这些原则是随着时代而动态变化的，这里就不再赘述。

二、劳动力市场的均衡与非均衡

1.劳动力市场均衡

劳动力市场均衡可以根据均衡的一般含义来推论。劳动力市场的均衡是指劳动力供求相等、市场出清这样的一种状态。由于现实生活中，劳动力所受的教育程度、技术特长、熟练程度、职业水准等不同，同时企业也存在工作环境、工作条件、工作节奏等的不同，这就造成了劳动力之间存在差异、行业也存在差异。这样的劳动力市场就表现出多维的特点。多维的劳动力市场如何达到均衡是我们需要加以考察的。

为了分析的方便，我们对多维的劳动力市场进行了假设：(1)劳动力市场是由两个不同类型的单一市场所组成。(2)两个市场存在着竞争壁垒。(3)两个市场内部的竞争十分充分。(4)劳动力市场的差别主要是企业和劳动力的差别。

根据上述的基本假设，两个劳动力市场存在着壁垒，造成了劳动力市场的分割状态。假设农民和科学家是多维市场上的两个单一市场，两个市场之间在短期内是无法替代的。那么，类似于"蛛网理论"，劳动力市场的均衡分别以不同的工资水平在各自的市场体系中实现均衡。这可以用来解释二元劳动力稳定的原因。

但长期来看，教育和培训部门将会根据劳动力市场的供求结构，对农民进行有计划、有针对性的培训，这样两个劳动力市场就会受到影响。也就是说农民可以成为科学家，科学家也可以成为农民。这就是说，价格信息会导致劳动力的供求重新调整，直至两个市场同时达到均衡。但是无论如何衡量，农民市场劳动力的均衡数量与科学家市场的劳动力均衡数量总是不平等。

2.劳动力市场的非均衡

在现实社会经济生活中，劳动力短缺与过剩是经常存在的。因此，除了运用均衡分析的方法外，我们还应当使用非均衡分析的方法来分析劳动力市场上的各种供求矛盾现象。

根据非均衡理论，影响劳动力市场非均衡的因素主要有四种：工资率具有相当大的上升刚性；信息的不完全与未来的不确定；市场交易成本巨大；制度数量调整存在限制。这就造成了我们经常见到的劳动力市场中存在的几种非均衡现象。

第一，工资刚性下的自愿失业。工资刚性（如最低工资法）使得劳动力的价格不具备充分的弹性，不能随劳动力供给和需求的变化而变化。这种由于实际工资太高而引起的劳动力供给大与需求而造成的现象，被称为自愿失业。这种情况下，如果想使劳动力市场趋于均衡，只能通过扩大劳动力需求，减少劳动力供给的办法进行解决。

第二，产品需求下降下的非自愿失业。劳动力需求是派生需求，由于产品需求不足而产生的对劳动力需求数量的限制，会使在当前工资下可以达到均衡的劳动力市场出现相对过度供给，这种现象称为非自愿失业。非自愿失业是大量存在的一种失业现象，我国国有企业工人的下岗以及大量的隐性就业在某种程度上都可以归为非自愿失业。要解决这个问题，根据凯恩斯的理论，只有扩大消费需求和刺激投资需求，促使产品需求曲线发生变化，进而扩大劳动力需求。

第三，计划经济下的劳动力的短缺与过剩。计划经济体制下的劳动力市场是一种比较典型的非均衡市场。在这种市场上，劳动力短缺与劳动力过剩并存。

劳动力过剩指的是劳动力供给的数量过剩，而不是有效的劳动力供给过剩。在计划经济体制下，劳动力基本上没有职业选择权，工资缺乏弹性，工作效率低下，因此"在职失业"、隐性失业的情况很普遍。比如大量的农村剩余劳动力和国有企业的富余人员，就是劳动力过剩的表现。

而劳动力短缺主要表现在两个方面。在劳动力供给方，政府只负责一级市场劳动力的就业，如计划经济下的我国的就业计划，只安排城镇居民的就业，对农村二级市场的就业基本不管，这样，在劳动力充裕的社会，一级市场的劳动力供给不足，出现短缺现象。在劳动力需求一方，由于存在预算的软约束，企业的决策者追求的是产值最大化，总是争取到尽量多的劳动力，以便增加产值，于是出现了劳动力需求过旺，劳动力的供给相对来说就是一种短缺。

第四，双轨制下的劳动力市场的非均衡。在计划与市场共存的双重调节机制下，由于劳动力价格有了一定弹性，对劳动力市场可以产生了一定的影响，又由于劳动力市场并不是完全的市场调节价格，对劳动力市场的整个供给量很大，所以整个劳动力市场处于非均衡状态。改变非均衡的状况，一方面要努力实现价格调整，一方面要进行数量调整。

三、劳动力市场的分割与歧视

1. 劳动力市场分割

劳动力市场的分割既是一个经济问题，也可以说是一个政治问题——不同利益集团、民族意识等在劳动力市场上的综合体现。现代劳动经济学理论中有部分理论对劳动力市场的运作方式提出了不同的解释。特别是很多经济学家放弃了居于主流地位的竞争式分析法，转而强调劳动力市场的分割属性、强调制度和社会性因素对劳动报酬的就业的重要影响，并形成了自己的一个学派——劳动力市场分割（Labour Market Segmentation，LMS）学派。

一般来说，劳动力市场的分割可以分为制度分割和技术分割两种基本的类型。制度分割是由于社会经济制度造成的分割，如中国的城乡分割的劳动力就业管理体制。技术分割则是指由于掌握不同技能的劳动力，在劳动力市场中的分层。

第一，劳动力市场分割理论分析。

现代分割主义学派的理论可谓多种多样，分析过程具有很大的差异。但源头都可以追溯到约翰·穆勒和凯恩斯时代提出的劳动力市场具有非竞争性的学说。在众多现代的分割理论中，帕雷的二元劳动力市场的描述是著名的：

一级市场的就业具有以下几个特征：工资较高，工作条件优越，就业稳定，安全性好，作业的管理过程规范，升迁机会多。但相比较而言，二级市场的工作机会大为逊色：工资较低，工作条件较差，就业不稳定，管理武断而粗暴，毫无个人升迁机会。二级市场的就业者多为穷人（Piore，1970）。

市场分割理论的要义是劳动力市场本身是形成经济不平等的重要根源。虽然传统经济学家对分割主义学派标新立异的行为一直加以谴责，甚至完全否认之，但是 LMS 方法在以下三个方面显然是与众不同的。

第一个特征在于，它把劳动力市场看成是同一个人由于从事不同的工作而领取了不同的工薪。因此，劳动力的高素质并不是一级市场劳动者领取高工资的惟一成因。很多二级市场上的工人也能胜任一级市场的工作，但是，他们无门而入，从而失去了在其中谋职的机会。因此，劳动力市场的现状并不是被动地反映一个家庭或社会背景的优劣及素质的高低，而是经济不平等的延伸及其组成部分。

第二个特征是劳动力市场运行的根源在于产品市场。当劳动力供给大于需求等条件下，劳动力市场所发挥的作用不过是产品市场的从属特征，而产品市场要依从于需求变化、雇主的权势以及生产技术。当然，劳动力市场的影响作用并没有被否认。

第三个特征是将偏好和公共政策看成内生变量。这就与传统理论将偏好看成是一定的，将公共政策看成是未定的截然不同。

第二，劳动力流动。

劳动力流动问题在市场分割理论中占有极其重要的位置。劳动力流动的动机主要是受个人效用函数的作用，其前提条件是劳动力有能够进行流动的权利。

虽然一级市场和二级市场之间有清晰的界限，但是劳动力在两个市场间的流动率是很高的，而且人力资本在流动过程中发挥着重要的作用。某些很有说服力的实证显示，受教育程度和工作经历对劳动力流动影响很大。

劳动力市场分割理论把衡量竞争性因素和制度性因素起作用的相对重要程度问题鲜明地提了出来，值得我们关注。尤其是我们发现，发展中国家的劳动力市场分割的现象要比工业化国家严重得多，这就赋予了我们研究劳动力市场分割理论的重要意义。

2. 劳动力市场歧视

长期以来，劳动力市场歧视的问题常是世界各国公众和学者关注和讨论的问题。由于社会偏好和政治影响在其中发挥着较大作用，歧视决不仅仅是一个经济问题。

劳动力市场歧视是指在劳动力市场上对劳动力和劳动生产率无关的个人特征的评价。劳动力市场的歧视主要可以分为两类：工资歧视和职业歧视。对于这两种歧视情况，著名的贝克尔模型（Becker，1957）给出了定性分析，并被新古典经济理论纳入研究范畴。

现代劳动经济学认为歧视产生的原因主要有：个人偏见、垄断力量和劳动力市场信息的不完全。偏见的主要来源包括雇主的个人偏见、雇员的个人偏见和顾客个人的偏见三方面。前两种偏见都使得劳动力需求下降，而后一种则导致劳动力市场供给数量受到限制，最终使得劳动力市场难以达到均衡。而劳动力市场上的垄断力量讨论更多地集中在工会理论上，由于和我国国情不符合，故在此不加详述。至于信息不完全这个歧视产生的重要原因，我们许多时候也称为统计性歧视。统计性歧视是普遍存在的一种劳动力市场歧视，并且将继续存在，原因是雇主收集信息需要付出较高的成本，同时对劳动生产率的指标体系的选择也有影响。比如，企业常常根据大学毕业生的在校成绩好坏来判断他们能力的高低，并决定是否雇佣，这样会有许多能力比较强的毕业生因为不善于考试，其实际能力不受到重视，从而失去机会。

四、内部劳动力市场

内部劳动力市场（Internal Labor Market）理论是近二十年来经济学理论所获得的最新进展之一，同时也是劳动经济学最新的组成部分，相关领域目前仍然是理论界的一个研究热点。[①] 内部劳动力市场理论认为，劳动力并不完全是在外部劳动力市场通过工资的竞争进行配置的。事实上很多劳动力是长期服务于固定的企业，并在企业内循着工作阶梯被晋升或淘汰的。大量实证研究表明，大部分的劳动力资源实际上是在内部劳动力市场上进行配置的。因此，必须研究内部劳动力市场配置劳动资源的方式和效率特征。

1. 内部劳动力市场的成因

---

① 通常认为这一研究领域的开创性文献是 Doeringge, P. B. and M. J. Piore, 1971, Internal Labor Market and Manpower Analysis, Health, Lexington, Mass.

内部劳动力市场产生的原因主要有四个方面，并且这几个方面的原因之间又是彼此联系的。

首先，劳动力替换的成本是影响劳动力市场运作的一个重要原因。替换成本包括三个方面：雇用劳动力和解雇劳动力的直接成本，企业新旧成员关系不协调所引起的成本，劳动力替换对劳动力的生产效率造成负面影响而隐含的成本。由于存在这些成本，企业对劳动力的替换总是抱着谨慎的态度，这样，劳动力在不同企业之间的流动性就降低了，从而也促成了企业内部劳动力市场的形成。

其次，随着分工的深化和各种岗位上人力资本和知识的专用性提高，很多岗位对从业人员提出了特殊的要求。从劳动力自身的角度来说，最优的择业行为一般是掌握几项特定的技能，然后在自己的技能范围内寻找合适的职业。这两方面的原因就使得从事不同职业的劳动力之间不具有充分的替代性。当企业需要雇佣劳动力的时候，就要耗费一定的成本进行搜寻，还要进行一定量的新员工培训。如果用外部劳动力市场的劳动力对老员工进行替换，那么沉没成本和机会成本都比较大。

劳动力市场上的信息往往是不对称的，其中，劳动力供给方对于自身就业后的收益一般都能事先从劳动合同中了解，而企业一般总处于信息的劣势，因为具体到某个劳动力的生产效率和劳动态度都是事后才能了解的。因此，企业总是通过一定时间的观察后才能对劳动力的生产率和劳动态度作出评价，并决定劳动力的去留或升降。从这一角度来说，内部劳动力市场的存在也可以视为企业收集信息的一种需要。

最后，工会对内部劳动力市场也有影响。由于工会与内部劳动力市场的关系非常复杂，而且我国工会制度与西方企业中的工会差别较大，所以在这里也不再赘述。

2. 内部劳动力市场配置劳动力资源的特点

在对劳动力资源的配置方面，内部劳动力市场有着与外部劳动力市场显著的不同，具体表现在以下几个方面。

第一，在内部劳动力市场上，一些非经济手段对劳动力配置的影响很大。劳动力的工资并不是劳动力供求作用的结果，而行政性的规则、程序、企业文化和习惯在劳动力定价和配置中所起的作用很突出。

第二，企业中存在着工作的等级制度，其中的每一个等级系列都围绕着一种特定技能、一个共同职能或者一项工作的中心。企业的新成员进入企业的位置一般都是在工作阶梯的最底层，这里也是内部劳动力市场的工作阶梯与外部劳动力市场的连接处。

第三，在内部劳动力市场上，企业往往注重从老员工中提拔一定比例的人员进入工作阶梯的更高层次，而对于新雇佣的劳动力则主要用于补充较低层次岗位上人员的不足。而选拔的依据则是企业的内部激励机制，我们也称为锦标制。

最后，不同岗位的收入并不完全是按生产力原则确定的。在内部劳动力市场上，不同的岗位要对应于工作阶梯的一定层次。企业内部有相应的工作评估体系，根据不同岗位的工作条件、工作强度和技能要求等方面来确定不同岗位在工作阶梯中的位置，并在收入中相应体现。工作阶梯中层次越高的岗位收入越高，这主要是为了维护锦标制度的有效性，而并不一定表明不同岗位的生产力之间也有相同幅度的差距。

3. 内部劳动力市场的效率

现代劳动力经济学认为，内部劳动力市场及其相应的工资能够有效率地利用劳动力资源。对于这个问题，可以通过以下几个方面来说明：（1）企业通过内部劳动力市场的运作降低了劳动力替换成本，获取了充分的有关劳动力质量的信息；（2）内部劳动力市场一方面通过提高劳动者队伍的素质，从而提高劳动者的生产力。另一方面，企业通过激励机制的设计与实施促使员工努力工作。相关的激励机制包括工资方案的重新设计、锦标制度、工龄工资、强制退休制度、期权制度等等。

当然，考虑内部劳动力市场对于效率的影响时，我们还需要结合外部劳动力市场对失业进行考察。内部劳动力市场的存在减少了摩擦性失业，但同时也对失业问题产生了一定的负面影响。由于劳动力替换成本的存在，企业不愿意也不可能频繁地替换劳动力，从而导致内部职工的工资要高于外部劳动力市场上劳动力的工资要求。这就表现为外部劳动力市场上一些失业者愿意在较低的工资下工作，却依旧找不到工作，这是一种非自愿性失业。

第三节　我国的劳动力市场

在考察了劳动力市场的基本理论之后，我们有必要探讨一下劳动力市场理论在我国的运用问题。特别是在中国的劳动力市场正处于由城乡二元分割向城乡一体化转型阶段，中国劳动力逐步进入供给高峰期，劳动力市场上供给增长和需求减弱的局面造成的就业压力不断增大的挑战面前，更有研究的现实意义。

一、我国劳动力市场的发展与现状

我国劳动力市场的发展，经历了曲折的过程。这个过程与劳动力管理体制有着密切的关系。总体来看，我国劳动力市场的发展可以分为四个阶段：第一阶段，1949—1957 年为从有到无阶段；第二阶段，1958—1978 年为从复苏到完全消失阶段；第三阶段，1979—1992 年为重新萌芽阶段；第四阶段，1992 年以后为开始迅速发展阶段。

20 世纪 80 年代以来，建立劳动力市场的客观必然性已经达成共识，政府部门与理论界都普遍认为：社会主义条件下劳动力的个人所有是劳动力市场存在的直接原因；建立劳动力市场是社会主义市场经济的客观要求，是多种所有制经济同时并存、共同发展的必然产物，是企业成为市场竞争主体的要求，是现代化大工业和科技发展的要求，也是解决中国庞大的剩余劳动力出路的直接需要。

随着中国经济步入高速发展时期，劳动力市场的发展也经历了认识和实践不断深化的过程。虽然按照现代劳动力市场的一般要求和客观标准，我国的劳动力市场目前仍然处于发育的初级阶段，但毕竟已经发生了巨大的改变，劳动力配置方式已经步入市场化。

首先，计划经济统包统分的就业制度已不占主体地位。全国初步形成了企业和劳动者之间相互选择的市场机制。其次，工资已成为劳动力市场的重要调节信号。改革开放以来，我国逐步深化了企业工资制度的改革，取消了指令性工资计划，对工资的宏观调控有了进一步的改善。第三，劳动力市场保护机制正在建立。社会保险是劳动力市场稳定运行的安全网，是一个非常重要的问题。我们将在此书的后半部分专门加以探讨。第四，劳动力就业服务体系初步形成。随着我国劳动力就业制度综合配套改革的全面推进，劳动力市场的中介服务机构也得到了迅速发展。

但是，正如前文所述，我国劳动力市场比照现代劳动力市场的标准来看，还具有初级阶段的明显特征：一是发育程度不平衡。市场主体是供给主体高于需求主体，市场机制的作用程度是私营经济高于公有经济，从区域看是城市高于农村，沿海高于内地，东部高于西部。二是具有分割性和不统一性。在不同区域、不同所有制、不同企业和不同身份的劳动者之间，劳动力市场的运作规则不统一、不协调，市场存在明显的分割性。

总体而言，目前我国劳动力市场面临供过于求的状况。而劳动力市场结构性失衡的情况尤其突出。首先表现为低素质、未经开发的低质量的人力资源大为过剩，而经过科学开发、具有现代文化素质的先进劳动技能的高素质劳动力又相对匮乏。供需结构失衡的第二个方面表现在劳动力资源在行业、产业间配置失衡。以一、二、三产业为例，目前我国产业的产值由多到少的排序是二、一、三，而劳动力由多到少的排序是一、二、三，与国际上其他国家相比，产值和劳动力就业结构偏差很大。供需结构失衡的第三个方面表现在劳动力配置在地域结构上的不合理。在一些经济发达、资源得到比较充分利用的地区，劳动力数量密度大，对地区经济的发展构成强大的压力。在一些经济发展水平低、资源未能充分开发的地区，劳动力数量密度小，而且这种趋势越来越严重。

二、制约我国劳动力市场发展的因素分析

目前看来，我国劳动力市场的发展大大落后于其他要素市场的发展，并且成为市场体系建设的一个薄弱环节。因此，有必要进一步深刻分析影响我国劳动力市场发展的主要原因，这对建立社会主义市场经济具有重要的意义。

1. 劳动力市场中的供需双方尚未具备充分的市场主体资格

完善的劳动力市场要求劳动力的供给方与需求方的主体都应

当到位，而从目前的情况看来，此目标的实现尚有待时日。从供给主体来看，虽然理论上已经确立了劳动力归个人所有，劳动者作为供给主体的地位，但由于劳动者自主择业的意识还不强，就业心理结构还有待转变，城乡和区域分割的户籍制度改革刚刚起步，以及存在一定程度的劳动歧视等原因，形成完整意义上的供给主体仍然需要一个过程。另一方面，从需求主体来看，发展很不平衡。国有企业的主体地位尚未落到实处，需要进一步深化。而非国有企业的市场需求主体虽然基本形成，但其行为又缺乏规范，合同虚设、劳动环境恶劣、无故拖欠工资等时有发生。20年的改革虽然使我国的企业制度和经营机制发生了很大的变化，但还远远没有使企业真正成为市场竞争的主体和劳动用工的主体。这样劳动力市场上出现了供给和需求扭曲的矛盾，价值规律和供求规律及其他市场机制都不能在劳动力市场调节中充分发挥作用。

2. 分割的劳动力市场影响了劳动力就业的效率

我国的劳动力市场机制刚刚开始运行，还不是一个统一的劳动力市场，仍然存在明显的分割和扭曲。不仅存在地区、部门分割的问题，而且存在政策、法规、制度各不相同的问题。随着非国有经济的迅速发展，我国劳动力市场逐步形成了双二元或多元的劳动力市场分割的特征，但是存在的问题仍旧没有解决：首先是分割壁垒限制了劳动力流动和转移，影响了劳动力市场信息的传递；其次是市场工资在国有经济和非国有经济中都不能准确地发挥应有的调节作用，甚至被扭曲；最后是市场分割严重且发展极不平衡，地方保护主义普遍存在，使得劳动力市场覆盖半径狭小，严重影响市场机制的正常发育和运行。

3. 不健全的社会保障制度和服务体系影响了劳动力的自由

择业

　　健全的社会保障制度和完善的社会劳动服务体系是劳动力市场的重要组成部分，为充分发挥市场机制在劳动力资源配置中的作用提供必要的保障和服务。然而在现行体制下，社会保障制度既有覆盖面小的问题（如农村社会保障制度不健全），又有管理体制不顺的问题（如国有非国有企业相互分割，纵向不贯通，横向不协调）。同样，虽然目前我国已经初步形成了多层次、多功能的就业服务体系，但是仍旧不能适应劳动制度改革及劳动力市场建设的需要，主要表现在：运行极不规范，没有统一规划和协调，各种类型的职业介绍机构和组织基本上处于分割状态；职能单一并且服务范围狭窄，不能担负起包括就业咨询、职业培训和社会保障在内的整套服务使命；劳动供求信息采集手段单一，功能不全，无法协调劳动力流向。这些都影响了劳动力市场中的供给主体地位的充分体现，限制了市场机制作用的发挥。

　　4. 乏力的宏观调控体系影响了劳动力市场矛盾和问题的解决

　　首先，劳动力市场规则和秩序的建立虽然取得显著进展，但仍然存在空白和难点。劳动力市场运作规则还不健全，有些配套法规还未出台，城乡法规不衔接，行业、部门、所有制之间法规不协调，执法和监督手段也不完善，致使劳动力市场运行存在很大的隐性危机。

　　同时，目前的宏观调控不健全、实施乏力，还没有找到调控和引导劳动力市场运行的有效方式，表现为：对农村剩余劳动力的流量和流向基本上是束手无策；对劳动力市场中出现的混乱、争议，缺乏强有力的法律手段和执法力度。结果是，宏观调控既没有引导劳动力市场与其他市场以及宏观经济调控相配合，也没有克服和纠正市场机制运行的弱点、不足和负效应。

5. 劳动力歧视的负面影响

我国的劳动力歧视无论在类型还是原因上都有特殊之处。现象主要有：劳动力地域的限制进入、劳动力行业的限制进入、"同工不同酬"、劳动力年龄与性别的歧视等。而特殊性则表现在：歧视首先表现为区域性歧视，而不是经典性歧视（即现代经济部门对传统农业部门的歧视）；中国劳动力市场上的歧视是少数人对多数人的歧视（因为中国传统部门目前仍容纳了大部分的劳动力）。

劳动力的歧视使得劳动力市场调节变得困难。在本章的第二部分已经对此问题作了分析，在这里我们就简要指出其不可忽视的一面。

三、我国劳动力市场发展的目标模式

西方经济学者通常认为，劳动力市场是市场体系中最重要的市场，劳动力市场的稳定与效率决定了其他市场的稳定与效率。而我国社会主义市场经济目标模式的确立，必然要求尽快建立一个完善的劳动力市场，为市场经济模式的实现提供首要的有利条件。为此，我们必须对未来劳动力市场的目标模式有比较清晰的了解，借以指导劳动力市场建设和劳动制度改革的实践。

1. 现代劳动力市场的典型特征

西方现代劳动力市场是在国家垄断资本主义出现以后逐渐形成，战后趋于成熟的一种劳动力市场的高级形态。它具有以下典型特征：

第一，市场是劳动力资源配置的基础和主要手段，在劳动力市场中，劳动者是供方主体，企业是需方主体，市场主体双方通过劳动力市场进行双向选择和交换是劳动力资源与生产资料取得合理配置和组合的主要途径。

第二，市场主体行为在具有充分的独立自主权的基础上更趋于合理化。劳动者和企业都具有商品所有者的特征，行为约束进一步加强。社会地位、自我价值实现和经济利益共同构成劳动者的市场行为动力和决策标准。

第三，市场信息全面规范，信息传播渠道多样化、手段现代化。价格信号成为劳动力市场运行中最主要的杠杆，引导社会劳动力的流向和企业劳动力的配置。

第四，市场规则完善、统一、法制化。无论是市场主体权益，还是交易规则和竞争规则，以及主体进入市场和退出市场，都具有成体系的法律法规来统一规范和约束，以保证市场主体的平等和劳动力市场的有序运行。

第五，市场体系趋向完备。不仅是市场交易，而且包括职业介绍、就业咨询、职业培训、失业保险、养老保险等内容，贯穿于劳动者求职、就业直到退休的全过程，覆盖全社会和劳动力市场的各个方面。完善的社会化保障体系成为现代劳动力市场的重要支撑和保障。

第六，市场中介和服务多样化。既有各级政府职能部门主办的职业中介机构，也有社会团体和法人企业主办的职业中介组织，后者具有向产业化方向发展的趋势。

第七，有计划的、经常化的政府干预成为现代劳动力市场的一个基本特征。自由放任被强有力的政府干预所取代。政府职能部门担负着宏观调控、监督检查和社会服务的职能，以建立在市场基础上的计划手段确立宏观调控目标，以法制手段规范和约束市场行为，以经济手段调控市场运行，以社会保障和服务来维系市场和社会稳定。

第八，在统一的国内市场基础上向外延伸，与国际市场相融合，参与国际间劳动力资源的流动和交换，向国际化发展，以获取国际间的资源比较优势。

2. 我国劳动力市场的目标模式

借鉴世界市场经济发达国家的成功经验，依据我国劳动力资源供过于求和整体素质低下的特定国情，参照国际惯例与国际劳动力市场相衔接，是建立我国劳动力市场发展模式的基本原则。

我国劳动力市场的目标模式应该是城乡一体化的"大市场"模式。建立这一模式才是发展市场经济的必然要求。"大市场"模式下的劳动力市场是职能完善、公平竞争、机制健全、运行有序、调控有力、服务周到的完善的劳动力市场体系。"大市场"模式相对于传统的劳动力配置模式有以下特点：

第一，劳动力市场主体地位明确。劳动力市场主体都有充分的自主权和选择权。国家转变职能，不再是劳动力市场的直接指挥者，而是通过宏观调控维护市场秩序，维系公正，保护弱者，并保持劳动力市场的总量平衡和结构合理。

第二，劳动力市场的城乡壁垒被冲破，地方保护、地区封锁的格局被打破，并通过建立全国统一的劳动力市场信息系统和管理体系，形成全国城乡统一的劳动力大市场，劳动者在地区、行业、单位之间能自由、合理流动，信息畅通。

第三，彻底改革传统的"统包统分"的劳动力资源配置方式，充分发挥市场对劳动力资源配置的基础作用。市场规律自发调节劳动力流动，竞争成为"大市场"运作的核心，市场工资成为"大市场"运作的杠杆。

第四，劳动力市场运行具有良好的外部环境。主要包括健全的社会保障体系，尤其是完善的社会保险体系；完备的社会服务体系；完整的市场法律法规及执行、监督体系。

第五，劳动力市场主体的组织行为成为"大市场"运行的主要行为方式之一。现代发达市场经济国家劳动力市场上的组织行为（如工会）已成为最主要的劳动条件确定方式。现代劳动力市场运行的经验证明，组织行为是发达的劳动力市场的重要特征，个体行为受到组织行为的制约。在"大市场"模式下，劳动力市场发育到相当程度后，组织行为就将成为规范劳动力供求双方行为的重要方式。

要建立这样的劳动力市场，必须扫清目前存在的理论障碍、体制障碍、结构障碍、利益障碍和社会服务体系障碍等。同时，以实现劳动力的自由流动为切入点，明确企业和劳动者在劳动力市场的主体地位，按市场规则深化工资制度改革，加快劳动力市场的法制和法规建设，促进社会保障制度的步伐，完善宏观调控体系和制度建设，从而建立"大市场"模式下的劳动力市场制度体系的基本框架，即：劳动力流动制度、工资收入分配市场化制度、社会保障制度三位一体的制度体系。培育"大市场"模式的劳动力市场的步骤应当考虑按照："完善企业内部劳动力市场"→"逐步建立全国统一的城镇劳动力市场"→"建立全国统一的城乡劳动力市场"的思路，步步推进，层层到位，最终形成有中国特色又符合市场经济一般规律的劳动力市场体系和运行机制。

第五章 劳动关系

在现代市场经济中，劳动关系已不再是一种简单的、仅局限于一个经济组织内的双边关系，而是一个动态的，由处在一定社会环境下的心态、期望、人际关系及行为各不相同的个人和群体构成的复杂的社会体系。在我国，随着市场经济的深化，劳动关系也越来越复杂。我们应当借鉴西方国家调整劳动关系的经验和方法，推进中国劳动关系协调机制的建立和完善。

第一节 劳动关系的内涵与构成要素

一、劳动关系的内涵

劳动关系（或称劳资关系）是产业组织关系的核心部分。它研究企业组织，或更广泛地讲，研究任何一个就业组织中，经营管理方与雇员的关系、经营管理人员群体内部、雇员群体内部以及经营管理人员、雇员两群体之间的合作关系、矛盾关系及其解决方式，从中寻找出影响企业组织（就业组织）成果的因素。这些成果既包括产品（服务），又包括组织内各类人员自身需要的满足。例如，雇员个人或经理人员个人的报酬、荣誉、社会地位以及自身价值的实现等等。

劳动关系是以家庭为生产单位的生产方式在产业进步冲击下瓦解，生产中所使用的劳动者不再局限于家庭成员之后出现的一种社会关系。对它的研究从古典经济学家那里就开始了。起初，研究者们把工人看做是受供求规律支配的商品。后来，以泰勒为代表的工程师和工业心理学家把工人当做孤立的个人来考察。每个工人，在他们的研究中不过是被动的生产工具的一个部件。19世纪末、20世纪初崛起的劳动经济学家注意到了团体的作用，认为工人联合起来可以影响劳动力供给和劳动力购买条件。1927年，在梅奥指导下进行的"霍桑试验"从社会学角度对劳动关系进行了别开生面的研究。他们发现，职工不单纯追求金钱收入，还有一种社会方面、心理方面的需求，因此，可以，并且必须从满足其社会、心理方面的需要入手来鼓励工人提高生产率；企业中除了正式组织之外，还存在非正式组织，这种因共同的感情而形成的非正式组织同正式组织相互依存，对生产率的提高有很大的影响；新的领导能力在于提高职工的满足度，以提高职工的士气，从而提高劳动生产率；这种新的领导能力必须同时具有经济技能和人际关系技能，在经济的逻辑和非逻辑的感情之间取得平衡，不断地提高劳动生产率。这种研究于20世纪50年代和60年代发展成为行为科学。关于经理人员的研究，20世纪30年代起也有新的突破，经济学家们发现大多数公司的股东不直接管理企业，而管理企业的经理人员只拥有微不足道的股票。因此，经理人员不是简单的资方代表，而有自己的目标，所以他们不再是仅需掌握会计、销售、生产、财务等专门知识的专业人员，而是既有专门知识，又有协商组织内外纵横关系能力的决策者。劳动关系问题并不仅仅局限在就业组织内，其影响也不仅仅涉及生产单位的劳动生产率。许多研究把焦点集中在失业、贫困、妇女和种族歧视、社会保障等社会问题上，这是就业组织必须承担的社会责任。工会、集体谈判、产业民主等问题也既涉及组织内的权力结构，又涉及社会政治结构。劳动关系问题的许多方面，仅靠当事人自行解决是有困难的，还需对政府在处理劳动关系中的责任和作用加以研究。传统的劳动关系的主要研究对象是工人，近来就业组织中的工程技术人员、管理人员、服务人员等"白领人员"的行为和关系成了主要的研究对象，这是工业化发展所带来的一个新特征。

劳动关系的处理方式还与各国的文化背景有关，所以东方国家与西方国家的有关政策和制度很不相同。

二、劳动关系的构成要素

劳动关系的演进史告诉我们，劳动关系决不是一种简单的，仅局限于一个生产单位内的双边关系，它是一个动态的，由处在一定社会环境下的心态、期望、人际关系、行为各不相同的个人及其群体组合成的复杂的社会体系。这一社会体系的外在表现是一个处理这种复杂关系的正式与非正式的制度体系。

1. 劳资双方

劳动关系体系是由心态、期望、人际关系和行为不同的个人组成的不同群体构成的，这些群体成系列地在不同层次上正式或非正式地存在着，并且在横向（同一层次的不同组织之间）上和纵向（不同层次的组织之间）上彼此发生着联系。这些群体各有其形成和消亡的原因。它们可能彼此渗透，并且随时可能重新组合。

这些群体在一个就业组织（例如一个企业）内的工作小组层次上构成一种最低层次的劳动关系。

而从一个就业组织，如一个企业层次上观察，人们就可以发现，劳动关系是由"资方（管理方）"系列和"劳方（雇员）"系列两系列群体构成的。

　　"资方"是这样的一个概念：它是生产经营权和管理权的载体。在这一系列里有多个心态、期望和人际关系不同的群体。它们的政策主张和行为从总体上讲是体现雇主意愿的，但内中有异。例如，班组长阶层、工段长阶层、车间主任阶层、工厂（工场）厂长阶层的心态与公司人事部官员们的心态就不同。前三者更注意生产效率，因为他们的办事能力要靠自己所管领域的生产率的提高来表现，将来的升迁与生产率关联；而人事部官员们则更注意在生产中从事劳动的人——职工的需要，因为他们的办事能力要靠员工潜力的发挥及员工的情绪好坏来反映，将来的升迁与人力资源利用状况关联。由于心态、期望和人际关系不同，这两个群体在处理员工不满和劳资纠纷时的心态和行为也就有差异。如果观察得深入一些，我们还可以发现，前三者中的三个阶层的心态也不完全相同，越靠近基层者往往越多注意员工的情绪和需要。人事部官员内部不同级别官员之间心态也各有差异，人事部经理要更多地对总经理负责，而他手下的低层官员则与员工的利益更相通。因为从产权关系看，他们和从事生产劳动的员工一样，也是受雇者，所以在处理员工不满和劳资纠纷时，他们常常表现出一种双重人格，对下说一种话，对上说另一种话。根据同样的道理我们必须如实地承认，人事部经理与其他部门经理、部门经理与总经理、总经理与董事们、董事们与股东们在处理员工不满和劳资纠纷时，彼此在态度上、政策上、行为上都有差别。他们总的来讲都要代表"雇主"利益，但彼此又有自己特殊的地位和利益。研究厂商理论的经济学家们发现，在现代企业中，只有股东的行为是典型的利润最大化行为，董事们和总经理们的行为往往会偏离利润最大化目标。他们在按社会平均利润水平满足股东们的利润需要之后，便去追求规模增长，或以更多地占领市场为目标。因为他们的权力大小、社会声望直接与企业规模和企业的社会形象关联。股东们为利润，董事们和经理们为权力，二者对员工的态度就有了差异，后者可能比前者更关注员工的不满。所以，仅"资方"这一系列就是由许许多多心态、期望和人际关系不同的群体构成的。这些群体间，在人员上互相交错，在处理员工不满和劳资纠纷时的态度、政策也互相交叉，最后再加上群体中头面人物和办事人员个人的特征不同，在处理同一问题时，常常会出现"鸽派"、"鹰派"、"中间派"三种意见、三种对策、三种行为。

"劳方"系列也是由心态、期望和人际关系不同的许许多多群体构成的。这些群体可以以工种相同、职业相同、工作环境相同、所处岗位在整个工程中的地位相同，或在同一车间、同一工序、同一班组工作为由而形成。因为不同工种、不同环境、不同地位、不同车间、不同作业组的职工可以在工资增长问题上利益一致、态度一致，但在相对工资水平问题上有矛盾；或者，不同工种、不同环境、不同地位、不同车间、不同作业组的职工各有他们特殊的问题，有的工伤风险特别大，有的工作时间特别长，有的工作特别单调，因而各自结成群体为各自的利益而奋斗。在西方国家，这些利益不同，因而心态不同的群体有的正式组成了工会，开展有组织的斗争；有的不组成工会，以推举代表的方式或以"各自为战"的方式维护自己的利益。由于群体多，心态各异，所以如果没有外来权力的干预，在结社自由得到法律保障的政治环境下，一个企业内往往有的职工参加工会，有的职工不参加工会，而且同时存在多个工会。参加工会与不参加工会的职工之间以及工会与工会之间，常常有矛盾，在发生劳资纠纷时，它们之间的意见、政策和行为往往不统一。这些群体有些是以"纵向"的理由组成的，有些是以"横向"的理由组成的，所以它们之间在人员上也常有交错，这常常使关系变得更加复杂。

　　劳方系列中的群体，还可以依职工的年龄、性别、文化程度、工作能力、家庭背景、气质、兴趣、性格等个人特征来划分，因为个人特征不同的职工，他们的利益不完全相同。所以同一车间、同一班组、同一工种中还可以出现有的参加这个工会、有的参加那个工会，有的不参加任何工会组织的复杂现象。即便在同一工会内，态度激进的人与态度消极或持中庸之态的人之间，也会在内部形成三个不同的群体。所以，职工系列内的群体之多，关系之复杂可能胜过管理方系列。

　　问题更复杂的是，在西方国家，资方系列与劳方系列之间还会有群体和个体的交叉。例如，资方中的某些成员可能会参加"白领工会"，于是他们实际上是在资方与劳方之间"脚踏两只船"；而劳方系列中有的成员也可能因为某种社会背景（例如家庭背景、政党背景等等）或因为收入已相当高，生活方式接近"中产阶级"，甚或因为资方的"收买"而"身在曹营心在汉"，在工会内为"资方"说话或工作，其中有些人被人称为"工人贵族"，有些组织被人称为"黄色工会"。"白领工会"与"工人贵族""黄色工会"是性质完全不同的组织和概念。这些组织和概念惟一的共同点是它们都说明了劳动关系中的群体系列互相交叉的复杂程度。

　　在产业、行业、职业层面上观察，雇主们会因为所处产业、行业不同而分成不同群体。因为不同产业、行业会面临不同的劳动关系问题，例如不同的工作环境、不同的职业稳定、不同的生产率、不同的劳动组织、不同的工资水平和工资结构问题，等等。而同一产业、同一行业内虽有许多相同的劳动关系问题，但雇主们处在同一产品市场和劳动力市场上，彼此又有竞争关系，所以实力地位不同的雇主又可以正式、非正式地形成几个群体。产业、行业层面上的雇主们的正式组织常称为产业（行业）、公会或产业（行业）协会等。

而以同样的理由，雇员们也会按产业、行业，还有职业系列分别组成群体，而且在同一产业、行业、职业内还会存在几个心态各异的群体。因为同一产业、行业、职业内的雇员们彼此也有竞争关系，并有因个人特征不同而造成的心态的差异。产业、行业、职业层面上的雇员们的正式组织常称为产业工会、行业工会、职业工会。这些组织超出了一个企业的范围，它们将与产业（行业）内的多雇主发展关系，还要处理同一产业（行业）、职业内各企业分支组织间的矛盾问题。

在国家层面上，同一产业、行业、职业的雇主和雇员还会以地域的自然条件、社会经济条件不同，而有不同的劳动关系问题。例如，经济发展水平不同的地区可接受的最低工资水平不会一样，经济发展水平不同的地区，就业水平也不一样，劳动力市场紧张条件下的工会与劳动力市场宽松条件下的工会的实力地位也不相同，它们的心态和期望差异很大。

劳动关系体系中的最大规模的群体是全国产业（行业）、职业工会和全国产业（行业）雇主协会，以及工会和雇主协会的跨产业、跨地区的全国联盟。许多国家，一国之内有几个工会联盟或雇主协会联盟鼎立，因为彼此的立场、观点、政策不同。

劳动关系主体是构成劳动关系体系的核心要素，因为所有劳动关系现象和劳动关系制度的产生、发展、变化、终止，都不是毫无理由的，都是复杂的群体系列中的各群体的心态、期望、人际关系发生变化，从而它们的政策和行为也发生了变化的结果。分析群体心态、期望、人际关系以及他们的政策和行为，是劳动关系学贯穿始终的研究内容。

2. 时空因素

劳动关系总是处在变动之中，现状不过是连绵不断的过去与将来之间的一个部分。因此，现代劳动关系有相当多的部分源于它的过去，或源于双方当事人对未来所抱的目标和期望。

在微观层面上，时间因素的作用从两方面表现出来，一是今天的问题源于昨天的决定，而今天解决问题的意向，随着环境的变化，就会导致以后问题的出现；二是双方当事人的心态、期望和人际关系部分地会受到他们过去的个人或集体的经验、传统、纠葛的影响。

在宏观层面上，时间因素的作用表现在劳动关系的状态总是随着经济、社会和政治环境的变化而变化的。

因此，对劳动关系的研究必须应用动态分析的方法，经验分析、比较研究、用历史观对现状加以解释都是动态分析方法中常用的方法。用实证方法加以研究时，所建立的模型中也不可不设时间变量。

从空间来看，劳动关系仅是社会关系的一个环节，它受社会关系的其他环节的影响，又反作用于这些环节。所以，这些环节便构成劳动关系存在和赖以变化的环境。

包括在劳动关系环境中的这些环节涉及经济、社会、政治等诸多方面。

第一，经济环境。

市场的变化、技术的变化、就业结构和就业方式的变化，以及影响财富分配的社会经济政策的改变，都会通过失业率、工资水平及结构影响劳动关系，而劳动关系的变化又反过来影响市场、技术、就业结构等经济变量。

发达国家的经济环境近几十年来发生了显著的变化。制造业衰退，产业水平下降，就业量亦明显下降。第三产业，包括金融、保险、旅游、运输业的发展，以及海外投资等无形资产收益的增长提高了工资水平，部分地弥补了制造业衰退带来的就业总量的减少，但总的来讲没能改变就业总量下降的趋势。

技术进步和非体力性就业增长，体力劳动者失业增加，则是近几十年来就业结构变化的主要特征。

非体力性就业的增长源于服务性行业的发展及技术的进步，特别是计算机与微电子技术的运用，机器人对工人的替代。在发达国家，目前约有 50% 的就业岗位是非体力型的。但是高技术创造的就业机会仅限于计算机、微电子技术，传统产业对劳动力的需求反而下降，这便导致这些行业的体力劳动者的失业。

随着信息传播技术的发展，人们可以在家中通过计算机通信网络与企业管理部门保持联系，无须与同事们一起坐在办公室中工作。这就产生了另外一些方面的，对劳动关系有巨大影响的变化。例如分散作业使工会参与率下降，家庭工厂和被称之为"电脑通勤人员"的自由职业者的发展，使劳动关系又变成一种家庭关系，或商业性劳务关系。

与此同时，许多发达国家都有与失业增长同时增长的结构性劳动力短缺问题。这些行业的雇主为了争夺合格劳动力，利用与工人谈判工资为手段开展激烈的竞争。

失业率是由失业人数与失业周期长短决定的，因此，失业人数相同，失业周期长短不同，长期失业人口在失业人口总数中所占比重不同，对劳动关系产生的影响也不同。

导致失业的因素可以从劳动需求和劳动供给两方面去寻求。因此，分析一下，百分之几的失业是就业岗位减少造成的，百分之几的失业是劳动力人口的增长造成的，也很有意义。因为由劳动需求方面的原因造成的失业与由劳动供给方面的原因造成的失业，对劳动关系的影响作用不同。

在研究失业与劳动关系相互影响问题时，还应注意对失业人口的结构进行分析。失业人口的年龄结构、性别结构、文化程度结构、技能结构不同，对劳动关系的影响也不同。

第二，社会环境。

包括在"社会环境"中的因素则更为复杂。财富的分配和再分配，社会价值观念的改变，人与人之间的等级关系的变化等等，都是对劳动关系有明显影响作用的因素。

经济繁荣、就业稳定和消费者市场的开拓，导致青年人更重物质享受；教育的发展在增长人们对周围世界了解的同时，也增进了人们的参与意识。

两次世界大战后社会在物质分配和机会选择上日趋平等，但并没有消除人与人之间的等级差别，人与人之间的相对社会地位问题仍是影响劳动关系的一个重要因素。例如，在股权分散化的趋势中，成千上万的劳动者同时成了个体持股人。在英国，个体持股人的人数与工会会员人数基本相等。但仅有小部分持股人享有优先权，大部分权力仍掌握在一小部分个人、组织和金融机构手中。

社会环境的这些变化趋势不是在每个国家都同等程度地存在着，各国的社会环境都有其独特的一面，因此，研究各国的劳动关系还需要研究各国社会环境的具体变化趋势。

第三，政治环境。

与劳动关系有关的政治有两类：一类是属于劳动关系之一部分的组织内部政治；另一类是通过政府形成的外部的公共政治。外部的公共政治表现为一个社会政治体系。它有别于一个组织内的内部政治，但又与任何一个组织的内部政治有密不可分的联系。当然，作为劳动关系环境因素之一的政治，主要是指公共政治。政治环境，在很大程度上是由执政的政党（集团）的意识形态和作风所决定的。

3. 传播媒体

劳动关系受传播媒体的影响是不可避免的。因为大众传播媒体会改变双方当事人的心态、倾向与期望，从而为劳动关系的调整提供外在的途径或增设外在障碍。

任何个人，不论是经理、工会会员，还是普通工人，作为社会一员，对变化万千的复杂社会所拥有的知识都只有极少部分是直接从自己的经验中获取的，大多数的知识是通过大众传播媒体，例如报纸、电台、电视对经济、社会、政治问题的报道和评论中获取的。大众传播媒介对包括劳工事件在内的社会事件的报导和评论，可能是正确的，也可能是不正确的；可能是夸大了的，也可能是缩小了的；并且不可避免地会掺杂记者个人的价值判断、思想观点乃至偏见。但无论传播的质量如何，有关经验和观点的传播可以被当事人利用来争取社会的支持，也可以形成对当事人的攻击和损害。纠纷公开化的结果可能因传播了解决问题的经验而有利于矛盾的解决；也可能因将不满和矛盾传播开来而使纠纷进一步扩大、激化，或失去当事人私下悄悄地解决纠纷的机会，从而不利于劳动关系的调整。

4. 制度规范

劳动关系的外部表现是一系列各种形式的制度。

　　劳动关系的复杂性决定了调节劳动关系的工具必须是多样的。法律、权力、道德、习惯这些社会关系调节器在调整劳动关系过程中都在发挥其应有的作用，它们是社会赖以调整劳动关系的各方面制度所采取的不同形式。

　　法律是人类的一大发明，它是人们为维护社会正义和社会秩序而创造的一种社会调节器，它运用凌驾于任何个人之上的社会组织（由立法机构、执法机构、司法机构三部分组成）的力量来界定和保障每个社会成员的权利，规定并保证每个社会成员履行与其权利相对应的义务，从而规范人们的行为，调整人与人之间的关系，促进社会稳定和人类文明的发展。

　　权力，包括私人权力和公共权力，它是这样一种可能性，即处于某种社会关系内的一员能够不顾抵制而实现其个人意志的可能性。行政，就是对权力的行使，即直接对权力所赋予的管辖范围内的人的行为实施管理。行政是运用由权力派生出来的"裁量权"来实施管理的。所谓"裁量权"，包括决策权（即制定政策、规定行为规范和标准的权力）、激励权（让被激励人相信自己的决策是正确的、重要的，从而令被激励人按自己的指示去行为，并对被激励人的行为加以鞭策和监督的权力）和执行纪律权。这里所说的公共权力和相应的公共行政，专指社会赋予政府的权力和由政府实施的管理。在西方国家，其余的权力和行政，包括企业内，或更广泛地讲，任何一个就业组织内的权力和行政、工会内的权力和行政、雇主协会内的权力和行政，以及家庭内的权力和行政，都概括为私人权力和私人行政，不管企业和就业组织内的财产是属于私人的还是归于公众的、国家的。

　　道德作为一种直接的社会控制手段，是处理自我意志与情感之间发生矛盾冲突情况下产生的人与人之间的关系的。

习惯是历史形成的为群体内一般遵守的行为模式，它不是一种独立的社会调节器，而是可以融合在上述种种制度中的一种特殊形式。例如融合在法律中，便有习惯法这种制度形式的形成；融合在权力中，这种权力就成了一种历史延续下来的无可争议的权力。道德规范也常以习惯的形式存在。凡以习惯的形式存在的规范大都有较大的惯性，从而有很强的控制力。按照习惯制定的制度，制度成本也往往最低。

任何一个社会都不可能纯粹使用一种制度形式。法制社会是以法律为其制度的基本形式的，但法制社会也不可能把所有的私人权力和公共权力都加以否定，更没有必要无视道德对人们行为的约束作用。

劳动关系并非是一种纯粹的经济关系，相反地，它是一种比其他任何一种经济关系都更多地渗透有非经济的社会、文化关系及政治关系的经济关系，因此，调节劳动关系的制度更须是多样的。例如，市场经济国家的实践经验告诉我们，人与人之间的情感关系的疏密对劳动关系的和谐有十分巨大的影响，因此，劳动关系比其他任何一种经济关系都更多地依赖道德规范的调节。

调整劳动关系的法律制度与一般的调节产权关系的法律制度既有相同之处，又有所不同。劳动关系作为一种经济关系，在工业化初期，也是按产权原则加以调整的，它所适用的法律范畴同其他财产关系一样，属于民法范畴；但由于劳动力的租赁使用过程必须伴有劳动者的亲自出席，劳动者在生产过程中必须服从生产管理，因此，劳动关系中有一个其他经济关系中一般不会遇到的，如何对管理方的私人权力既加以承认，又加以限制的问题。管理方权力源于产权，却又超过了产权的范畴，掺杂着复杂的人权问题，所以，调整劳动关系的制度如不在承认雇主私人权力的同时对雇主的私人权力加以限制，就会产生社会问题。劳动法就是作为对雇主权力加以限制的工具被创造出来的。正因为如此，所以法学界多数学者认为，劳动法的主旨是保护劳动者权益。为了有效地保护劳动者权益，劳动法的原则在许多方面是有背于产权原则的，例如，劳动者罢工从产权原则看，是劳动者单方面对劳动契约的拒绝履行，根据民法原则，劳动者应当为此而给雇主相应的赔偿，但劳动法豁免了这种赔偿。历史地考察，劳动法正是因此而从民法中独立出来，成为一个特殊的法律部门的。劳动法保障"劳动三权"，即劳动者的团结权、集体交涉权和集体行动权，并用法律确立某种有效的集体谈判制度。劳动关系是否和谐，在很大程度上决定于劳动法对管理方私人权力的限制是否得当。限制过严会损害管理方权益，助长雇员滥用自己的组织力量，危及效率与公平；限制过松，则会侵害劳动者权益，同样有损于经济效率和社会稳定。

调整劳动关系的法律制度与其他法律制度的另一个重要区别是，它强调三方性原则。所谓三方性原则是，法律不仅要规定当事人双方的权利、义务，而且要同时规定作为第三者的政府的权利和义务。三方性原则表明劳动关系制度对公共权力的承认，这也是劳动关系中不可避免地会有渗透公共权力的特点的反映。

市场经济国家的劳动关系制度是以法律制度为基础的，因为市场经济是以产权为基础的契约体制，它本质上只能是一种法制经济，但劳动关系制度将比其他任何一类经济制度都更多地借助于权力规范和道德规范，因此，在市场经济国家，其劳动关系制度是一种三种制度形式并用的社会、经济制度。

第二节　集体谈判与集体协议

如前所述，调整劳动关系的法律制度与其他法律制度的一个重要区别是强调三方性原则。而集体谈判与集体协议就是三方性原则的产物。

关于集体谈判与协议一词，波特尔在她 1891 年出版的《英国工会运动》一书中首次使用，此后，她与其夫在他们的著作《产业民主》中给集体谈判与集体协议下了一个定义："雇主不是面对雇佣劳动者个体并与之订立劳动合同，而是面对集体的意志、决定，订立统一的合同，合同订立的原则建立在当时条件下的雇佣劳动者的群体抉择。"[①] 事实上，西方国家的集体谈判和集体协议作为当代调整劳资关系的主要方式，涉及到工人与工会组织，雇主与雇主组织，同时还体现了政府的意志，正如哈佛大学经济学家，曾任美国劳工委员会秘书的约翰·T. 唐劳普所说，"劳动关系体系由三组主体构成，即工人与工会组织，管理者与管理者组织，政府有关机构，它们在既定的社会环境中相互作用，从而形成协调行动的共同意志。"[②] 因此，可以说，西方的集体谈判过程是工人和工会、雇主和雇主协会、政府三方协调意志的过程，而谈判的结果所形成的集体协议是三方"共同意志"的体现。

---

①　转引自陈恕祥等：《西方发达国家劳资关系研究》，武汉大学出版社 1998 年版，第 191 页。

②　同上书，第 192 页。

一、集体谈判中的"三方"及各自的活动

1. 工会

工会组织之所以产生的根本原因，最初就是以更有力的集体行动代替个人交涉，工会代表工人的意志与雇主进行谈判由来已久，当代则成为西方国家劳资关系协调的主要方式之一。

工会在进行集体谈判之前，必须首先得到雇主承认它是交涉单位中大多数工人的正式代表。因此，在工会活动的早期，除非雇主同意以集体方式进行交涉，否则总要通过工人罢工或雇主关闭工厂这样一种纯粹力量的较量才能决定对工会的承认，后来随着西方国家有关劳资关系法的颁布，使对工会的承认在很大程度上是一种法律程序上的事情了。例如，根据美国 1935 年的《国家劳资关系法》，如果一雇主拒绝承认一工会是其雇员的交涉代理人，那么，该雇主或该工会均可请求全国劳资关系委员会在这个交涉单位举行一次代表选举，可以选择一个人代表他们的工会。

如果工会得到雇主的承认后，随后就是准备同雇主或某一雇主协会定期进行谈判，工会谈判者的数目和类型，以及这些谈判者在实际交涉过程中所采用的手法，依情境的不同而有很大变化，就是说，交涉人员和交涉方法的区别要看交涉是发生在地方工会和单个企业之间、全国工会和单个企业之间，还是发生在全国工会与企业协会之间。其他的因素，大体包括当事双方之间劳资关系的历史、对立双方所惯用的手法等。

如果代表雇员进行谈判的是地方工会，那么一般的方法是由会员选举一个交涉委员会，由地方工会主席担任委员会主席。因一个地方工会的交涉委员会同它的会员很接近，所以往往有一种很民主的关系。如果工会会员认为委员会在交涉过程中应当施加

压力，对合同作出某些变动，他们可以自由地建议作这些变动。如果谈判是由一个全国工会进行的，那么，无论谈判者还是他们对地方工会会员的关系都与上述情况很不相同。一般说来，全国工会的谈判者将由它们的上层干部组成，同时，他们可能由隶属于这个全国工会的地方工会的代表扩充。比起一般的地方工会，全国工会更倾向于给它的谈判者以权力，由谈判者确认最终谈判达成的劳资协议，而地方工会则几乎总要坚持由它的会员批准协议。

至于工会谈判的交涉方法，则随着当事人的眼界和谈判所涉及的工会的水平而不同，地方工会的交涉代表在谈判过程中，通常远不如全国工会的交涉代表那样专业化、那样精干，但可以借助全国工会工作人员的帮助加以克服。全国工会的谈判者通常是训练有素的、完全职业化的谈判者，他们对集体交涉颇为内行，他们充分熟悉总的经济状况、公司的财务状况、行业现状和未来趋势，从而大大提高了他们的交涉能力，此处，他们熟知本产业或相关产业中其他工会迄今谈成的各种条款。

2. 雇主

雇主在集体谈判中往往是很少提出要求的，往往是在工会提出集体谈判的要求时表现为被动的接受。一般而言，工会积极地要求承认，以此作为集体谈判的前提，雇主则可能用种种方法努力阻碍或推迟这种承认。这样，他可能试图通过雇用手续为他的工厂招收对工人组织没有兴趣的工人，或通过各种方式对工人施加影响，使他们投票反对组织工会，或当有两个或几个工会竞争，要求雇主的承认，而雇主又终于确信被迫与某个工会交涉已势在必行时，则他可能鼓吹他的雇员们投票拥护他较中意的工会。但是，无论作何种努力，雇主仍可能无法避免承认一个工会作为他的雇员的代表。

当雇主自愿或被迫按法律程序承认了工会，那么他就必须准备定期同该工会进行谈判。雇主的交涉委员会通常由经理、主管人、公关部主任组成，除此之外，还可能由一个或数个受公司雇用的律师，通常是，公司越小，交涉代表就为数越少。如果是由雇主协会进行交涉，则可能由一个或数个职业谈判者来代表协会。虽然代表雇主或雇主协会的是一个由谈判者组成的委员会，但是，习惯上只任命一人为该集体的正式发言人，这样，可以防止由于委员会中不太干练的成员对条款、提议和反提议发表了轻率的言论而令雇主被动。至于雇主的提议和反提议等谈判文件的起草，雇主的谈判者通常将等到工会的要求到他们手中之后才加以制订。不过，为了准备交涉，雇主的谈判者与工会的谈判者一样，必须积累许多对谈判有用处的资料。雇主的代表们经常提出的要求中，有一个很典型的要求，即经理权条款，这一条款是为了保证有效地开动工厂的经理特权。另一方面，雇主通常委托他的谈判者去反对有关"不同工会协商就不得改变雇用条件"的条款。此外，雇主的谈判者还要求在协议中载入"不罢工"条款以保证在合同有效期内不中断生产，同这一条款相联系的通常有"不闭厂"条款以及其他关于仲裁争端的合同条款。

3. 政府

西方各国政府对于集体谈判是欢迎的，并采取各种措施积极推动，基本的做法有：

第一，完善劳资关系法，为谈判双方提供法律依据。特别是有关协调劳资关系的具体准则、步骤和最低劳动标准方面的法律，使谈判双方有法可依，如美国的《国家劳资关系法》和《公平劳动标准法》，日本的《劳动组合法》、《劳动关系调整法》和

《劳动基准法》都有着协调劳资关系的详尽规定。

第二，开展舆论宣传，消除双方对立情绪，进行思想引导。例如，在美国，克林顿上台后，对劳资关系的调整十分重视，提出在全国推进劳资双方建立"伙伴关系"的政治主张，其基本内容是：工人与企业应本着平等和信任的态度，共同参与企业的经营活动，分享信息和福利；利用工人参与伙伴关系来最大限度地满足工人的利益要求，以充分调动工人的积极性；通过工人参与伙伴关系来加强企业内部的民主化。"伙伴关系"的具体做法主要是增加劳资双方的协调沟通。

第三，正确引导，适当干预谈判进程。对于集体谈判，各国政府一般都保持中立态度。并不直接介入谈判活动，但为了排除障碍，促进劳资双方达成协议，政府也往往通过一定的方式适当进行干预：(1) 及时为谈判双方指明方向。为了避免劳资双方在谈判过程中漫天要价，影响协议的达成，政府通过公布物价指数、最低工资标准、行业盈利水平、国内外市场竞争情况及本地区相同或相关行业的劳资双方协议情况等信息，及时为谈判双方指明方向，帮助双方认清形势，以冷静的理智的态度对待谈判，促进双方及时达成协议。(2) 适时介入谈判过程，排除障碍。在谈判过程中，当双方发生争议，使谈判无法继续进行，或者可能发生对抗性行为时，政府有关部门主动介入或应邀进行斡旋调解，敦促双方互谅互让，相互妥协，以免罢工怠工或关厂闭厂等激烈对抗行为的发生。美国法律规定，在集体协议终止前60天，必须向联邦调停署报告，这就为政府机构能及时介入谈判活动提供了制度上的保证。

第四，建立劳动争议处理机构，保障集体协议的履行。在西方各国，劳资双方对集体协议都很重视，协议一经签订，当事人一般都能自觉遵守，在协议履行过程中，出现新情况、新问题，通过协商谈判加以解决，当然，违约和争议也在所难免。为保障集体协议的履行，各国都设有健全的劳动争议处理机构，受理集体协议争议案件。如美国的联邦调解调停署、国家调解委员会、联邦劳动关系署和美国仲裁协会等机构均可受理集体协议争议。虽然美国强调自己是法律国家，但就劳动争议处理而言，行政手段发挥着非常重要的作用，有时甚至是决定性的作用。如对铁路和航空业发生的争议，法律规定必须由国家调解委员会先行调解，如果争议双方当事人同意由该委员会进行调解，则这种调解是没有期限限制的，如果当事人对调解结果都不满意，或者30天内仲裁程序不能完结，当事人准备采取罢工，则此争议将交由总统指定的3人紧急小组在30天内提出解决争议的建议。在此期间，争议双方当事人必须继续履行原合同或执行国家调解委员会的调解方案，而不得采取罢工行为。如果在第二个30天内争议仍不能解决，3人紧急小组将把他们对解决争议的方案提交给总统。美国在《国家劳资关系法》中还特别规定，一旦总统认为实际发生的罢工、闭厂等行为会给几个州或全国带来危害时，他可以指定一个调查委员会对争议的问题进行调查，并且在规定的时间内提出报告。总统可以根据报告指示检察长请求争议所在地法院中止此类罢工或闭厂。这项规定对避免劳资争端给国民经济带来损失发挥了极大的作用，同时也保证了政府在调整劳资关系方面的主动权。

二、集体协议（合同）及其功能

集体谈判的最后结果是书面的、签字的劳资集体协议（合同），它是由谈判桌上的双方定论的，这种方式必然是双方的一种妥协，为了达成这一妥协，谈判中的讨价还价是极其正常的，有时也可能是旷日持久的争论，协议的最终形成及其进程取决于双方代表的交涉技巧和他们能够驾驭的交涉力量。

集体协议（合同）具有三个方面的重要功能：

第一，保护功能。集体协议（合同）保护了雇员，以避免在确定雇用关系时在经济上处于优势地位的雇主单方面实现其要求，同时，协议还具有使劳资双方机会均等的作用。

第二，制度化作用。集体协议（合同）能够规范具体的雇用合同的签订，同时有助于形成规范的企业管理制度。

第三，稳定功能。一般情况下，在集体协议（合同）的执行期内，劳资双方都能够自觉地遵守协议的有关规定，有效地排除了劳资冲突，以保持协调的劳资关系。

三、集体协议的签订、适用范围和终止

1. 劳资协议的签订。

劳资协议的法律基础是西方各国有关劳资关系法，其中就劳资协议的签订、执行和终止方面都有明确的法律规定。对雇员一方来说，由工会出面签订协议；雇主一方则可由雇主协会或雇主出面签订协议。劳资协议要在签订协议的劳资双方签署完有关的文件后才能生效。在美国，有关协议的签订、更改、终止和解释等事项将记入由联邦劳动与社会事务部的劳资协议登记簿，同时，州劳动局也建立劳资协议登记制度，但是，此项登记制度对协议的生效并无约束力。另外，任何人都可以无偿阅读劳资协议，在企业内部，雇主要保持每一雇员在任何时候，都能在人事部门了解到劳资协议的有关内容。

2. 劳资协议的适用对象、范围。

一项劳资协议的适用对象一般为签订协议的工会和雇主协会双方的成员。对工会一方来说，只有参与签订协议的工会所属成员才能享受协议所规定的权利；同时，对属于签订协议的雇主协会的雇主来说，则协议对其所有雇员生效，而不论该雇员是否属于工会成员。当工会的成员跨经济部门变换工作时，原来行业的劳资协议不再生效，他（她）可以加入现在所属行业的工会，以享受该行业劳资协议规定的权利。有时一项劳资协议将某类人员排除在外，如学徒或高级职员（当存在专门适用于这类人员的劳资协议时）。

劳资协议的适用范围可分为适用的产业范围和地域范围。根据签订协议的劳资双方的意愿，可对协议适用的经济部门（产业）作出规定，如按化学工业、采掘业、公用事业等。通常情况下，劳资协议对其适用的地域范围也作出明确规定，即一项协议是在某一特定区域生效还是在某一州或整个国家范围生效。对一具体雇员来说，何种协定对其生效，取决于其劳动成果体现的地方，例如，一雇员在分厂工作，而其劳动成果在异地的总厂体现，则总厂所在地的劳资协议对该雇员生效。

3．劳资协议的终止。

对劳资双方来说，自协议签订起，便享受其应有的权利和承担相应的义务。而这些权利和义务随着协议的终止而结束。经劳资双方同意，协议的终止有两种情况：一是在正常情况下，按双方事先约定的解约期限终止协议的执行；另一种情况是出于某种重要原因使协议非正常终止。在协商期满后，劳资双方便开始就达成新的一轮协议进行谈判。

第三节　现阶段我国劳动关系的调整

一、现阶段我国劳动关系的新特点与基本原则

1. 劳动关系主体明确化。

在产品经济高度集中统一管理体制下，国家统负盈亏，企业是国家行政部门的附属物，劳动关系实际上是一个主体，即国家。改革使企业不再是国家行政部门的附属物，成为独立经营、自负盈亏的经济实体，企业以法人身份出现，享有充分的自主权，用人主体由国家转为企业。劳动者作为劳动主体，享有劳动和选择职业的权利，劳动关系的两个主体，一方是企业法人，另一方是劳动者，逐渐形成和明确了。

2. 劳动关系多元化。

随着我国建立了以公有制为主体的多种经济形式和多种经营方式，改变了单一的国营和集体企业劳动关系的格局。根据国家出台的经济类型划分新标准，目前我国劳动关系呈现出九种形式并存的局面，即国有的、集体的、私营的、个体的、联营的、股份的、外贸的、港澳合资的以及除上述以外的其他经济类型的劳动关系。即使在企业内部也有多种经营方式、多种责任方式的劳动关系并存。一种是国有企业早已存在的全民、集体混合劳动关系，一种是国有企业拿出部分资产与外商合资或承包给个人后产生的新的劳动关系。此外，还有劳动者个人通过从事第二职业、兼职等形式，同两个以上的用人单位发生的劳动关系。

3. 劳动关系契约化。

随着劳动力市场的建立，劳动者和用人单位之间建立劳动关系主要由双方签订劳动合同予以确定。使劳动合同当事人双方在

平等、自愿、协商一致的基础上签订劳动合同，以保障企业的用人自主权和职工的择业自主权。这样，以行政为主的劳动关系就变成了以契约为主的劳动关系，它意味着以法律契约的形式将劳动关系纳入了法制化的轨道，一改长期以来劳动者与用人单位依照行政指令确立、变更、解除、终止劳动关系的做法。

4. 利益分化显性化。

作为劳动关系中劳动力使用一方的企业，在劳动力的使用中追求利润收益的最大化和劳动力使用成本的最小化，而作为劳动力所有者的劳动者一方则希望通过提供劳动力资源维持和发展自身再生产，实现收入最大化的利益要求，由于劳动关系双方都是基于追求自身收益最大化，生产费用最小化的理性目标而独立地选择对方，因此，我国现阶段的劳动关系主要体现为劳动关系双方在实现劳动的过程中以经济利益为基础的平等合作、互利互惠的经济利益关系。在企业这个利益共同体中，企业和劳动者往往是在对双方利益的调整中实现其总体利益的。

5. 劳动关系动态化。

劳动关系的市场调节和国家调整，以及新旧两种体制的转换和交替，赋予劳动关系以动态化特点。企业内实行劳动合同制、合同化管理和优化劳动组合，企业有权录用和辞退职工，劳动者享有充分的择业权利。人们的就业观念在不断更新，追求和谐的人际关系和良好的经济效益，注重自己的才能，这些都促成了劳动者在企业之间、岗位之间的流动。此外，企业实行聘用、租赁、承包、股份等多种经营管理形式，企业法定代表人更换频繁。这些因素导致了我国劳动关系逐渐呈现出动态多变性。

6. 处理争议法制化。

由于我国劳动关系的多元化与复杂化，企业与职工之间的利益冲突直接化了，劳动争议迅速增加。为健全劳动争议处理制度，维系和谐的劳动关系，1993年7月国务院发布了《中华人民共和国企业劳动争议处理条例》，确立了处理劳动争议的基本原则，扩大了受案范围，实行了仲裁庭、仲裁员办案制度，完善了仲裁程序，加强了工会在企业调解工作中的作用。

基于上述新特点，我们认为，规范现阶段我国劳动关系的三条基本原则是：主体独立原则、权利对等原则和双方合作原则。主体独立原则指劳动关系双方是各自独立、互不相属的。必须明确所有者、经营者和劳动者的责权利，特别要明确规定劳动者在劳动关系中的权利和地位。实行现代企业制度，国家不再代表企业，企业也不再完全代表职工，劳动者作为劳权主体的身份应该恢复和明确。权利对等原则，指劳动关系是以明确和规范双方的权利和义务来构建的。一是劳动关系双方的社会政治经济地位是平等的；二是劳动关系双方互相承担权利和义务，没有只享有权利的一方，也没有只履行义务的一方；三是企业劳动关系的调整主要是通过对等的协商谈判来解决。在双方利益还存在差别和矛盾的情况下，劳动关系处理权，决不应由其中一方独享，而必须由双方共同享有和共同决策。

二、现阶段我国劳动关系存在的突出问题

我国劳动关系由过去相对静止的状态，发展到建立、变更、终止的不断运动状态，劳动关系之间的矛盾相应增加，处理不当，有激化的可能。近几年，大量出现的因劳动争议引起的突发事件集中地反映出我国现阶段劳动关系调整机制存在着的突出问题。

1. 立法滞后

目前我国与劳动关系问题密切相关的基本法律法规体系和规章制度建设都相当薄弱，如就业促进法、劳动合同法、劳动关系法、最低工资法、社会保险法等等至今尚未出台，有关劳动关系方面的规章制度也不够健全，劳动关系调整工作往往出现无法可依、无规可循的现象。已有的政策法规往往缺少制裁条款、诉讼程序及权威的监督执行机构，难以落实。

2. 权力失控

近几年企业劳动制度改革的步子迈得较大，尤其在劳动用工、工资分配的领域里，企业自主权进一步扩大。企业经营者在生产关系中的地位越来越重要，相对而言，劳动者则处于被动状态。由于我国还没有建立起比较完善的经营者制度，对经营者还缺乏有效的监督机制，经营者素质不高，用权不当，处理问题偏离法制轨道，忽视民主管理，结果导致劳动关系紧张。

3. 劳权虚置

劳动者在履行了劳动义务的基础上应享有的与劳动有关的权益，即劳权在一些地方没有受到应有尊重，甚至遭到粗暴干涉。一是民主权利受侵害。二是职工物质利益受侵犯。

4. 保障不足

我国劳动保险处于从企业保险向社会保险过渡的时期，新的制度尚未健全，旧的已不能适用，出现了一系列的新问题：有的停产半停产企业的工人领部分工资在家待业，生活陷于贫困；一些企业无力交纳养老保险统筹金，甚至把职工个人缴纳的养老金用于填补企业的亏损；拖欠医疗费现象愈演愈烈；受劳动力供大于求和自身素质的限制，职工再就业没有保障，等等。部分职工基本生活没有保证，成为劳动关系紧张的一大因素。

5. 工会不力

依据《劳动法》的精神，企业工会将承担起代表职工一方就职工工资、工时、休假、安全、保险福利等待遇问题与企业一方展开面对面的谈判的责任。对于一直处于党政领导下的国企工会，这项职能远不是它本身所扮演的传统角色能够包容的。

三、建立劳动关系三方协调机制

二战后，西方各国政府为了维持国内生产稳定，消除劳资对抗，缓解社会矛盾，他们采取各种措施来稳定劳动关系，三方原则的广泛推广和三方格局的形成运作，正是西方工业国家在市场经济下协调劳动关系的主要手段。所谓三方原则就是在制定劳动法规、调整劳动关系、处理劳动争议等方面，政府、雇主和劳工三方代表共同参与决定，并就有关问题进行协商和对话，消除误解，弱化有争议的问题，增加达成协议的机会，取得共识，共同协调劳动关系。三方原则是由三方组织或三方机构具体实施的。国际劳工组织是国际性的三方组织，它积极倡导和推行三方原则，1976年它通过了《三方协商促进履行国际劳工标准公约》，即144号公约。由于三方原则等量齐观地把工人和雇主都看作是发展经济的主要力量，主张政府在调整劳动关系时，应当吸收他们双方以平等的地位参与协商和决策，因此，西方工业国家普遍推行这种机制，相应建立了不同类型的三方协调机构，负责三方原则的具体实施，并把广泛的三方协商当成国家社会经济政策形成的一种重要形式。我国政府于1990年批准了第144号公约，对三方原则作出了承诺。1996年5月，国家劳动部、全国总工会、国家经贸委、中国企业家协会在《关于逐步实行集体协商和集体合同制度的通知》中明确提出："在有条件的地区应当逐步建立由劳动行政部门、工会组织、经贸部门和企业家协会共同组成的三方协调机制，定期就劳动关系中存在的重大问题进行协商"。2001 年 10 月 27 日修正后的《工会后》第三十四条规定"各级人民政府劳动行政部门应当会同同级工会和企业方面代表，建立劳动关系三方协商机制，共同研究解决劳动关系方面的重大问题。"这是中国对三方原则的肯定，也是中国履行 144 号公约的一个具体措施。

在 2002 年 6 月召开的第 90 届国际劳工大会上，由 40 多个国家雇主组织代表提出建议并经大会讨论通过的"关于三方和社会对话的决议案"指出，面对经济全球化带来的众多挑战和机遇，要加强社会对话和三方通过开展对话、协商和信息交流，发展社会民主，解决各国三方之间的利益冲突，确保各国社会凝聚力，促进经济和社会发展。我国建立协调劳动关系三方机制时间还很短，但已引起社会重视，并期望它对于我国改革开放和现代化建设发挥积极的作用。

1. 充分认识当前我国劳动关系的重要性和复杂性

劳动关系状况受一个国家经济发展水平、社会制度、经济管理体制以及社会民主化进程的广泛影响，情况复杂。我国企业的劳动关系，总体上说是好的，是随着中国渐进式的改革而得到妥善处理的，是向着稳定和谐的方向发展的。但是，也存在不容忽视的问题。随着劳动组织形式和劳动者就业形式的多样化，企业和职工之间的利益关系和分配关系日益复杂，企业的劳动争议和劳动纠纷逐渐增多，企业与职工的矛盾时有激化。而在另一种情况下，又存在忽视企业利益、甚至损害企业利益的现象，特别是一些改制过程中的企业，一再发生损害国家资产和企业利益问题。

造成劳动关系复杂的原因，主要是改革和发展带来的一些新情况和新问题。我国多种经济成份发展和经营方式的变化造成劳动关系的复杂化，特别是非公有经济的快速发展，给劳动关系协调带来新的课题。我国经济正处于从总量扩张到结构调整的发展阶级，经济结构的调整必然伴随着大量的劳动力结构的调整。企业改革的深化，特别是企业劳动人事制度的改革，带来了职工就业的内容和形式改变等问题。在中国加入世贸组织以后，中国的企业和国外的企业将在共同的市场环境中竞争，劳动力的跨国界、跨地区流动，劳动关系的调整手段和管理方式、劳动标准的体系应用都要相应地调整。所有这些国内和国际经济社会的急骤变化，都使得劳动关系日趋复杂，劳动关系中的矛盾也将更加突出。

　　劳动关系是社会关系中最基本、最重要的关系之一。在我国这样一个发展中的人口大国，由于经济发展速度快，改革开放的步子大，建立和谐、稳定的劳动关系就具有特别重要的意义，邓小平同志曾经讲过，稳定压倒一切。多年的经验告诉我们，没有稳定，什么事情都做不成，中国就不可能发展；中国不能发展，什么重大问题，包括就业和劳动关系问题都解决不了。而要实现稳定，必须正确处理经济和社会发展中的各种重大关系，其中最重要的是劳动关系，只要劳动关系稳定了，其他关系都好处理，都不至于影响稳定的大局。江泽民同志指出过"保障工人阶级和广大劳动群众的经济、政治和文化权益，是党和国家一切工作的根本基点，也是发挥工人阶级和广大劳动群众积极性、创造性的根本途径。"劳动关系的好坏，关系到保障工人阶级和广大劳动群众的切身利益，关系到国家经济社会的发展，关系到社会进步和安定团结，关系到改革开放和现代化建设的大局。我们一定要按照江泽民同志"三个代表"的重要思想，从讲团结、讲稳定、讲大局的高度来对待劳动关系问题，努力做好协调劳动关系的工作。

2. 值得研究的几个问题

建立劳动关系三方协调机制，是建立和完善我国社会主义市场经济体制，促进我国法制建设的一项重要工作。但由于它是一项全新的工作，无现成经验可借鉴，因此我们在探索这一工作时，既要注意履行国际劳工组织通过的 144 号公约的原则要求，又不能全盘照搬西方工业国家的做法，必须从我国国情出发，建立起适应当地情况的劳动关系三方协调机制，依法协调劳动关系，在实践中应当注意几个问题。

第一，层次性问题。

建立劳动关系三方协调机制，应注意层次性问题。根据我国的实际情况，目前应首先在地方和企业两个层次上建立。地方则可分为省（自治区）一级和地（市）县一级；另一层则为企业一级。省（自治区）、地（市）、县这一级，应着重协调解决地方的劳动关系问题。如推动地方人大和政府完善劳动立法，将《劳动法》确立的基本制度、原则具体化；当前特别是要促进《劳动合同条例》、《集体合同条例》、《促进就业办法》、《职业培训办法》等法律法规的出台和制定；监督和指导当地贯彻实施《劳动法》的具体运作；协调解决当地劳动关系的重大问题；及时通报当地劳动关系情况；对劳动关系的发展走向提出意见和建议等。

企业一级的三方协调机制，是地方劳动关系协调机制的基础，属微观层次的协调机制。体现在这一层次上的协调，最主要和最根本的是在企业单位中实行平等协商与签订集体合同制度。平等协商和签订集体合同制度是在市场经济条件下劳动关系的矛盾协调过程中产生的，是稳定和协调劳动关系的客观要求，也是规范现代企业劳动关系的一种基本形式和手段。目前企业级的三方协调，实际上是在政府劳动行政部门和企业主管部门指导下，由企业行政与企业工会就劳动者的权益、企业的经济发展，预防和调解劳动争议等问题进行协商，并最终达成协议——集体合同的签订，以此来维护企业和劳动者的权益，达到协调和稳定劳动关系，共谋企业和职工共同发展的目的。

第二，多样性问题。

劳动关系三方协调机制及其推广的三方性原则，必须有一个载体来实施，这个载体就是三方协调机构。三方协调机构的建立可具有多种形式，不必强调整齐划一。如有的地市，建立的是三方协调委员会，有的是三方协调办公室，有的是三方协调联席会议制度等等。从组成人员看，有的是劳动、经贸、企业家协会和工会代表；有的是劳动、主管部门、经贸和工会代表等。我们认为，只要在整体架构上体现三方代表等量齐观，三方协调机构和其他运作组织的形式及成员都可以是多样性的。三方机构的协调内容，既可以是全局性的综合性的劳动关系协调，也可以是专门性的局部性的劳动立法、监督、争议处理的协调与指导。比如当前的下岗职工问题、再就业培训问题、保障基本生活问题、突发性劳动争议的调解问题等等。三方协调机构的运作，既可以是时间相对固定的协商制，也可以是临时动议制、临时召集制等。总之，三方机构的组成、运作，都要根据当地的实际和可能的条件，因地制宜，灵活多样，讲求实效。

第三，规范性问题。

尽管在三方协调机构设置和运作中可以有不同的形式和方法，但三方原则和三方协调机制，作为国际通用的协调劳动关系的主要方式和手段，一些共同规则和要求，我们也必须遵守。因此，建立三方协调机构，在实践过程中，必须注意不断地完善和规范。首先，要坚持平等自愿、互相尊重、协商共事、合作发展的原则。协调机构本身就应该是和谐协调的，其三方成员数量应相等，组成人员应有强烈的责任感和议事能力。其次，要建立运作规则。要有明确的办事机构，一般设立在政府劳动行政部门内，也可设立在工会内；设立机构人员岗位责任；建立时间相对固定的三方协商制度，如半年一次或两次；建立协商的提议回应制度，即除固定时间定期协商外，主持人可临时召集成员进行协商，也可以由一方提议，其他两方必须在期内作出回应，提议一方必须在提议召开协商前将提议协商的内容、要求用书面形式告知其他两方，其他两方必须在十天内答复是否同意召开，并作必要的准备等等。再次，不同层次的三方协调机构成员中，必要时可邀请一些专家、学者参加。在目前的情况下，各级三方协调机构都应成立领导小组或指导委员会，领导和指导三方机构工作。从现实的角度看，一个地区的劳动关系协调稳定所涉及到的一些社会经济问题，远不是三方协调机构成员单位所能解决的，它属于地方的宏观经济社会政策领域，必须由政府拍板定夺。加上我国社会主义市场经济体制的建立和完善还需要相当长的历史阶段，因此规范劳动关系双方的各种行为，非常需要政府运用自己的权威去强化劳动关系的调整机制，使之走向科学化、规范化。

第六章 劳动力流动

在市场经济条件下，劳动力作为商品，同其他商品自由流通一样，也具有流动性。劳动力在不同的地区范围和不同的工作岗位之间的流动，是劳动力在寻找工作过程中的基本现象。劳动力流动本身并不是目的，而是一种手段。劳动力流动也会发生直接的流动成本，还要付出心理上的代价。但人们可以由此预期在长期内获得更高的收益。劳动力的流动又有三种基本形式：工作变更、工作搜寻和迁移。劳动力市场配置劳动要素的功能就是在劳动力流动的过程中实现的。

第一节 劳动力流动及其原因

在自给自足的自然经济条件下，家庭就是社会基本的生产单位和消费单位，劳动力与生产资料采用直接结合的方式，基本上不流动；在实行中央政府高度集权的计划经济体制下，劳动力的配置采用行政命令手段进行控制与调配，劳动力流动程度也很低。因此，在这两种经济制度中，劳动力不具有一般商品所具有的流动性，因而也就没有劳动力市场。

劳动力的流动性从本质上说，是劳动者的自主选择行为。因此，研究劳动力流动性有两个基本假设前提：（1）劳动力的流动是劳动者为了实现自己的利益而自愿地选择和流动的行为，这与由雇主造成的流动因素，如失业是颇为不同的；（2）劳动力市场中劳动力有流动选择性，而雇主只有选择性而没有流动性。这主要是由于虽然劳动力的流动是由资本的运动所支配的，但是资本在一定时期内总是固定的。因此，劳动力流动分析主要是说明劳动力流动的原因、类型等，而很少涉及雇主的选择行为。

一、劳动力流动的条件

劳动力的流动，一般是指相对于劳动力市场条件的差别，劳动力在不同的地区范围或不同的工作岗位之间的自愿选择和流动。劳动力流动有多种形式，如行业之间、职业之间、地区之间、国际间、就业与失业的流动等。劳动力的流动性不是偶然的和无条件的。在市场经济条件下，劳动力的流动至少依赖于以下几个方面的必要条件：

1. 劳动力的个人产权。

劳动者能够自主决定或自由支配自己的劳动力，不受政策等非经济方面因素的限制。如果劳动力的选择有许多制度或政策上的限制，那么，劳动力的自由选择和流动就会成为不可能或非常困难。

2. 经济福利差异。

导致劳动力流动方面的原因很多，但其中最主要的是经济上的原因。不同地区和工作之间存在的诸如就业机会、就业条件以及收入报酬、经济福利方面的差异，是吸引劳动力流动的主要原因。

3. 就业保障制度差异。

在市场经济条件下，政府和企业只是给劳动者提供就业机会，作为劳动者必须通过竞争才能获得工作职位，这就对劳动力形成一种压力，使其在某一特定劳动力市场求职时或是由于竞争失败，或是由于不满足现有的工作条件或劳动报酬，从而产生了一种强烈的流动愿望。

4. 劳动技巧和工作能力的专门化。

市场经济条件下的劳动力和生产资料是相分离的，这种条件下的劳动分工使劳动力的需求变为按不同的生产过程划分的分门别类的需求，每一种特殊劳动都硬化为不同的专业，劳动者不能独立自主地决定做些什么、如何去做和做到什么程度。这种社会分工使劳动者失去对自身劳动的控制，从而成为迫使劳动力流动的社会强制因素。

如果具备上述劳动力流动的四个必要条件，劳动力市场就会呈现出较高的流动性。如果只具备其中一两个条件，则只会有有限的劳动力的流动。

二、劳动力流动的原因

对劳动力流动的研究表明，70％－80％的人移动是由于经济原因，其中大约30％的人是为了改变职业和工作。也就是说劳动力流动的经济动因是最直接、最主要的，这种动因直接源于以下几种因素：

1. 区域间劳动力供求的不平衡

劳动力资源及劳动力供给在各国各地区之间有很大差异，影响劳动力资源供求的不仅有国家和地区的自然因素，比如人口的绝对密度及数量，也有国家和地区的经济发展水平和速度。只有经济发展水平及速度才能形成对劳动力的需求，在经济发展较快的地区，人口的自然增长赶不上生产对劳动力需求的增长，会出现所谓劳动力短缺，就业相对容易，于是就会对劳动人口相对过剩国家和地区的劳动力产生吸引力，导致这些国家和地区劳动力的流入，这也是 20 世纪前期欧洲人口大量流入美国的一个重要原因。美国在 19 世纪 80 年代工业高速发展，超过英国成为第一大工业国，甚至在 1926－1929 年美国工业生产超过了欧洲的总和，如果同样的经济增长所吸收的劳动力是相同的，这便意味着美国需要比欧洲总和还要多的劳动力数量。1840 年美国与欧洲的人口比率为 1：15.3，经济规模比率为 1：18.8，到 1900 年，经济规模比率为 1：1.4，原有的人口比率显然不能支持这种变化，靠人口的自然增长不能满足美国对劳动力的需求，没有移民就没有美国经济的高速增长。欧洲和美国劳动力供求状况的巨大差异导致了欧洲向美国的大规模移民。1840－1900 年间，美国人口增加了 3.5 倍，与欧洲人口比率达 1：5.1，纠正了劳动力供给相对于经济规模的倾斜状态。由此可以看出劳动力的国际流动是从经济发展较慢的国家流向经济高速增长的国家。

2. 经济发展水平的差异

经济发展水平决定着劳动力的供求，比如，在发达国家，农业过剩人口释放已经完毕，剩余劳动力在工业化过程中被逐步吸收，庞大的经济规模与巨大的劳动力市场和劳动力吸收能力同时存在，创造的就业机会远远高于不发达国家，劳动力自然从工业化程度较低的国家流向工业化程度较高的国家。换言之，获得工作机会的多少同样是该地区具有吸引力的一个重要因素。人们会从工资报酬机会相对较差的地区向工资报酬机会较好的地区迁移，目标地区较好的机会所产生的"拉动"力量总是比原来地区较差的机会所产生的"推动"力量要强一些。

3. 同质劳动力的工资待遇差别

因为同一质量的劳动力在不同国家或地区的工资待遇不同，

造成劳动力的迁移，即从低工资地区向高工资地区移动。也正如马克思所说，"在世界市场上一个国家同其他国家相比，生产率越高，它的工资就越高"。比如美国 19 世纪工资水平比欧洲高得多，这也是 20 世纪前期欧洲向美国大量移民的另一个重要原因。劳动力向高工资国家或地区的短期流入以储蓄为目的，最重要的是比较工资差额，劳动时间的长短，生活水平相对不太重要，因为流入的劳动人口不把收入消费在当地，他们一般与当地消费水平关系不大。但长期移居的劳动人口，生活水平即实际工资就具有决定意义了。

此外，有些国家或地区的工资报酬分配结构比另外一些国家或地区的工资报酬分配结构要更为平均，在这些国家或地区中，技术工人和非技术工人之间的平均工资报酬差别要小一些，这意味着人力资本投资的收益在这些地区要比在另一些地区要少。这些地区的一部分劳动者就会有移动或迁徙的愿望，以求在新的国家或地区获得最大的人力资本投资收益。相对而言，不发达国家或地区的工资报酬分配一般较为平均，所以更多、更经常地发生向发达国家或地区劳动力流动甚至移民的现象。

人力资本理论还认为，在其他条件一定的情况下，工人辞去低工资工作的可能性比辞去高工资工作的可能性要大。也就是说，工人在当前雇用状态下所获得的工资如果比他能够在其他地方获得的工资低，他们很可能会做出辞职的决定。这时，如果雇主不采取某些措施挽留辞职者，可以看成是雇主认为留住他们的价值还不及所付出的成本。比如，日本企业比美国企业为雇员提供更多的企业特殊培训，同时他们也随着工人在企业中供职时间的增长而向工人提供更大幅度的工资增长；其结果是，日本企业的年平均离职率只有美国的 1/4。

还应当看到，辞职率会随着企业规模的上升而下降。大企业为雇员的工作轮换和晋升提供了更多的机会，另外大企业生产过程的机械化水平一般都较高，对于可靠的和稳定的工人有更大的需要，因此，通常向员工支付较高的工资来减少雇员辞职的可能性。

4. 经济周期引起的劳动力需求波动

一般情况下经济高涨时，企业开工率高，对劳动力需求大，就业机会多，工资较高，这样的国家或地区劳动力市场对外籍工人既有吸引力又具备一定容量，将会有较多劳动力向其中流入。反之经济衰退时，劳动力市场急剧收缩，失业率大幅上升受失业的威胁，工人不得不接受较低工资，不仅劳动力流入暂时会停止，还会引起劳动力外流和外籍工人的倒流。此外一些部门性危机、战争、灾难等因素也可以极大地造成经济波动，同样也都会对劳动力流动产生深刻影响。

此外，劳动力市场周期对流动也同样产生影响。人力资本理论有一个含义：即如果工人们能够相对容易且较为迅速地找到一个更好的工作的话，那么他们辞职的可能性就会很高。也就是说，工人的辞职率在劳动力市场较为紧张的时候（对于求职者来说，工作是充分的），比劳动力市场较为宽松的时候（只有很少的工作可以提供，且工作是充分的）要高。当劳动力市场紧张的时候，辞职率趋于上升；当劳动力市场宽松的时候，辞职率趋于下降。因为，一方面当工作空缺较少而找工作者很多的时候，雇主手中的每一个空缺工作都有许多求职者，因此，雇主在答应提供工作之前可以进行更为仔细的挑选，在衰退期，工作匹配的质量会有所提高。另一方面，由于工人可以得到的工作为数不多，因此，他们在衰退期间可能更倾向于首先抓住第一个到手的工作机会。由于工人们进行的选择较少，工作匹配的质量就会受损。

5．国际资本流动的影响

当一个国家的跨国公司建立之后，要在国外建立分公司、子公司，除雇用当地工人以外，总要带去一些本国职工，以承担管理、培训等工作，正如马克思所说"过剩人口的这个要素随着大工业的扩大而增大，其中一部分移居国外，其实不过是跟着外流的资本流了出去。"

对于移入国来说，迁移到此的劳动力实际上增加了所在国的人口，而这些人既是生产者，同时又是消费者，他们为该国增加的总产量与所消费的总产量比值决定了流入国的原有公民从总体上看变得更富有、还是更贫穷了。如果劳动力到达迁移地之后继续工作，雇主支付给他们的工资不会超出其所带来的边际产品的价值，他们仅仅依靠工资报酬来支撑自己的消费，因此，并不会减少接受国原有居民的人均可支配收入。如果迁移劳动力的工资报酬并不等于或大大低于（这是通常存在的现象）他们为所在国所创造的产出的全部价值，则当地人的人均可支配收入会增加，接受国的资本存量会随之逐渐增大。如果某些老年人因要与其已经成年的儿子团聚而获准迁移，他们将不再工作，并且要依靠自己的孩子或者所在国家和地区的纳税人来维持消费，那么无疑，当地人的人均可支配收入将降低。但是，当这种人均可支配收入的降低因为团聚家庭综合经济效用的增加而被抵消时，对于接受迁移者的国家来说，人均收入的降低就是一个他们所愿意承担的代价了。当精力旺盛的迁移劳动者将其收入的一部分汇回原所在国时，对劳动力输出国来说，即获得了宝贵的外汇收入，对劳动力流入国来说，该货币构成了它们的外汇支出，正是这样的"支出"和"获得"使国际间的资本流动得以保持蓬勃的朝气。

6. 人尽其才的意愿

从单个工人的角度来说，人力资本理论认为，变换工作是一种有成本的交易，这种交易只有在预期收益相对较高的情况下才会被当事人自愿采取。因此，工作流动被工人看成是人尽其才、改善自身福利的手段之一。从更为全局性的角度来看，劳动力的流动在执行着一种有用的社会功能，即使得工人与那些对他们的技能评价最高的雇主匹配起来的功能。每个工人都有着区别于他人的技术和兴趣，从雇主的角度来说，不同的雇主对于各种技术以及其他各种工人特征存在着不同的需求，这种需求又是下列几个变量的函数：消费者对雇主产品的偏好、可能的生产技术，以及雇主的管理实践。由于工人和雇主最初拥有的关于对方的信息是不完善的且获取的成本都比较高，因此一个工人与一位雇主达成的最初"匹配"很可能并不是最优的，并且也不会永远保持在最优的水平上。因此，最初的匹配实现之后所发生的流动在改善工人在某一段时间内的工作匹配状况方面就扮演着极为重要的角色。雇主们希望解雇那些实际生产率比他们雇用时所预期的生产率要低的工人；而如果工人所具备的资质足以使他们能够在别的地方提出更高的工资要求（假如这是因为他们在那里具有更高的生产率），那么他们会希望离开现在的雇主。这样，在经过了一个试用过程之后，整个经济就会逐步接近雇员与雇主达到良好匹配的目标。当一位工人与一位雇主之间的匹配出现了失误之后，他们的雇用关系就会结束，流动就会出现，而如果两者之间达成了一种良好的匹配关系，那么这种雇用关系就可望得到延续。

三、影响劳动力流动的因素

1. 劳动者个人因素

即使在完全具备劳动力流动各种条件的劳动力市场中，每个劳动者所做出的流动决策也不是完全相同的。劳动力的流动性还同劳动者本身的因素或特征有关。从经验的角度来分析，一般来说，具有以下几个方面特征的劳动力具有较高的流动性：（1）劳动力本身所具有的技巧能够被许多产业或企业所利用；（2）专业知识面较宽，能够为所从事的工作的一系列过程所应用；（3）没有任何特长的劳动力。没有特长的劳动力一旦失去工作，马上就会流动寻找工作，而熟练工人则愿意或可能等待一段时间，度过需求不足时期，重新回到原来雇佣的单位工作。

具有以下几个方面特征的劳动力流动性较低：（1）劳动力本身所具有的技巧要求在特殊的工作中才能发挥，技巧适用面很小，如铁路机车司机；（2）劳动力本身所具有的工作能力与某些特定的地区的特殊要求相联系，如采煤工人、石油工人以及渔民等；（3）整个社会对劳动力需求下降的一些行业或职业。

2．社会性因素

某些社会因素也在一定程度上影响或制约劳动力市场上劳动力的流动。这些因素主要有以下几个方面：（1）养老金计划。劳动力的职位、职业、产业或地区的流动选择都会部分地或在很大程度上影响养老金的获得。因此，在不同的年龄段中，流动性高低是不同的。劳动者年龄越大，流动的可能性就越小，这与养老金计划的限制有很大的关系。（2）职业许可制度。有些要有职业许可证才能开业，而许可程序是地方政府及有关专门机构控制，这也对这些职业的劳动力在地区之间和职业之间的流动提出了限制。（3）工会组织。工会组织的基本职能是保护劳动者的利益，而不是限制劳动力的流动。但对劳动者来说，由于他不想失掉这些既得的利益，因此不愿进行流动。

此外，劳动力流动还受工作职位中人际关系和个人非经济因素的影响。

第二节　劳动力流动决策及其评价

一、劳动力流动的代价

劳动力流动对雇主、雇员和整个经济也有负面作用。当一个有经验的工人离职而由一个缺乏经验的工人代替时，雇主就要支付训练费用，并在相当一个时期内要承担新工人生产效率低下所带来的损失。对雇员来说流动可能会造成失业，虽然并非所有的流动都带来失业，但是失业却总是与劳动力一定形式的流动有关。所以，劳动力流动是有代价的劳动力市场机制，劳动力流动需要支付大量的经济和心理损失费用、承担失业的风险和痛苦，社会也要为此付出代价。

这些代价就形成了劳动力流动的成本。劳动力流动的成本具体包括以下几项：（1）直接成本。这是劳动者为实现流动而直接支付的费用，它包括信息费、交通费、安家费等。（2）机会成本。这是指劳动者原有的工作收入及其福利是劳动力流动所放弃的收入，机会成本的大小决定着劳动者的流动决策。（3）心理成本。劳动者离开原来熟悉的工作、生活环境、亲朋好友所付出的精神代价，即为劳动力流动的心理成本。（4）风险成本。这是劳动者在流动中因为一些不确定因素所可能受到的一些损失，如失业风险、伤病风险、劳动过程风险等。

二、劳动力流动的收益

劳动力市场是作为具有人身自由的工人和对劳动力具有需求

的雇主双方行为共同决定的。如果工人为了得到更高的工资或其他方面的原因而主动辞职，这种行为可以看作是自动离职，这种离职由雇员行为所致；而由雇主行为导致的离职被称为非自愿离职或解雇。尽管在实际中也有工人和雇主双方是"一拍即合"的情况，但在大多数情况下是由工人造成的"自愿失业"还是由雇主造成的"非自愿失业"的区分是比较困难的，比如，雇主不采取措施挽留某人辞职、或认为不值得挽留，则这个辞职是由"谁"造成的？这种区分就有相当的难度。但是，如果工人不是在信息非常闭塞的情况下，自愿流动的结果一般来说都能提高工人对工作的整体满意程度。经济收益的提高是工作满足程度的一个重要方面。研究表明：年轻人离职后的工资增长幅度要比他们继续留在原来的岗位工作工资增长要快。这虽然不能意味着所有的年轻人离职后工资收入都会有所改善，也有尚未离职的年轻人比离职的年轻人的收入状况要好。但不管是留下来还是"走出去"，两者的决策都是对现在工作的工厂与其他可能去的工厂的收益进行比较和精确的计算的结果。

　　雇主通常是对工人的自愿辞职做法持反对态度，这是由于在高度竞争的市场条件下，雇主不能对工人进行特殊的培训，而这种培训对雇主来说是十分重要的。这使得雇主不得不花费更多的精力降低离职率，竭力降低在工人工作时间所支出的每小时的固定成本。特别是在大企业中，大企业的生产过程高度机械化，一个生产单位的产量与其他生产单位的产量密切相关。企业越大，就越需要可靠、稳定的工人。人员上的变动有可能给高度关联的生产过程带来极大的损失；大型企业由于建立了"内部劳动力市场"，因此可以对雇用于初级水平工作岗位的工人进行仔细的观察，如审查工人的可靠性、动机、注意力等难以观察到的特征。

企业一旦花费了大量的时间和精力选择了最好的工人，这些工人的辞职就会给企业造成巨大的损失。这些都构成雇主对员工的辞职持反对的态度。

经济学家对自愿流动则持有比较宽容的态度，他们认为如果有更好的机会能够吸引工人，那么对原来的雇主来说，没有适当的措施要留住工人是不可能的，他必须提高工人的工资，那种担心工资的竞相螺旋上升会损害雇主的利益和妨碍工业进步的观点是不成立的，因为市场需求和供给会对此作出反应。因此，雇主对工人寻求高工资和更好职业的经济动机应当予以默认，这对劳动力市场是极为重要的。显然，经济学家们的观点是出自对工人的"经济人"假设。实际上工人除了经济上的需求，还有许多其他方面的原因导致辞职，这使得对工人需求的满足和激励有了重要的意义。

三、劳动力流动决策

通过上面的成本收益的界定，我们便可以建立起一个正式的理论框架来分析劳动力流动决策了。在下面两个式子中，E 表示收益，C 表示成本，Z 表示净收益，下标 0 和 1 分别表示劳动力不流动和流动时相应变量的取值。其他的变量的定义分别是：A 表示年龄，r 表示主观贴现率。假设一个人工作到 T 岁退休，那么他流动和不流动的净收益便可以表示如下：

$$Z_0 = \sum_{A}^{T} \frac{E_0}{(1+r)^{t-A}} \tag{6.1}$$

$$Z_1 = \sum_{A}^{T} \frac{E_1}{(1+r)^{t-A}} - C \tag{6.2}$$

用上面两个式子表示的净收益不是绝对数量，而是经过贴现的净现值。如果进行流动的净收益大于不流动的收益净现值，即

$Z_1 > Z_0$，那么理性的决策就是流动。下面我们就用这样一个简单的分析框架对三种不同但又相互联系的劳动力流动现象进行分析，其中我们将结合每一种劳动力流动的具体情况分析其成本与收益。

四、劳动力流动的合理性

劳动力流动是社会化大生产基础上市场经济的客观要求，它对劳动力市场的运行和劳动力资源的合理利用具有重要的意义。

1．流动能够使人力资源得到充分利用

经济学家认为，工作职位是雇主与雇员匹配过程的结果，而不仅仅是雇主决策的结果。如果匹配的过程受到阻止而制约职工的流动，就可能造成人力资源的浪费。而流动具有劳动者选择职业、企业选择劳动力的内在机制，这样就可以使工人和职位在一定程度上接近于最佳选择，从而使企业内部劳动力资源得到充分合理的利用。

2．流动能够促进经济增长

劳动力通过流动使劳动者能够从衰落的产业、部门和地区流向发展迅速的产业、部门和地区，能够使这些产业、部门和地区在全国甚至更大的范围内按照经济发展的需要配置劳动力，并能够有效地保证所需的劳动力质量，从而促进经济增长。

3．流动能够保证劳动力市场的活力和效率

劳动力流动使工作职业具有竞争性，这不仅促进了劳动力素质的提高，改善了劳动者的地位，同时也形成了对劳动者的竞争压力，这就在很大程度上保证了劳动力市场的活力与效率。

我们只需要适当的流动以保证经济的效率。这就是要使劳动者从衰落的或发展缓慢的职业、行业和地区流向发展迅速的职业、行业和地区，并且要在劳动力市场上为人们提供选择的自由。还有这样的情况：一些地区长期存在较高的失业率，但仍有若干工作岗位空缺。这说明，改善劳动力的流动，使其合理化，这是很必要的。

在这里，所谓劳动力流动的合理性，主要是指劳动力的流动应带来较大的利益。劳动力应从工资低的职业转向工资高的职业，或者从工作机会少的行业和地区，流向工作机会多的行业和地区。如果流动只是劳动力盲目地从一个工作转向另一个同样的工作，那么，它对雇主、雇员和国家经济都会带来不利。

我们所需要的劳动力流动是合理的、适度的、保证经济效率的流动。但这个目标即使在劳动力具有高度流动性的美国，其实现程度也大大低于经济学家所论证和所期待的目标，这除了劳动力并非完全是自愿选择流动，而是在非自愿的情况下，如被解雇和辞退等情况下以外，还由于至少是以下几方面的原因：（1）劳动者本身对工作的评价，这在很大程度上影响劳动者的流动。因此也会出现一方面有较高的失业率，但同时也有若干工作岗位无人问津的现象。特别是西欧一些高福利国家的工人，宁可选择失业也不工作，就是突出的例证。（2）不能掌握劳动力市场需求的完全信息，这也限制了劳动力的流动及其流动的合理性。（3）劳动力选择职位和工作范围的有限性，也限制了流动及其合理性。

由此可以得出结论：劳动力市场中通过劳动力的流动来实现人力资源的合理利用只是一个相对的概念，劳动力市场的自由运行机制，并不能完全解决劳动力资源的合理配置问题，这个判断无疑会有助于我们拓宽劳动力资源合理利用的思路。

第三节 中国劳动力流动的制度变迁

1912 年，中华民国临时约法规定了中国公民有居住、迁徙自由；1948 年，中国投了赞成票的《世界人权宣言》宣称：人人在各国境内有权自由迁徙和居住；1954 年，中华人民共和国宪法也规定了中国公民有居住和迁徙自由；1958 年，通过了《中华人民共和国户口登记条例》，于是"五四宪法"规定的居住和迁徙自由被一笔勾销。这一法律提供了城乡二元分割结构的规则，并确立了中国特有的劳动力管理制度、土地制度、人口制度等等。结果，不仅使中国的人口急剧膨胀，还将整个社会的劳动力固定化，而且产生了史无前例、中外罕见的庞大剩余劳动力群体。《中华人民共和国户口登记条例》大多数条款的来源是不难解释的，一方面，政府所代表的利益群体的主观主义模型可直接用于群体利益扩大化的历史演进，在过去的 45 年间，具体的条款已成为各地区的单位规则的一部分，这些规则包括财产制度、土地制度等等。另一方面，近几年的劳动力管理制度只不过是沿着《中华人民共和国户口登记条例》所规定的路径的进一步演进的结果。

改革开放以来，国家对农村劳动力流动管理制度的放开经历了一个从内到外、由紧到松、从无序到规范、由歧视到公平的过程。

1. 1958—1979 年：禁止流动

改革开放前中国实行的是城乡分割的户籍制度和就业制度，农村劳动力的流动受到严格的限制，这种限制到改革开放初期并没有根本的改变。主要政策法规：《中华人民共和国户口登记条例》。

2．1979—1983 年：控制流动

1980 年的全国劳动就业工作会议及其以后下发的文件，一方面解开了对城镇职工流动的禁锢，另一方面又加强了对农村劳动力流动的限制。1981 年中央在提出城市实行合同工、临时工、固定工相结合的多种就业形式的同时，又进一步强化了对农村劳动力流动的管理。主要政策法规有：《关于进一步做好城镇劳动就业工作的意见》（中共中央、国务院，1980 年）；《关于广开门路，搞活经济，解决城镇就业问题的若干决定》（中共中央、国务院，1981 年）；《关于严格控制农村劳动力进城务工和农业人口转为非农业人口的通知》（中共中央、国务院，1981 年 12 月）。

3．1984—1988 年：允许流动

从 1984 年开始，国家准许农民自筹资金、自理口粮，进入城镇务工经商。这一小小的城门开放是农村劳动力流动政策变动的一个标志，它表明实行了 30 年的限制城乡人口流动的就业管理制度开始松动。之后，政府又进一步出台了一些政策和措施，允许和鼓励农村劳动力的地区交流、城乡交流和贫困地区的劳务输出，使农村劳动力的转移和流动进入了一个较快增长的时期。主要政策法规：《关于 1984 年农村工作的通知》（中共中央，1984 年 1 月 1 日）；《关于农民进入集镇落户问题的通知》（国务院，1984 年 10 月 13 日）；《关于进一步活跃农村经济的十项政策》（中共中央、国务院，1985 年 1 月 1 日）；《关于国营企业招用工人的暂行规定》（国务院，1986 年 7 月）；《关于加强贫困地区劳动力资源开发工作的通知》（劳动部，1988 年 7 月 5 日）。

4．1989—1991 年：控制盲目流动

这一时期政府对前一个时期实行的农村劳动力流动政策进行

了局部的调整，加强了对盲目流动的管理。这一方面是由于前一个时期实行的允许与鼓励政策引发了大规模的农村劳动力跨地区流动，其负面效应在交通运输、社会治安、劳动力市场管理等方面突显出来；另一方面，由于治理经济环境、整顿经济秩序造成了城市与乡镇企业新增就业机会的减少，使得农村劳动力的转移和流动的空间缩小。主要政策法规：《关于严格控制民工外出的紧急通知》（国务院办公厅，1989 年 3 月）；《关于进一步做好控制民工盲目外流的通知》（民政部、公安部，1989 年 4 月 10 日）；《关于劝阻民工盲目去广东的通知》（国务院办公厅，1991 年 2 月）；《关于进一步做好劝阻劝返外流灾民工作的通知》（民政部，1991 年）。

5. 1992—2000 年：规范流动

1992 年以来，农村劳动力流动的政策逐渐发生变化，从控制盲目流动到鼓励、引导和实行宏观调控下的有序流动，开始实施以就业证卡管理为中心的农村劳动力跨地区流动的就业制度，并对小城镇的户籍管理制度进行了改革。需要指出的是，1998 年以后，由于城市下岗职工的增加，实施再就业工程已成为各级政府的重要任务。在这种背景下，虽然国家仍继续强调要根据城市及发达地区的需要，合理引导农村劳动力进城务工，但部分省市却出台了各种限制农村劳动力进城及外来劳动力务工的规定和政策。主要政策法规：《关于印发〈再就业工程〉和〈农村劳动力跨地区流动有序化——"城乡协调就业计划"第一期工程〉的通知》（劳动部，1993 年 11 月 3 日）；《关于建立社会主义市场经济体制时期劳动体制改革总体设想》（劳动部，1993 年 12 月）；《关于促进劳动力市场发展，完善就业服务体系建设的实施计划》（1994 年 8 月）；《关于农村劳动力跨省流动就业的暂行规定》

（劳动部，1994 年 11 月 17 日）；《关于加强流动人口管理工作的意见》（国务院办公厅，1995 年中共中央办公厅）；《关于小城镇户籍管理制度改革试点方案》（国务院，1997 年 6 月）；《关于进一步做好组织民工有序流动工作的意见》（国务院办公厅，1997 年 11 月）；《关于切实做好国有企业下岗职工基本生活保障和再就业工作的通知》（中共中央，国务院，1998 年 6 月 9 日）；《关于做好灾区农村劳动力就地安置和组织民工有序流动工作意见的通知》（国务院办公厅，1998 年 9 月）；《关于农业和农村工作若干重大问题的决定》（中共中央，1998 年 10 月）；《关于做好农村富余劳动力流动就业工作的意见》（劳动部办公厅，2000 年 1 月）。

6. 2000 年以后：公平流动

从 2000 年下半年开始，国家关于农村劳动力流动就业的政策发生了一些积极的变化。这些变化有以下两个突出特点：一是赋予城乡统筹就业以新的具体的含义，即取消对农民进城就业的各种不合理限制，逐步实现城乡劳动力市场一体化；二是积极推进诸多方面的配套改革，农村劳动力流动涉及就业、保障、户籍、教育、住房、小城镇建设等多个方面，仅靠单个方面的改革是难以奏效的。主要政策法规：《关于进一步开展农村劳动力开展就业试点工作的通知》（劳动保障部，国家计委，农业部，科技部，水利部，建设部，国务院发展研究中心，2000 年 7 月）；《关于促进小城镇健康发展的若干意见》（中共中央，国务院，2000 年 6 月）；《中华人民共和国国民经济和社会发展第十个五年计划纲要》（全国人大，2001 年 3 月）；《关于推进小城镇户籍管理制度改革的意见》（国务院，2001 年 3 月）；《关于印发国民经济和社会发展第十个五年计划城镇化发展重点专项规划的通知》(国家计委，2001 年 5 月)。

第四节　劳动力流动的形式分析

一、工作转换

1. 工作转换的原因

工作转换一般指工作单位的转换或职业的转换，其原因非常复杂。有时是因为员工自己有过失，或者表现欠佳，有时是因为技术进步或需求萎缩导致的劳动力过剩，这种类型的工作转换被称为"非自愿的流动"。有些情况下企业解雇员工只能是临时性的，只是企业用来应付经济衰退的一种手段。一旦需求恢复，这些临时解雇的员工常常会被企业招回。这种情况在一些需求的季节性波动较明显的行业较为常见。当然，临时性解雇也会对员工形成一种压力，可能使员工被迫去寻找更加稳定的工作。

相对于"非自愿流动"来说，员工换工作的更为常见的原因是不满意于当前的工作，希望在别的地方能够表现得更好一些，这种工作转换的形式一般来说是辞职，或者说"自愿的流动"。员工只要认为还有其他企业更加适合于发挥自己的能力，他就会选择辞职，因此，辞职通常是自愿的行为，也就是说，自愿的工作转换和解雇之间的区别在于造成工作调整的最初原因是什么。

员工工龄与离职率之间的关系十分紧密。有材料显示，员工的工龄越长，离职率就越低。更加有趣的是，在决定离职率的因素中，经济的因素似乎比文化的因素要重要得多。通过美国和日本的对比可以说明这一点。我们观察到日本企业的离职率较低，这与日本企业中工资随工龄上升的速度更快有关，而在美国离职率相对较高。但是，坐落在美国的日资企业的离职率却与日本本地的企业的离职率较为接近，原因也很简单，因为美国的日资企业所实行的收入和工龄挂钩的报酬方案与日本国内企业是一样的。

不同性别劳动力的离职率也呈现出不同的特征。实证研究表明，女性的离职率要高于男性，但如果考虑到女性劳动力的工资较低、工作经历较短等因素，两性之间离职率的差异就少了。此外，在控制了经验和收入的差异后，已婚女性的离职率要高于单身的女性，刚生过孩子的女性的离职率要高于其他女性。

一个员工在同一家企业里往往从事过不同的工作，有时是通过晋升改变了工作的性质（比如说从技术人员变成了管理人员），有时则仅仅是在不同工作间轮岗。如果比较不同行业里员工的辞职率可以发现，消费者服务业员工离职率最高，而公共服务业员工的离职率则最低，其他行业（建筑业、制造业等）的离职率则居中。我们可以用工资差异和特殊培训的差异来对不同行业离职率的差异进行解释，工资较低、特殊培训较少的行业一般来说离职率较高。

为什么我们常会看到一些自愿的流动呢？一种可能性是由于劳动力市场原本就处于不均衡的状态。如果劳动力市场起初是处于均衡状态的，那么只有当一些外部的条件发生变化导致某些工作的吸引力随之改变时，才会出现自愿的工作转换现象。例如，由于自然灾害、劳动力的知识和技能老化等原因，劳动力的生产力下降了，这时就要看工资是否可以灵活地调整。如果工资不可以灵活地调整，那么就使得企业不得不通过解雇员工来降低劳动力成本。如果工资可以灵活地下调，那么员工就可能发现别的企业存在着更好的机会，于是就会选择主动辞职。这种类型的工作转换只是暂时的，而不是持续性的。

主动的辞职还是劳动力获得劳动力市场相关信息的一种途径，在这种情况下，辞职就是员工进行工作搜寻（Job Search）的一个部分。的确，我们常常发现只有当自己亲身尝试过一种工作以后才会了解所有有关这种工作的信息。这种行为有学者形象地描述为"工作采购"（Job Shopping），在这一过程中，员工通过尝试和犯错来搜寻那些最为适合自己的技能、兴趣和习惯的工作。"工作采购"的现象在年轻人群中最为常见，此外，一些受教育程度较低的劳动力也由于缺乏其他了解劳动力市场信息的途径而采取这种行为方式。对于他们来说，经常换工作并不会带来太多人力资本投资方面的损失。一项实证研究表明，在一个人最初 10 年的工作时间里，有 2/3 的收入增长是由工作转换带来的。[①]

2. 工作转换的人群特征

一般来说，在发达的市场经济国家里，青年人的工作转换次数较高，而英、美两国青年人工作转换的次数又高于其他欧洲国家。这种现象的确反映出工作转换作为信息收集手段的功能，只有当尝试过一些工作之后，一个人才更清楚自己的能力和兴趣所在，而更多的工作转换就显得没有必要了。其次，随着年龄的增长，特殊人力资本的投资也越来越多，工作转换的心理成本也会越来越大，这也是造成老职工流动性较低的原因之一。另外，老职工剩下的工作时间较短，也就是说，在给定的工资差距之下，工作转换的收益随着年龄的增长而下降，所以老职工进行工作转换的收益相对较小。

---

① 转引自陆铭：《劳动经济学》，复旦大学出版社 2002 年版，第 139 页。

　　企业的特殊培训是自愿工作转换的一种阻力，只要员工能够部分地分享企业特殊人力资本投资的收益（比如培训之后的工资有所提高），那么员工辞职的动力就下降了。而企业则往往希望员工能够分担一部分特殊培训的成本，从而降低员工辞职带来的损失，当然，如果员工并没有辞职，企业会在培训结束之后支付员工更高的工资。不难发现，在职培训较多的企业里，主动辞职的员工的确较少。

二、工作搜寻

1. 工作搜寻的原因与分类

　　在简单的劳动力市场模型中，当市场达到均衡时，所有的劳动力应该是在同一个市场出清的工资水平下就业。但现实当中的情况是，一方面几乎同质的劳动力之间的工资差异非常大，另一方面，并不是所有的劳动力都能够在市场提供的工资水平下就业，失业广泛地存在着，工作搜寻（Job Search）理论就是用于解释这些现象的。

　　工作搜寻之所以广泛地存在主要有两方面原因。首先，即使是在同一种职业内部，不同员工和不同工作之间也是千差万别的。此外，劳动力在市场找工作然后被企业雇用，这一交易的过程非常复杂，也非常耗费成本，而且这种交易不可能经常重复。所以，为了找到令自己满意的工作，在找工作这样的交易过程中多投入一些时间和精力仍然是值得的。

　　根据工作搜寻过程所用的渠道和所具有的特点，我们可以用两种维度来区分工作搜寻的种类。一种是将工作搜寻区分为正式的和非正式搜寻。前者是有组织的，常常是通过公营的或私营的职业介绍所、学校的毕业就职机构等市场中介机构完成的。非正式的工作搜寻所用的渠道则五花八门，包括亲友的介绍、商店门口的招聘信息，甚至仅仅是挨家挨户地打听。

另一种是将其分为粗放的（Extensive）和集约的（Intensive）搜寻。前者的特点是与聘用方有多次的联络活动（比如说给许多感兴趣的企业寄简历），但并不十分花时间或精力去研究每一次搜寻的可能性。而后者的特点则是与聘用方联络活动较少，但对于每一次机会都用更多的时间去努力，比如说在正式应聘前研究企业的产品、历史、市场前景，甚至想在目标企业里找到自己的朋友来作一些推荐。

不是所有的工作搜寻渠道都能够给搜寻者带来工作的，不同的渠道所能够提供的机会差别很大。一般来说，由亲朋好友介绍的工作成功雇用的可能性较大，而公立的职业中介机构提供的工作最终成功雇用的可能性最低。有亲朋好友介绍的时候，搜寻者也比较愿意接受企业的雇用，这或许是因为亲友提供的信息较为可靠。此外，对亲友介绍的人，企业所需耗费的培训费用和监督费用也相对较低。当一个员工通过亲友的介绍找到工作时，他所获得的工资一般来说起点也较高。所以，在工作搜寻的过程中，亲友的介绍是一种非常有用的渠道，但是青年人拥有这类机会的可能性往往较低。

2. 在职员工的工作搜寻

并非所有在市场上进行工作搜寻的人都是失业者。在美国，大约20%的新雇员是直接从另一个岗位中被聘用的，在剩下的部分中，一半是失业者，一半是原来属于不在劳动力人口。从人群特征来看，在美国1/3的成年男性求职者是有工作的，成年女性的相应比例为1/5，而青年人当中该比例仅为10%。此外，希望每周工作时间多的人，以及那些所获得报酬在同类工作中较低的人都更多地进行求职活动。显然，特殊人力资本投资一般在刚开始工作的时候比较少，所以在一家企业留的时间越长，员工到市场上求职的倾向就越低。[①]

对于在职员工来说，他们进行工作搜寻的成本和收益都不大。从成本角度来看，他们在求职时损失的只是一些闲暇时间，但并没有损失自己的收入。而从收益角度来看，由于在职者已经拥有工作，因此即使工作搜寻最终获得了成功，给他们带来的额外收益也有限。正是因为在职员工进行工作搜寻的成本和收益都有所下降，所以与失业者进行工作搜寻的情况相比，在职者进行工作搜寻的努力并没有明显的差异。

一般来说在职的工作搜寻似乎更加有效率，但是，对于年轻人来说情况又不同了，年轻人进行在职工作搜寻时，他们并不比同龄的失业者做得更好。此外，对于所有年龄的人，前后两个工作之间有一段失业时间都意味着后面一个工作的报酬提高幅度较大。目前还不是很清楚造成这一现象的原因是什么，是因为将工资作为失业时间的回报？是因为这一部分员工不具有代表性，并且他们辞去的工作特别缺乏吸引力？还是因为他们进行工作搜寻的效率更高？这些都有待于进一步的研究。

3．工作搜寻的成本收益比较

工作搜寻会带来一些直接的和间接的成本。直接的成本包括那些交通费、邮费、电话费、报纸的广告费等。间接的成本（机会成本）则主要包括两个方面：一方面是在工作搜寻所花费的时间里一个人可能从事其他活动所带来的效用或收入；另一方面的

---

① 转引自陆铭：《劳动经济学》，复旦大学出版社 2002 年版，第 143页。

机会成本更加重要，这就是当一个人决定放弃当前已经得到的工作机会继续进行搜寻时所放弃的收入。不难发现，工作搜寻的成本主要是间接成本（机会成本），由此我们可以推断，一些旨在降低工作搜寻的直接成本的政策对于工作搜寻并不会产生明显的影响，但间接成本的变化对工作搜寻过程却有重要的影响。失业保险金是典型的与政府政策有关的工作搜寻的间接成本。失业保险金降低了不接受工作机会而继续搜寻的成本，因此，理论上来说，如果失业保险金水平调低，进行工作搜寻的人和由此而产生的摩擦性失业就会相应减少。

三、劳动力迁移

1. 劳动力迁移的特征

劳动力迁移一般指劳动力跨国界、跨地区的流动。一般来说，经济动机是影响劳动力迁移的决定性因素。然而，如果单纯从经济因素来考虑，那么，经济上最贫困地区的劳动力应当流动性最大，但很多数据表明，经济贫困地区的流动性并不是非常大。其原因是，尽管这些经济上最贫困的地区迁移动机最强烈，但是这些地区的劳动力财富、受教育程度和技术水平也很低，从而限制了人们的迁移愿望。劳动力的迁移除了受经济动机的影响外，还受到其他一些因素的影响。

第一，年龄

劳动力流动的高峰年龄是在 20 – 24 岁之间，来自美国的情况表明：在处于这一年龄段的劳动者中，每年都有 12% 的人在从事跨县或跨州的流动，而 32 岁劳动者的流动率大约为 8%，47岁劳动者的流动率只有大约 4%。

年轻人成为劳动力流动大军主力的原因有两点：首先，一个人越年轻，他从任何人力资本投资中所能够获得的潜在收益也就会越高，同时，从一项投资中获得收益的时间越长，这些收益的现值就越高。其次，迁移成本中的相当大一部分是心理上的，其中主要包括离开朋友、失去社区联系以及丢掉因熟悉周围环境而享有的收益等所造成的心理损失。当一个人还是刚刚步入成年的时候，这些心理损失相对来说还较少一些，显然，他们在成年人的世界中尚未真正立足。然而，当一个人年纪大了以后，社会关系变得更加紧密，与迁移相联系的心理损失变得越来越大，这种情况自然会在一定程度上抑制迁移。

还有不可忽视的一点是，工作流动性随着年龄的增加而降低，除了年轻人在更换工作之后有较长的时间可以获得收益，并且其投资成本可能也较低一些外，工作匹配的质量也是随着生命周期的发展而不断提高的，而工作匹配质量的高低恰是决定员工流动的一个重要因素。随着年龄的增长，员工在丰富自己的工作阅历，强化技术的同时，能够发现自己的优势和不足，因而也就可能努力搜寻更匹配自己的工作。如果一个员工的工作匹配质量随着时间的流逝而有所改善，那么完全可以预见：在一个工作岗位上工作时间越长，雇用关系越稳定，其离职流动的可能性就越小。对自己能力以及对工作匹配程度的准确判断通常来自于理性的思维，年龄因素正是理性思维函数的一个重要变量。

第二，教育程度

接受教育的程度往往是预测在同一群体内部哪些人会进行迁移的最好指标，来自美国的资料显示：较高的教育水平使得人们具有较高的迁移率（见表6—1）：

表 6—1 1993 - 1994 年 30 - 34 岁的美国公民的
迁移率（％）（按教育水平分类）

教育水平（年）	同一州内各县之间迁移人员比例		各州之间迁移人员比例	
	（男）	（女）	（男）	（女）
9 - 11	4.6	3.1	4.1	2.7
12	4.3	3.1	2.8	2.8
13 - 15	5.4	5.0	3.3	3.8
16	5.2	4.1	3.3	4.3
17 及其以上	5.0	3.4	7.7	5.2

资料来源：《当代西方劳动经济学》，卢昌崇、高良谋编著，第 179 页，东北财经大学出版社 1997 年版。

更有一个显而易见的例子：中国改革开放之后，以学者或留学身份跨出国门、走向世界各地、且长期滞留、甚至成为所在国新移民的人员占所谓"出国潮"的绝对比例，同样也说明了这一劳动力流动的特征。

第三，距离倾向性

一般地说，迁移成本会随着迁移距离的增加而上升。首先，身处地方性劳动力市场，要获得别处的就业信息十分困难、或者交易费用非常昂贵。相反，在离家近的地方比离家远的地方更容易发现和比较就业的信息，比如：报纸容易得到、打电话的费用较低、来自于朋友和亲属的帮助更多一些、对雇主的了解也比较方便，所有这些都将在无形中降低迁移的交易成本。其次，迁移本身以及迁移之后看望朋友以及省亲都将面临不同程度的诸如与交通问题等密切相关的货币成本，加之迁移的心理成本，都会随着距离的增加而上升，相比之下，在人们尽可能地降低迁移的心理成本、信息成本和货币成本的愿望驱动下，人们更愿意进行近距离的迁移。

美国 20 世纪 60 年代末期公布的一项研究成果表明：34% 的移民迁移距离在 100 英里以内；51% 的移民迁移距离是在 200 英里以内；仅仅占 17% 的移民迁移距离在 200 - 400 英里；迁移距离在 400 - 600 英里之间的仅占 10%；超过 600 英里的移民只占全部移民人数的 22%。这从一个侧面说明了迁移距离与迁移者之间的关系。

第四，职业与技术等级

职业影响着劳动力流动性的大小，职业流动是劳动力市场上劳动供给的调整和劳动者职业选择的过程。职业流动性的高低可以用职业流动率大小来表示，职业流动率是某两年中改变职业的就业人数与总的就业人数之比。比如，美国 1965 - 1966 年、1972 - 1973 年按职业划分的流动情况（见表 6—2）：

表 6—2　美国按职业划分的职业流动率（%）

职　　业	1965 ~ 1966 年职业流动率		1972 ~ 1973 年职业流动率	
	男	女	男	女
18 岁以上的劳动力就业者总计	9.9	6.9	9.0	8.2
专业技术人员	6.4	3.6	5.5	5.6
管理和销售人员	7.4	6.0	7.6	7.4
销售人员	8.5	8.1	11.4	9.1
办事人员	14.0	8.4	9.3	9.3
工匠、工头和同类人员	8.7	10.8	8.0	9.7
操作工和同类人员	12.9	7.0	11.4	8.75

非农矿业劳工	17.3	—	15.5	13.5
私人家庭雇工	—	4.0	—	6.3
服务人员	11.7	8.0	10.5	7.4
农场主和管理人员	1.9	1.7	1.9	—
农业劳工和工头	8.6	4.5	6.6	2.1

资料来源:《当代西方劳动经济学》卢昌崇、高良谋编著,第181页,东北财经大学出版社1997年版。

从表中可以看出,劳动流动率与技术等级成反比,技术含量越高,劳动流动率越低。管理人员和专业人员的劳动流动率要比熟练工人的流动性小得多。但是有某种技术的工匠,也有相当大的流动性,因为他们的工作是季节性的和短期性的,他们为了保持这种技术和较高的薪金而不断变换雇主和地区。专业技术人员和管理人员的总流动率低于体力劳动者的流动率,专业技术人员的职业流动率仅高于农场主,低于其他职业集团。专业技术人员之所以变换职位很频繁,却很少改变职业是因为变换职位可以更好地发挥职业特长,而改变职业则会丧失专业优势。

从劳动供给来看,专业技术特长的形成需要长期的教育和训练,劳动者投入了大量的"人力资本",改变职业不仅使其投资不能回收,而且也无法"获利"。从劳动需求来看,对专业技术人员的需求量大,同时显示较高的报酬和职业稳定性,劳动力放弃其专业将要承担的一定的成本及风险,因而专业技术劳动者流动率较低。但是专业技术人员的地区流动率可能会高一些,这是因为专业技术人员的家乡观念一般来说比体力劳动者更看得淡薄一些,同时由于技术越来越专门化,如果在地方劳动市场找不到需要服务的雇主,在其他一些地区又需要,所以专业技术人员为寻找更好的工作岗位而进行跨地区之间的流动率就自然要比体力劳动者高一些。最后，劳动力迁移往往最直接的需要是一笔可观的费用（货币成本），体力劳动者的工资报酬恰恰不高，一般也难以承担，比起他们，有着良好收入的专业技术人员更具有劳动迁移的能力，因此，专业技术人员有时地区流动率会相对高一些。

第五，回迁现象

无论是国内、还是国际迁移活动常常伴有迁移者重新迁回原所在地区的现象，这被称为回迁。据美国的研究者统计：迁移者中20％的人要返回他们过去曾居住过的地区，而且，大约一半的人则要返回他们的出生地。

回迁的主要原因有两点：一是许多国际劳动力迁移者在异地他乡通常只作短期筹划，这些人更多的是在国外省吃俭用、努力积蓄，把他们大部分工资报酬汇回国内，一旦既定目标实现，就纷纷踏上归程。二是回迁也是许多移民劳动者面对现实冲击所做出的一种反应。即他们发现当地的工作机会并没有自己预期的那样好，或者他们在没有朋友和家庭亲人、很难构筑自己的社会以及经济的"安全网"的情况下，当地生活的心理成本也往往比预期高得多。甚至，有的迁移者后来发现，他们的迁移决策本来就是一种错误。这时，回迁自然就会成为不可阻挡的行动。

2. 中国的劳动力迁移

中国的劳动力迁移表现为地区间的流动，而除了一些高技能劳动力的流动以外，劳动力的地区间流动主要表现为劳动力的城乡间流动，而且这种流动是单方向的，即从农村地区流动到城市。表6—3中给出了农村劳动力在外流动就业的有关数据，从中我们可以看到这一流动的规模非常之大。

表 6—3   本地农村劳动力在外流动就业情况（万人）

	本年末在外流动就业人数	跨省就业人数	省内跨县就业人数	本年内新增外出流动就业人数	跨省
1997	4611.18	2999.98	1545.98	1249.65	802.67
1998	4423.90	2865.35	1538.73	1205.32	801.35

数据来源：《中国劳动统计年鉴》1998 年、1999 年。

那么，我国的劳动力城乡间流动具有哪些特征，是否可以用一般的劳动力流动理论框架进行解释呢？对此问题，一些研究已经给出了比较好的回答，其中特别值得一提的是赵耀辉在其文章《中国农村劳动力流动及教育在其中的作用》中所作的几项研究。她发现，从外出打工的农村居民的特征来看，年龄大的、女性、已婚的农村劳动力比较不愿意外出打工。此外，从土地、人口数量两个方面来看，在其他条件相同的情况下，增加家庭劳动力数量和减少土地的数量都会提高劳动力流动的可能性。换句话说，土地的短缺和劳动过剩是影响劳动力流动和城乡收入差别的重要因素。最后，近年来农业的税收负担也降低了农业生产的实际收入，这也导致一些能干而强壮的劳动力流向了非农产业，影响了农业生产。

实际上，农村外出打工者的特征是可以被主流的劳动力流动理论解释的。由于现行的户籍制度限制，农村来的打工者不能拥有与城市居民同样的权利，这就大大地增加了外出打工的收入的不确定性。同时由于城市住房费用非常高，这就阻止了农村外出打工者的家属整体迁移。此外，农村的外出打工者一方面不为城里人所认同，另一方面因无法携家属同往而无法得到亲人的安慰和尽照顾家庭的义务，因此他们在城市里面临极高的心理调整成本。这就解释了为什么外出打工者多数都希望将来回到家乡，也解释了为什么本地非农产业就业机会大家都想争，而受过较好教育的人们更倾向于留在本地非农产业就业，而不是外出。①

从劳动力省际流动的角度来看，人口众多、经济相对落后的省份劳动力流出的倾向更强。来自国外的投资能够直接创造大量的就业机会，还能够通过经济增长的带动间接地创造工作岗位，所以对于劳动力流出的倾向有降低作用，同时，选择迁移的人（特别是短期迁移者）更愿意选择那些吸引外资较多的地方作为自己的目的地。此外，在乡镇企业发展较好的地区居民离开家乡的倾向更强，然而对于教育程度比较高的农村居民来说情况恰恰相反，这部分人更加愿意留在本地。而那些短期流动的和教育程度较低的劳动力则更加倾向于流向乡镇企业发展较好的省份。

最后，我们也需要提一下中国的人才流失问题。作为一个发展中国家，中国的人才流失问题也相当严重，特别是改革开放以后的这段时间里，随着出国留学人员的增多，人才流失已经对我国的经济发展产生了一些负面的影响。有数据表明，自改革开放以来至 20 世纪末，我国年均出国留学 2 万人，累计达 40 多万人，学成归国者 10 万，在校学习者 10 万，回归率仅 33%。②

①　参见赵耀辉：《中国农村劳动力流动及教育在其中的作用》，《经济研究》1997 年第 2 期。

②　参见《文汇报》2000 年 8 月 19 日。

第七章　失业与就业

失业与就业是现代社会最值得关注的经济问题和社会问题之一，它关系到人赖以生存和发展的基本前提和空间，关系到经济结构的调整与变动，关系到社会的进步与稳定。因此，深入研究失业与就业问题不仅是世界范围内的一个重大课题，也是社会主义中国实践需要回答并从理论上深刻认识的新课题。

第一节　市场经济条件下存在失业的必然性

失业现象是一个超越社会性质的社会经济问题，它是市场经济所特有的相对过剩人口规律在社会不同层面上的反映和表现。为什么现代社会在大力发展市场经济的同时，会存在部分劳动者的失业，揭示和探寻这一历史必然性，就必须分析和考察造成失业的原因和后果，科学界定和认识失业的内涵以及对失业理论所作的一般性描述。

一、相对过剩人口的形成及原因探析

1. 相对过剩人口规律

相对过剩人口规律是马克思在《资本论》中分析资本积累理论时经过科学论证揭示出来的，是不以人的意志为转换的客观存在。

第一，资本主义特有的人口规律

马克思认为，资本主义再生产的特征是扩大再生产，扩大再生产的源泉是资本积累，即剩余价值的资本化。在追求剩余价值的内在动力和竞争的外在压力驱动下，作为资本人格化的资本家，必然要不断地进行资本积累和扩大生产规模，通过技术进步和提高劳动生产率来获取更多的剩余价值即利润。而劳动生产率的增长意味着资本有机构成的提高，也就是表现为劳动的量比它所推动的生产资料的量相对减少。随着积累的进一步增长和资本有机构成的提高，不仅使积累进程中形成的追加资本，同它自己的量比较起来，会越来越少地吸引工人，而且周期地按新的构成再生产出来的旧资本，也会越来越多地排斥它以前所雇佣的工人。可是在资本对劳动力的需求日益减少的同时，劳动力对资本的供应却日益绝对地增加。这是因为大量的女工和童工，大批的农民和手工业者以及破产的中小企业主，纷纷加入雇佣劳动者的行列，这样一来，在资本积累进程中就不可避免地形成了相对过剩人口。

相对过剩人口的本质是相对于资本的需要而形成的过剩，也就是说，是劳动力的供给超过了资本对它的需要。相对过剩人口是资本主义生产方式的必然产物，又是资本主义生产方式存在和发展的必要条件。它适应了资本主义周期性生产过程的需要，即复苏和繁荣时期需要迅速增加和补充大量劳动力，萧条和危机时期需要排挤和抛出大量雇佣工人，从而起着蓄水池的作用。同时大量失业人口的存在也有利于资本家用更少的资本价值雇佣更多的廉价劳动力。因此，超过资本增殖平均需要的相对过剩人口，是现代工业的生活条件，也是资本主义所特有的人口规律。

第二，市场经济特有的人口规律

相对过剩人口是资本主义制度的必然产物，它不仅是资本主义生产方式所特有的社会现象和经济范畴，也是市场经济中存在的人口规律。这是因为资本主义生产方式只是一种历史的，并和物质生产条件某个有限发展时期相适应的生产方式。它既有制度赋予的属性，更有其一定的物质生产力作为前提，即拥有机器大工业这一先进物质技术基础，由此而产生的社会化大生产和分工协作的进一步发展，从而使占统治地位的商品生产和商品交换而形成的市场经济进入到一个更发达的阶段。马克思在剖析生产方式的基本矛盾及其运行规律的同时，也揭示了资本主义社会经济运动所依托的经济形式即市场经济的一般规律，例如价值规律、平均利润率规律，相对过剩人口规律等。

市场经济的存在是由现实的客观条件决定的。马克思主义创始人认为代替资本主义制度的未来社会，由于全社会共同占有生产资料和每一个人的劳动一开始就成为直接的社会劳动，因此没有商品，没有货币，不需要发展市场经济。劳动力也不再成为商品，社会劳动资源交由社会按计划比例分配。所以相对过剩人口就只有资本主义生产方式才存在，是其所特有的人口规律。马克思未曾预想到的是社会主义的实践并未完全按照其设想去建立和发展。现实的社会主义制度并没有建立在生产力高度发展的社会基础上，不具备上述两个条件。相反，我国初级阶段的社会主义是在生产力发展的水平相对较低的基础上建立起来的，要提高我国的生产力水平，不仅要存在商品生产和商品交换，而且必须经历建立在社会化大生产基础上的现代商品经济也就是市场经济这个不可逾越的历史阶段，社会主义要搞市场经济，必然出现和存在相对过剩人口。所以，我们说相对过剩人口是市场经济的必然产物，是市场经济所特有的人口规律。只是由于社会制度性质的不同，客观现实经济条件的差异，这一规律发生作用的形式、程度和范围等会有所变化而已。

相对过剩人口是市场经济的必然产物，不仅涵盖了资本主义市场经济，也涵盖了社会主义市场经济，这从实践中也已得到了证明。现代社会不论是资本主义制度，还是社会主义制度，是发达国家还是发展中国家，只要是搞市场经济，在发展社会生产力的过程中都会存在大量过剩的劳动力，特别是我国在由计划经济体制向市场经济体制转轨进程中失业和下岗现象凸现出来，并且失业这一社会问题还将长期存在下去。失业现象对我国社会经济生活产生的深刻影响，引起了全社会的关注。能否及时地从理论与实践两个方面加以研究和解决，已经成为推进我国现代化建设和改革开放进一步深入的前提和保障。

2. 失业的形成和现状

现代经济生活中的就业和失业是伴随着资本主义生产方式劳动力成为雇佣工人出现的。雇佣工人是进行资本主义生产不可缺少的要素，然而资本主义生产方式内在规律的作用，却使得"工人人口本身在生产出资本积累的同时，也以日益扩大的规模生产出使他们自身成为相对过剩人口的手段。"① 这在资本主义经济危机时期表现得更为明显。在 1929 - 1933 年的席卷世界范围严重危机期间，整个资本主义世界生产倒退到 20 年前的水平。大量企业的倒闭，使失业人数高达数千万，其中美国 1300 多万，德国 800 多万，日本和意大利也分别高达 300 多万和 100 多万等。二次大战后的经济危机期间，美国失业率最高时达 7.9%，处于高危状态。进入 90 年代中期，据国际劳工组织提供的全球就业

① 马克思：《资本论》第 1 卷，人民出版社 1975 年版，第 692 页。

报告显示，在其所拥有的 169 个成员国中，有近 50 个国家的失业率在 5% 以上，其中有 30 个国家的失业率是两位数。到 90 年代末全世界有失业人员 1.2 亿，半失业人员 7 亿，两项之和约占全世界 28 亿劳动力的 1/3。

失业现象作为当今世界各国普遍面临的一大难题，我国也不例外。目前我国人口接近 13 亿，是世界人口最多的国家，且是一个发展中的二元经济结构的国家，具有一般劳动力资源十分丰富但专业人员和人均自然资源相对贫乏的显著特征。新中国建立以来出现过三次较大规模的失业高峰。第一次发生在 1949－1953 年，由于旧社会留下了一个经济衰败、千疮百孔的经济机体，这期间全国共有登记失业人员 332.7 万人，约占当时就业人员总数的 20% 以上；第二次发生在 1962－1963 年，由于三年经济困难时期全国范围大规模地精简职工，若把这部分人作为失业者看待，平均年失业人员为 700 万以上；第三次失业高峰发生在 1978－1980 年，由于文化大革命期间采取大量动员上山下乡的单一作法，10 年累计 1500 万人上山下乡。党的十一届三中全会之后，政策上允许知识青年重新返回城镇，但返城知青就业十分困难，1980 年全国登记失业人数为 541 万人，其中失业青年就占到 70.6%。仅江苏省在 1974－1981 年中，知青集中回城进行就业安置就达 73.38 万人，就业压力十分巨大。回顾这三次失业高峰的历史，都是在政府实施正确的方针政策和采取了一系列行之有效措施之后才得到平抑和解决。

20 世纪 90 年代以来，我国又一次面临着十分沉重的失业和下岗压力。1996 年我国政府正式公布的城镇登记失业率一直都在 3.1% 以上，登记失业人数为 500 多万。如果按"实际失业人口＝公开登记失业人口＋下岗职工－再就业职工"的公式计算，失业率远远高于这个数字。这就是说实际公开的失业下岗职工人数在较长时期维持在 800 万 - 900 万的水平，是登记失业人数的一倍半左右。事实说明，失业现象是与现代市场经济相伴随的一个长期性问题，深刻研究失业问题，已成为包括正在建立和完善社会主义市场经济体制中国在内的世界性重大课题。

3. 造成失业的原因分析

对于许多国家存在的以失业为主要形式的相对过剩人口现象的分析，既要考察这个国家制度特征赋予的社会历史状况的特殊因素，又要研究经济发展过程中的带有普遍性即共性的因素。

第一，技术进步和社会劳动生产率增长引起资本有机构成提高的结果。技术和经济是人类社会进行物质生产活动中，始终并存的相互促进又相互制约的两个方面。经济发展是技术进步的动力和方向，技术进步则是提高劳动生产率和经济效益的重要条件和手段。分析表明，20 世纪初劳动生产率的提高主要依靠增加人力和设备，技术进步的作用仅占 5% - 20%，进入新世纪的今天，这一比重已上升到 60% - 80%。劳动资料的水平历来是技术进步的显示器。以往的机器只包括工具机、传动机和动力机三大部分，现在由于控制论、信息论和微电子学的发展、电子计算机的广泛使用，使机器和机器体系达到了高度自动化的水平。而技术进步引起的生产资料变革和劳动者素质提高，最终都使得全部投资中的不变资本特别是固定资产比重大幅度提高。2001 年就有国外人士预计，中国在未来 10 年内将需要大量资金保持 7% 的经济增长速度，仅固定资产投资就需要 6 万亿美元。技术进步使不同企业和生产部门，乃至全社会的资本平均构成提高，从而在资本总量一定的情况下，可变资本部分相对减少，排挤出大量工人加入失业队伍，这是现代社会形成失业大军的最主要原因。以美国为例，高新技术产业和公司的崛起，仅 1983 年，倒闭的传统产业有 25346 家，有 20 多万名汽车工人被解雇，10 万多钢铁工人无事可干。

第二，大工业本性要求的劳动变化、职能更动和工人全面流动的结果。现代经济是建立在机器大工业这一先进物质技术基础之上，和以往保守的生产方式不一样，就在于工场手工业是耸立在城市手工业和家庭手工业之间，其狭隘的技术基础使劳动者的生产经验世代相传又相互封锁，专制的分工又把工人终生固定从事某种局部操作，从而使分工协作和工人职能更动只能在狭小的范围内进行。与此不同的是机器大工业的原则是创立起以力学、化学、数学等自然科学理论为指导的工艺应用流程。在科技发展引起分工和生产扩大以及市场经济追求利润最大化原则的驱动下，现代工业从来不把现存的形式当作最后的形式，它要求不断变革、不断创新，从而在改变全部生产技术和技术基础的同时，改变着生产的社会结构和人们的劳动职能。要求工人从一个生产部门转向另一个生产部门，从一个生产岗位转向另一个生产岗位。承认劳动的变换，并承认工人尽可能多方面的发展是社会生产的普遍规律，一旦劳动力的流动和劳动者的知识技能等方面不能及时适应这一变化，就会通过失业、下岗等现象强制地为自己开辟道路。同时，大工业生产膨胀和收缩的周期性波动，积累进程中形成的追加资本总是要采用新技术，进行固定资本更新或者直接投入新兴部门，都会使劳动力市场供求关系变化的总趋势表现为，市场的劳动供给超过市场的劳动需求，即使在生产高涨、资本膨胀时亦是如此。所以，失业人口是大工业以及在此技术基础上形成的现代市场经济的必然产物。

第三，市场机制优化配置社会资源过程中，劳动力要素的供求不平衡是一种正常的市场现象。市场经济是以市场机制作为配置社会资源的基础，市场机制作为价值规律发生作用的机制，其实现形式主要是通过市场上的供求、价格和竞争关系来达到社会资源的优化配置。首先，就供求关系来看，当劳动力的供求在总量或结构上出现不平衡时，反映在市场上就会表现出劳动力的相对过剩或不足。其次，从价格机制来看，价格机制作为市场机制的核心和主体，促使资源配置成本的降低和效益的最大化。就会出现排挤劳动力或者劳动力退出某一经济领域的市场现象。最后，从竞争机制来看，劳动力资源在市场竞争中优胜劣汰，其结果就必然有一部分人加入失业队伍。市场机制在劳动力资源配置上的这种内在缺陷，并不是由于劳动力供给的不规则性或忽大忽小引起的，也不仅仅表现在危机阶段或衰退时期。即使在发达市场经济国家，这种缺陷也表现为一种常态，也就是说，一个国家保持一个合理的失业率，是市场经济中必然会出现的经济现象，也是市场经济存在和发展的前提之一。

二、失业的含义、类型及相关概念

失业是市场经济的产物，也是现代工业国家存在的主要问题。解决失业被我国列为"民生之本"，为此，我们必须对失业范畴的界定，失业类型的甄别以及相关概念有一个了解。

1. 失业

当今世界对失业概念的界定有广义和狭义之分。广义的失业通常是指具有劳动能力并抱有劳动愿望的人未能在劳动力市场上找到工作，即为失业者。从此意义上讲，失业人员包括两部分，这就是社会上新成长的劳动力正在等待就业机会的失业者和由于失去工作而中断了收入的失业者。这些失业者的总和现象可以说是构成了社会失业。狭义的失业含义则是指失业者由于非本人所能控制的原因失业后收入受到损失，并因此影响到他们的生活状况。它不包括一般的失业者和离校的青年学生。由于国际劳工组织所代表的权威观点对这种失业的含义，是按"失业事故"来表述的，从此意义上讲，失业正是社会保险正常处理的事故之一。

失业问题是一个复杂的社会问题，对失业的界定在不同国家有着不同的界定标准。一般说来，现代市场经济国家对失业的定义为：凡是统计时被确定为有工作能力，但没有工作，且在此之前四周之内曾做过专门寻找工作，但未找到工作的人都被统计为失业者。此外，暂时被解雇正等待恢复工作的人以及等待达30天后才可到新工作岗位报到的人也包括在失业定义范围之内。

在我国，失业亦称待业，1982年我国人口普查时，对待业的统计标准做了如下规定：在劳动年龄之内，有劳动能力并要求就业而没有任何职业的人为待业人员。通常情况下，待业在我国指的是城镇待业人员。下岗是我国特有的一种失业类型。我国统计中对下岗人员的定义是：因企业经营等原因职工离开企业回家，但与企业还保留名义上的劳动关系。2003年，"失业"概念被重新界定，按照新标准，失业人员是指年龄在男16至60岁，女16至55岁，法定劳动年龄内，有工作能力，要求就业而未就业的人员。其中，劳动者虽然从事一定社会劳动，但是劳动报酬低于当地城市居民最低生活保障标准的同"失业"。据统计，截至2002年9月底，我国城镇下岗失业人员共约1500万人，其中国有企业下岗职工439万，登记失业人员752万，其他单位下岗职工约两三百万。此外，还有大量农村剩余劳动力和新成长劳动力需要寻找岗位。

2. 失业率

　　联合国社会发展世界首脑大会将消除贫困、增加就业和社会和睦作为三大主题，因此用来衡量一个国家或地区失业状况指标的失业率，就既是一个经济指标，又是一个社会指标。对这个国家和地区的经济发展和社会稳定，乃至维护世界和平都是至关重要的。国外的失业率是指失业人口占劳动适龄人口（或劳动力）的百分比，它的统计口径是没有城镇和农村之分的。从理论上讲，失业率是就业形势的表征，根据失业率来判断就业形势是否严峻，比估算劳动力供需状况更贴近实际，因而它是宏观决策的重要依据。

　　我国目前有三套失业统计系统或统计目标：一是城镇登记失业率。其定义为城镇登记失业人数同城镇从业人数与城镇登记失业人数之比。其中，城镇登记失业人员是指有非农业户口，在一定的劳动年龄内，有劳动能力，无业而要求就业，并在当地就业服务机构进行求职登记的人员。二是城镇调查失业率。这项统计中的失业定义为："年龄在 16 周岁以上，有劳动能力，在调查周内未从事有收入劳动，当前有就业可能并以某种方式正在寻找工作的人员"。该定义的核心是"正在寻找工作"，而去劳动就业部门登记的只是寻找工作的一种方式，因而调查失业率范围更广泛，它完全是从市场经济的客观要求和我国的实际情况出发制定的。三是不充分就业率。它比前二者的内涵更宽泛些，严格地讲城镇登记失业率是一点工作也不做的人，而不充分就业率统计的是，一周时间之内，劳动者的劳动时间不足本国法定工作时间一半的人。根据这个标准，全球不充分就业率是 33% 左右。我国一周法定时间是 40 个小时，若不到 20 个小时就是不充分就业者，中国的不充分就业率是 31%。

　　按照国际惯例，上述三种失业率的统计方法是可以同时进行的，它们相互补充。登记失业率反映的是政府目前最需要解决失业问题的重点对象是哪些，进而把握帮助解决的就业规模大小。城镇调查失业率反映的是城镇劳动力市场的全面供求情况，以便为判断失业发展趋势和控制失业提供依据。不充分就业率涵盖着部分劳动者的隐性失业，为科学评判市场机制未能有效运行和失业的真实严重程度提供测试指标。

3．失业的类型

失业的产生和失业规模的大小，往往是由许多因素共同决定的，劳动力市场本身在正常运行过程中会带来失业，劳动力市场运行的不完善会加剧失业。在完全由市场机制支配劳动力资源的情况下，失业为显性，有时其他因素干扰市场机制作用的情况下，失业可能转为隐性。劳动力常见的失业类型主要有以下四种：

第一，摩擦性失业。在现代经济社会中，即便劳动力供求处在均衡状态，劳动力在进入市场后往往要经历一个寻找期，进行比较选择而暂时处于失业状态中，这种失业称之为摩擦性失业。在劳动力市场上，劳动力所有者往往缺乏就业机会的知识和信息，或缺乏迅速移动必须具有的先决条件；中学和大学毕业生获得第一个工作或职位，存在时间滞差；求职者与拥有职位空缺的雇主之间相互寻找和洽谈需要时间等，这些都是摩擦性失业的实例。也就是说，摩擦性失业不是由劳动需求长期不足造成的，而是由劳动力市场的动态属性和流动选择机制引起的，一般历时较短，属于正常性失业。它是竞争性劳动力市场的一个自然特征，它的存在以及失业水平的高低，是由信息服务水平，失业者寻职速度以及求职者对新职业的适应状况所决定。

第二，结构性失业。结构性失业是指劳动力市场的供给结构与需求结构不相一致而形成的失业。其产生的主要原因：一是由技术进步引起的。技术进步和市场竞争会使一些行业或部门兴起或扩张，另一些行业或部门衰退或收缩，从而引起劳动力资源在不同产业间的重新配置。但由于衰退或收缩的产业和部门劳动力不能及时适应新兴或扩展产业和部门的雇佣标准，从而造成了失业。二是由于地区经济发展不平衡引起的。产业结构的调整必然带来地区经济结构的变化，经济发达地区和新兴产业集中的地区劳动力需求趋于上升，甚至需要从外地流入不同层次的劳动力资源，经济欠发达地区和某些衰退产业较集中的地区劳动力需求下降，一些老工业基地一度时期内失业率甚至高于新兴地区。三是劳动力供给结构发生变动引起的。劳动力人口结构的变化会使某一时期、某一类型的劳动力供给增多，形成结构性失业。我国现有人口 12.6 亿，若人口自然增长率按 1.1% 计算，劳动力人数占人口总量的比例按 50% 计算，则每年新增劳动力 700 万。由于"十五"期间为劳动力适龄人口增长高峰期，实际上城乡每年可能会有 1000 多万新成长劳动力正在进入劳动力市场，部分人找不到工作将是不可避免的。和摩擦性失业不同的是，结构性失业一般持续期较长，因为失业者适应空缺岗位所要求的技能需要有一个学习和训练的滞后期，所以，一方面是失业者找不到工作，另一方面职位空缺找不到适合者，这是结构性失业中存在的一般现象。

第三，季节性失业。由于季节变动而导致的劳动者就业岗位的丧失称为季节性失业。例如气候的变化导致一些行业或部门的产品生产和销售产生旺季和淡季，如农业、建筑业、旅游业等，旺季形成对劳动力需求的高峰，淡季则形成对劳动力需求的低谷。季节性失业不是均匀地分布在一年内，导致季节工人就业时有收入，失业时无收入，影响了生活水平，也影响了劳动力资源的有效充分利用。

第四，周期性失业。周期性失业是指由于周期或经济波动引起劳动力市场供需失衡所造成的失业。周期性失业又称为有效需要不足失业，这是因为资本主义生产方式下的生产力越发展，就越和消费关系的狭隘基础发生冲突，即对抗性的分配关系使社会上大多数人的消费能力缩小，追求积累和利润的欲望又使资本家的消费力受到限制，进而构成整个社会的有效需求不足。在经济周期的危机或衰退时期，有效需求的不足和其他相关因素造成生产相对过剩，商品卖不出去、生产缩减、企业倒闭。在劳动力供给不变的情况下，必然引起对劳动力需求的下降、失业大幅度上升。为此，凯恩斯学派认为可以通过扩大需求的方法克服周期性失业，然而危机期间往往是消费需求和投资需求不足，因此只有采用扩大政府购买的财政政策才能刺激需求，扩大就业。

三、失业的社会后果

由于我国处于经济体制改革攻坚期和经济结构战略性调整期，所以不可避免地带来一定数量的体制性、结构性失业，以及我国二元经济结构所造成的数以亿计的农村剩余劳动力亟需就业。我们要建立起社会主义市场经济体制和现代企业制度，不可避免地要经历这样一个历史过程。但同时也要看到，失业人口的存在也带来了严重的社会经济问题，具体表现在以下几个方面：

1. 失业人口的存在意味着劳动力资源没有得到充分利用。从宏观角度分析，相对过剩人口是社会人力资源存量的巨大浪费，劳动力不能投入到生产过程中去，就不能发挥出创造价值和剩余价值源泉的作用，不能为社会提供更多的物质产品和各种服务，阻碍了经济增长和社会发展。而且劳动力资源不同于其他资源的一个显著特点是它的时效性，人的生命周期是有限的，随着时间的推移会逐渐丧失，还要有维持劳动者生存的成本费用。因此，劳动力资源的浪费不仅是当前劳动的浪费，而且还是积累劳动的浪费。

2. 失业人口的存在降低和影响着国民生产总值。国民生产总值是综合反映一国经济发展水平的指标之一。如果用收入法计算，就是直接把生产和提供服务过程中所发生的工资、薪金、利润、间接税，固定资本消费（折旧费）等全部加总后即得。失业人口的存在，一方面加剧了与在职人员的竞争，使在职人员不得不接受较低的工资或收入提高速度放缓。另一方面失业的劳动者没有收入来源，依靠社会的转移支付维持最低生活水平，同时社会还要为失业者提供各种服务及训练费用。不仅加重了社会负担，还抑制了消费需求和劳动生产率的提高，降低了国民生产总值。据美国战后统计资料表明，失业率每提高 1%，实际国民生产总值就会相对减少 270 亿美元。1999 年我国城镇登记失业率为3.2%，2001 年底上升至 3.6%，2002 年底更上升至 4.0%，2003年的非典疫情，对失业率和国民生产总值的影响已逐渐彰显，不容忽视。

3. 失业人口的存在造成许多社会问题。首先加剧了城乡贫困。城市中产业结构调整升级速度的加快，对劳动者的素质提出了更高的要求，致使一些低素质、高年龄以及高就业期望值的劳动者在劳动力市场竞争中处于劣势，呈现就业困难群体数量急剧增加的趋势，使之成为城市贫困人口中的一部分。城市失业人口的大量存在，又阻碍了农村剩余劳动力向城市的顺利转移，使贫困继续滞留农村，继续成为广大农民的低水平基本生存形态而无法得到释放，使得城乡贫困阶层扩大。其次是对社会安定构成隐患。任何一个国家或地区只有在稳定和相对公平的利益格局基础之上，才能建立起良好的社会秩序和社会环境。在社会保障制度尚未完善起来的情况下，失业问题若长期得不到解决，失业者没有工作，也没有收入，承受着来自家庭和社会两方面的巨大压力，容易在心理上严重失衡，进而成为诸多社会治安问题的高危人群，诱发社会危机，产生社会动荡。

第二节　就业是现代社会追求的永恒目标

人类社会自从进入现代文明以来，失业一直是困扰世界各国政府的难题之一。为了推进经济增长和经济发展，无论是发达国家还是发展中国家，千方百计扩大就业就成为理论研究和实践运作中的共同课题。

一、就业的概念、特征及其影响因素

1. 就业的定义

就业和失业一起相伴而生，是社会发展到一定历史阶段的产物。劳动是人类与动物界相区分的本质特征。劳动是人与自然界发生的一种物质变换过程，人们通过和生产资料结合进行劳动，谋取生存资料。在前资本主义时期，不论哪种社会形态，除了制度属性赋予特定生产关系下生产剩余有不同的归属外，人们还是能和生产资料相结合进行生产的。只是到了商品经济占统治地位的资本主义生产方式下，产生了所有权与劳动相分离，劳动者与生产资料相分离。而劳动力成为商品的独特属性，使人与生产资料相结合进行生产需要有就业作为前提时，就业与失业也就有了

区分的标准。

就业作为一个经济范畴，是指劳动者运用生产资料从事合法社会劳动，创造物质财富或提供劳务，并获得相应的劳动报酬或经营收入，以满足自己及家庭成员的生产需要的经济活动。这一概念包含四个方面的含义：（1）劳动者就业需具有劳动能力，包括劳动权利能力和劳动行为能力；（2）达到法定就业年龄，即年满16周岁。文艺、体育和特种工艺等特殊职业除外；（3）所从事的社会劳动是有报酬或经营收入的职业，而不是义务性或公益性的无偿劳动。此外，接受社会救济但不从事社会劳动的人也不能算在就业之内；（4）这种劳动是得到社会承认的职业并且是合法的劳动。如果将就业落实到每一个劳动者身上，为了使享受再就业优惠政策和相应扶持政策的对象得到准确界定，2003年我国首次把"就业"分为"充分就业"和"不充分就业"。"充分就业"指满负荷工作并且劳动报酬达到当地最低工资标准，而"不充分就业"是指劳动者劳动时间少于法定工作时间，劳动报酬低于当地最低工资标准，同时本人愿意从事更多工作。

20世纪30年代以来，不少发达国家把实现全社会充分就业列为国家经济政策的主要目标，国际劳工组织在其宪章和宣言中也把促进充分就业作为奋斗目标。宏观经济角度上全社会的充分就业可以从两个视角观察，一是从劳动力供求的相互关系看，所谓充分就业是指劳动力供给与劳动力需求处于均衡，国民经济的发展充分地满足劳动者对就业岗位需求的状态；二是从总供给与总需求的相互关系看，充分就业是指总需求增加时，总就业量不再增加的状态。概言之，充分就业是指凡是能够接受市场工资率的人均能实现就业的状态。在动态的市场经济运行中，连续保持总供给与总需求、劳动供给与劳动力需求在总量及结构上的持续均衡是极其困难的事情。因此，全社会充分就业只是一个相对的概念，是一种理想状态的假定概念。当充分就业实现时，并不意味着失业现象的消失，摩擦性失业、周期性失业及其他类型的自然失业与充分就业并行不悖。国际上较为通用的标准，如失业率保持在4%－5%，即被视为达到充分就业状态。

2. 就业的基本特征

就业内容和方式在不同国家或地区是不尽相同的，但其基本特征表现出的共性则是大体一致的。主要表现在以下几个方面：

一是经济性和社会性。经济性是就业的第一显著特征，就业作为民生之本，是劳动者谋生的主要手段，获得的经济报酬和经营收入是实现劳动力再生产的重要保障，也是改善劳动者个人及家庭物质生活和精神生活的主要经济来源。从宏观经济层面看，促进就业是一个国家实行的长期战略和政策，是宏观调控的主要目标之一。社会性是指就业本身就是一种社会活动。劳动者与生产资料的相互配置和相互作用的过程是离不开社会的，社会经济发展的生产力水平和与之相适应的生产关系性质，影响和制约着就业的规模和形式，影响着劳动者和生产资料的数量和质量，也影响着劳动者与生产资料相结合的方式和水平。我国现阶段公有制为主体，多种所有制并存的基本经济制度，决定了就业的目的是民富国强。

二是流动性和计划性。劳动力流动是市场体制下就业的又一个明显特征。发达国家的实践表明，生产力和市场经济越发展，劳动力的流动越加快。这种流动包括劳动力从低效益的产业部门流向高效益的产业部门，从经济不发达地区转移到经济较发达地区，从一种经济所有制企业变动到另一种所有制企业。并且劳动者不再局限在一种岗位上。劳动者在一生中变换若干个工作岗位，从新职业的最低层重新开始正在成为一种常规。变动工作并不意味生活没有活力，它能促使人另辟新径，要求人必须全面发展，以适应产业结构调整和劳动者自身素质提高的岗位变动要求。计划性是指就业即使在市场经济体制下也不是单纯的市场行为，它仍然具有很强的比例协调特征。这是因为就业的计划性，一方面基于对丰富的人力资源进行合理配置的需要，另一方面它和宏观经济变量之间存在着相互依存相互制约的密切联系。据对我国 1978—1997 年相关数据测算，对就业带来间接影响的进出口顺差每增加 1 亿，第二、三产业从业人员大约可增加 0.266 万，财政政策和外资投入以及政府消费等变动也会对就业产生影响。这就需要根据国民经济发展的状况来制定全社会的就业计划，实施对全社会就业的宏观调控。特别是近二十年中国就业战略目标的确定，更是需要未雨绸缪、及时规划。

3. 影响就业的主要因素

就业历来是各国政府和人民群众十分关注的问题，同时又是交织着各种复杂因素的社会和经济问题，它涉及社会中的经济、政治、人口、文化、心理、观念和政策等不同方面。下面只就影响就业的主要因素作些探讨。

第一，劳动力资源因素。

劳动力资源是影响就业的直接因素，其数量和质量的变化将直接影响到就业率水平的高低。和就业密切相关的劳动力资源因素主要包括两个方面，一是建立在人口基数基础上的总人口就业率，这个指标在一定程度上可以说明就业的压力。另一是建立在人口质量基数上的劳动适龄人口就业率，这个指标可以说明一个国家现实的就业程度。

总人口就业率，是指全部就业人口占总人口的比例，用公式表示为：总人口就业率＝全部就业人口/全部人口。总人口就业率主要取决于两个因素：一是人口的年龄结构。在不同的国家和地区，如果人口年龄结构相同，那么劳动力培训或受教育的期间较长，人口的科学文化素质和劳动生产率较高的国家或地区，总人口的就业率一般就偏低，反之则高。在同一个国家和地区，如果年龄结构发生变动，总人口就业率也会发生相应变动。以我国为例，建国以来的就业人口增长速度一直高于总人口的增长速度。上个世纪80年代西欧各国的就业率大多低于60%，而我国劳动力人口就业率始终维持在85%以上，其中一个重要原因就是人口年龄结构由年轻化向成年化过渡，致使就业人口比重上升，总人口就业率不断提高。二是经济发展水平。在人口总数相等的不同国家和地区，如果经济发展水平大体相同，那么人口增长速度缓慢、劳动适龄人口比重高的国家和地区，总人口的就业率一般较高，反之则低。

劳动适龄人口就业率，是指全部就业人口占劳动适龄人口的比例，用公式表示为：劳动适龄人口就业率＝全部就业人口/全部劳动适龄人口。劳动适龄人口就业率也取决于两个因素：一是国家的经济发展水平。一国的科技进步和经济发展水平高，对劳动适龄人口的素质和雇佣标准就高，两者能否适应是衡量就业人口可否以较高的劳动生产率促进国民经济发展的重要标志。二是教育事业的发达程度。教育是培养人才的摇篮，为了适应快速发展的国民经济对劳动力再生产的更高要求，劳动适龄人口中受中等教育或高等教育的比例迅速上升，使就业时间大大推后，就业速度得到延缓，因此发达国家和地区的劳动适龄人口就业率一般偏低。而在发展中国家，经济发展和教育事业相对落后，对劳动者的文化技术素质及学生入学率普遍较低，往往使得大量青少年人口过早就业，提高了劳动适龄人口的就业率。

第二，经济因素。

经济因素是影响就业的决定性因素，它包括经济结构、经济环境、经济周期以及经济增长方式等，都会对就业产生不同的影响。这里着重从经济增长和经济发展的角度进行探讨。

经济增长是指国民收入或人均国民收入或国民生产总值的提高。经济增长快慢是影响就业状况的一个最重要的因素。经济理论研究表明，失业率与实际经济增长率之间存在负相关关系。经济增长速度快，劳动力需求量相对较大，就业水平较高，失业率就低；经济增长速度慢，劳动力需求相对较少，就业水平就低，失业率就高。在我国，经济增长速度每增加 1 个百分点，大约可以新增 400 万个就业岗位。实践证明，对于一个发展中国家来说，就业不仅取决于经济增长，而且还取决于经济发展。经济发展不仅包括人均收入的提高，还包括这个国家经济、政治体制、文化法律、自然环境和结构变化状况等的综合表现。经济发展对扩张劳动力的就业容量有推动作用，劳动力的就业容量是指某个阶段整个社会能够容纳的劳动力人口数量。在现阶段、经济发展对缓解就业压力的意义尤为明显。从长期看，经济发展是一个渐进的，连续的过程，它所涉及的资源开发、环境保护、生产领域扩大、生活质量提高引起包括服务咨询在内的第三产业部门的拓展，都会使劳动力的就业容量大大扩张，开辟和增加更多的就业岗位。

经济增长和就业增长之间存在一种弹性关系，考察这一关系的任务就可以转化为这一弹性的求解。就业弹性是指经济增长对劳动力的吸纳能力。假定产值增长率为 a，就业增长率为 b，就业弹性系数为 k，那么就业弹性系数可以用数字公式表达如下：

$$k = b/a = 就业增长率/产值增长率$$

通常情况下，就业弹性系数在0与1之间变动，即$0 < k < 1$。当k越接近1时，就业弹性系数越大，该经济体系吸收劳动力的能力越强；当k越接近0时，就业弹性系数越小，该经济体系吸收劳动力的能力越弱。因此，解决劳动就业问题的重点不仅仅是调整产业结构，还应该努力提高就业弹性系数，使得每一个经济增长百分点的就业容量有所上升。

第三，社会保障因素。

社会保障是一种影响就业的社会因素，组成社会保障体系的社会救助、社会保险、社会福利、社会优抚等在不同程度上影响着人们的就业观念和就业选择。例如，公有制和非公有制之间的保障差距，使一些职工一直怀有对国有企业及政府的强烈保障预期，不愿意流出国有企业，或者在进入非公有制经济部门时，必须面对巨大的保障风险和不愿意放弃对原有企业的祈盼、依赖和等待，也影响了非公有制经济对下岗人员的吸纳。此外，社会保险中的失业保险标准过高会导致自愿不就业，这在一些西方高福利国家就出现过这方面的消极影响，已经引起当地政府的注意，并逐步采取切实措施消除其不良后果所带来的负作用。

二、西方就业理论的研究和发展

市场经济是在生产社会化和社会分工发展以及由劳动者对物的依赖关系代替了人身依附关系的历史条件下出现的。作为与自给自足经济和产品经济相区别的市场经济形式，已成为一种国际现象，它也是数百年来全人类共同创造的一种比较成熟的制度。就业与失业是市场经济的伴生现象，长期实行市场经济的国家都对它们进行了广泛而又深入地研究，其中就业理论与政策的研究得到了长足的发展。

1.凯恩斯的就业理论

凯恩斯的就业理论主要体现在他于 1936 年出版的《就业利息和货币通论》一书中。在该书中，凯恩斯把实现"充分就业"作为当时主要的社会目标。但"充分就业"的理想状态并非意味着失业的完全消除，而是只要消除了"非自愿失业"就可以达到。"非自愿失业"产生的原因是社会需求的有效不足，有效需求是指商品的总供给价格和总需求价格达到均衡状态时的社会总需求，还是指国民收入中投资与储蓄达到均衡状态时的总需求。凯恩斯用边际消费倾向递减、资本边际效率递减及流动偏好三个基本心理规律对有效需求不足作了解释。并进一步提出在有效需求不足的情况下，决不能像古典学派那样排斥国家干预，仅仅依靠市场机制本身的自发调节作用来解决，主张必须通过政府干预采用宏观经济政策来提高社会消费倾向，并刺激投资需求，使国民收入均衡在充分就业点实现。这就是凯恩斯的非均衡就业理论，通常又被称之为有效需求不足就业理论。

2.新古典宏观经济学派就业理论

20 世纪 60 年代末以来，以货币学派、供给学派、理性预期学派一起形成的新古典宏观经济学派的经济理论一度流行起来，并对制定经济政策起着重要的作用，从而也使就业理论有了新的发展。(1) 货币学派的就业观点：由美国经济学家米尔顿·弗里德曼教授创立的货币学派认为，货币收入对名义收入变动起决定作用，在短期中，货币供给量可以影响就业、实际国民收入等实际变量，但在长期中，货币数量主要影响价格等以货币表示的量，而对就业量等实际变量并不产生影响。因此，主张政府的作用在于建立自由市场经济运行的规则，而不是具体参与市场运作。应让金融当局按大约等于经济的实际增长率来使货币供应量的增长率保持稳定，这样，就业问题将在正常的经济环境中得到解决。(2) 供给学派的就业观点：供给学派认为，由于投资者缺乏投资积极性、劳动者缺乏工作积极性，导致较低的生产率，因此是供给不足而不是需求不足。供给不足的主要原因是税率过高，边际税率过高不仅影响投资，制约税收的增加，导致财政收入增长缺乏后劲，而且也影响劳动力的供给，降低人们的工作积极性，人们可能少工作或不工作，最终减少就业量。因此必须运用财政政策，特别是大幅度减税政策增加产量和增加就业。供给学派的观点在西方国家特别是里根当选美国总统后曾作为政府政策指导的主要理论依据。(3) 理性预期学派的就业观点：所谓理性预期是指经济当事人为避免损失和谋取最大利益，将设法利用一切可获得的信息对未来变量的变动作出的尽可能准确的预测。上述理性预期所引出的行为结果一般与预期的结果是一致的。理性预期学派就业观点的主要特征是，承认劳动力市场的不完全竞争性，认为人们可以理性预期实际工资水平，因而否认工资对失业的调节作用，认为是由就业人数或实际提供的劳动数量的变动来调节劳动力市场的，因为人们是根据自己的预期提供劳动的，因此提出政府的不干预政策。

3. 西方就业理论的最新发展

西方就业理论的最新发展是被人们称之为的新凯恩斯主义，他们的理论基础就是工资与价格的名义黏性与实际黏性，其中影响力较大的是：(1) 效率工资论。他们提出，工人的劳动效率就是一条与工资有关的曲线，工资相对于均衡工资越高，激励机制越有力，效率就越高。为了提高劳动效率，企业愿意把工资定在较高的水平，在这一水平上，劳动力市场上愿意就业的人数就会大于需求水平，从而存在就业。（2）局内局外利益论。他们提出，把失业者称为局外人，已经就业的劳动者称为局内人。就工人而言，由于工会的保护，局内人与雇主签订合同而不会顾及局外人，工资形成的实际黏性而不可能降低。就工厂主而言，企业解雇内部人需要支付解雇成本，雇佣局外人又需花费培训成本才能与局内人一样进入生产过程。这样，企业也不愿解雇局内人，使其继续就业并且不降低工资，但局外人的失业依然存在。

虽然西方就业理论在演变的过程中不断有许多新的发展，但西方国家的失业依然还很严重，实现充分就业的目标还有距离，这说明就业理论的研究和实践还将继续进行下去。

三、我国不同经济体制下的就业制度

1. 就业制度的含义和属性

就业制度是指国家、政府亦或其他授权机构制定的，对就业行为主体以及与就业相关的各种行为进行规范的制度总称，或者说是确立劳动力资源配置机制的制度规范的总称。就业制度按制定者和执行者的范围进行划分，可分为宏观就业制度和微观就业制度。宏观就业制度是国家根据特定的经济发展模式、经济运行机制和经济管理体制的需要而确立的劳动力资源配置与劳动力管理体制，并规定劳动力和用工主体的属性以及劳动力的配置方式等。微观就业制度是指在宏观就业制度所规定和许可的范围内，用工主体在具体配置使用劳动力时所制定的劳动力使用制度，如企业内部的用工制度和工资制度等。就业制度按其地位和作用进行划分，可分为主体就业制度和配套就业制度。主体就业制度通常是指国家关于劳动就业方面最主要的指导思想或政策办法，它主要指的是国家在劳动力资源配置方面的政策、措施、办法等，

集中体现在采取何种就业制度模式上。配套就业制度指的是围绕主体制度而制定的处于辅助、补充地位的有关劳动就业方面的政策和措施，它主要包括社会保障制度、职工培训制度等。

就业制度的性质和模式是由特定的经济体制决定的。经济体制是经济管理体制的简称，是社会经济系统的基本框架和基本运行原则的组合。它主要包括所有制关系，经济决策结构和资源配置方式三个基本要素。一个国家经济模式的选择受社会生产力的发展水平和生产关系的性质、以及和社会经济生产活动相联系的经济形式等因素所制约。就业制度作为一个国家就业行为的规范，是经济管理体制的有机组成部分。不同的经济管理体制，必然要求劳动力资源的配置方式，配置机制和管理体制相配套，从而建立起相应的就业制度。因此，就业制度隶属于经济管理体制的性质，它不仅在不同国家和地区具有不同的制度形态，而且在同一国家和地区具有不同制度形态，而且在同一国家的不同历史阶段也会具有不同的制度形态。迄今为止，世界各国的经济体制大体可以概括为三类，即计划经济体制、市场经济体制和计划与市场不同程度相结合的经济体制，这就决定了就业制度也有相应的类型并赋予各自不同的特点。它们在充分利用劳动力资源，有效激活劳动力市场，合理促进劳动力流动，提高劳动力素质等方面发挥重要作用，并对就业产生着深远影响。

2. 单一计划性的就业制度

我国的就业制度伴随着社会经济的发展和改革开放历程发生了相应的变化。从建国初期至中共十一届三中全会召开，这一时期就业制度的根本特征是单一的计划性。也就是说，与高度集中的传统计划经济管理体制相适应，那时实行的是一种政府行政性计划管制的劳保福利型就业制度。政府把就业作为经济计划的有机组成部分纳入计划管制，对劳动者的就业实行统包统配，并把就业作为政府为劳动力提供福利保障的基本途径，对劳动力就业的全过程，包括劳动力的培养、分配、培训、使用、调动、考核、奖惩、辞退、工资、劳动保护和劳动保障等方面进行全面的计划管理。

单一计划性就业体制呈现出的主要特征是：（1）指令性计划配置劳动力资源。在计划经济体制下，公有制经济作为政府行政机构及其职能的延伸，是一种以行政控制为中介的资产所有权和经营权高度重合的所有制关系形式。国家以集权型的决策组织模式管理经济的运行，要求企业严格按照政府劳动部门下达的硬性计划指标招收和录用劳动力就业。劳动力资源配置的主体是国家，企业和劳动者均没有双向选择的权利。（2）"固定工"形式的一次就业终身制。劳动力一旦被政府计划安置就业，"固定工"的形式实际上就等于让政府承担了全部就业的风险。政府在决定劳动者就业岗位的同时，也决定了劳动者的收入标准、收入水平和收入升级方式，其社会福利与社会保障也由财政部门统一拨款处理。劳动力就业不存在竞争，劳动力价格也不体现劳动力供求关系与劳动生产效率的高低。（3）严格限制劳动力的自由流动。在计划管理体制下，社会再生产各个环节的所有资源配置，都必须通过国家指令性计划进行，不经过计划允许的包括劳动力在内的资源流动，是不允许的和被禁止的。不同所有制之间的劳动力流动是极其困难的，同一公有制经济内部劳动力可以由计划调配实现转移。长期以来，为了重点发展城镇工业体系，城镇劳动力价格比农村劳动力高，在比较利益的驱动下，农村劳动力必然要向城镇转移。在这种情况下，政府把全社会人口分为"农业人口"和"非农业人口"两类，实行严格的以农村居民和城镇居民划分为基本特征的户籍管理制度，通过城乡分割的就业管理体制来阻隔农村劳动力与城镇劳动力的自由流动，而把劳动力的流动配置全部集中在政府。

传统计划经济管理体制下的就业制度在特定的历史条件下，对于促进经济建设、加快工业化进程、扩大劳动就业，保持社会稳定发挥过积极作用。但随着社会主义现代化建设的深入，其弊端也日益显露。单一计划性的就业模式妨碍了劳动生产率和经济效益的提高，不利于国民经济的发展和社会充分就业的实现，同时掩盖了隐蔽性失业问题，事实证明，改革这种就业制度势在必行。

3. 市场化就业机制

我国的就业制度变革源于经济体制改革，随着社会主义市场经济体制的逐步确立和不断完善，传统的就业制度实施了市场化改革取向。其标志是1980年的全国劳动工作会议上，制定的"在国家统筹规划和指导下，实行劳动部门介绍就业、自愿组织起来就业和自谋职业相结合"新的就业方针，废除统包统配的用工制度，实行市场化的自由选择、竞争上岗和合同化的用工制度、放开对使用城市和农村劳动的限制，拓宽就业渠道和形式等，沿着单一计划型的运行模式转换为计划与市场相结合的双轨运行模式，进而转换为市场调节和政府调控相结合的就业运行模式，不断推进就业制度改革的市场化进程。

社会主义市场经济体制下的就业制度，是体现社会主义性质的按照市场规则建立起来的就业制度。其基本要点是：（1）拥有决策权。就劳动者来说应有自主进行劳动决策的权利，即劳动者拥有自由支配自己是否劳动的权利，由此形成劳动者具有择业，自由流动及在业余时间从事其他职业的权利，从而使劳动者成为劳动力市场的主体。就企业来说，作为市场经济的微观经济主体，都是自主和平等的，按照市场规则和体制规范从事生产经营活动。理应拥有劳动用工的决策权，自主地在劳动力市场上选择劳动力以及对本企业的劳动力的配置和使用等作出决定。(2) 由市场供求关系决定。劳动者要使自己的劳动力能与生产资料相结合，从事产品生产，必须将自己的劳动力通过劳动力市场，在市场中通过平等竞争和供求双方的双向选择，实现劳动者的就业，也就是按由劳动力市场用工主体和就业主体双方自由组合决定的就业机制来运行。(3) 完善的就业保障制度。完善的就业保障制度是社会主义市场经济条件下就业机制的重要组成部分，它体现了体制改革和经济发展的客观要求，是保证劳动力实现自由、合理流动和扩大就业的前提。公有制经济实现劳动力资源的优化配置，劳动者具有企业雇员和国有资产共同所有者的双重性，决定了劳动者一旦失业，国家应为其提供失业保险，这是生产资料公有制优越性的内在要求。同时政府的重要职责还应将就业保障覆盖全社会，以满足社会成员对生存的需要。

第三节　构建我国市场化的就业机制与失业调节管理体系

对于正处于经济体制转轨时期和经济增长方式转变时期的中国来说，转轨所带来的隐性失业显性化和结构调整所带来的失业矛盾日益彰显。强化对就业工作重要性的认识，提高失业治理水平，进而构建适应社会主义市场经济运行的就业机制与失业调节管理体系，已成为中国政府刻不容缓的重任。

一、建立符合市场规则的新型就业机制

1. 加快劳动力市场建设

政府的目标是建立和完善市场经济体制下的劳动力市场就业制度。中国劳动就业制度的转型，是按照两个改革战略推进的，一是在传统的计划就业部门例如国有企业中逐步引入市场就业机制，使其逐渐地转化为市场引导型的就业；二是在传统计划就业体制外发展新型的市场主导就业部门，以创造更加充分的竞争环境。无论哪一种战略推进，都是劳动力要素的重新配置过程，这就需要首先建立起一个能够促使劳动力合理流动的劳动力市场。

在建立生产资料市场的同时，只有相应地建立促使人才和劳动力流动的劳动力市场，才能实现生产要素的最佳结合。劳动力的合理流动既是社会化大生产的要求，也是社会主义生产关系的要求。从劳动者方面来看，他们作为社会的主人有权根据自己的条件选择适宜的职业；从企业方面看，它们也有权选择在数量上和素质上与本企业工种和规模相适应的劳动者；从社会方面看，允许劳动力的合理流动，形成用人单位和劳动者双方选择，并在国家有关法律规范下，逐步实现企业自主用人、个人选择职业，有进有出的就业机制。才能实现社会活劳动的有效使用和劳动力要素的高效率配置。据了解，我国已经从 2001 年 12 月 1 日起允许外资进入职业中介市场，劳动力市场的对外开放已是入世后发展的必然。同时，只有加速培育和发展劳动力市场，尽快确定劳动力市场的竞争主体，建立劳动力市场的运行机制和竞争秩序，健全劳动力市场的服务体系和社会保障制度，才有可能在中国劳动力供大于求的矛盾长期存在的大背景下扩大就业机会，减轻失业威胁。

2. 促进就业应作为社会经济发展的优先目标

1995 年世界社会发展首脑会议上的《哥本哈根宣言》提出，各国政府应该实行"能够最大限度地促进创造就业机会的经济增长模式"，并承诺应将促进充分就业的目标作为经济和社会政策的一个基本优先目标。它表明促进就业的政策应成为各国政府经济决策中的重要原则。就业政策是一种用来解决就业问题（失业问题）的政府行为，它包括政府用于管理和干预劳动力市场的立法、行政、强制、引导等非市场方法。其目的是通过对劳动力市场运行机制的一定的干预、减少就业波动，通过一系列其他社会和经济措施来弥补劳动力市场的不足，确保社会的稳定。

2003 年 10 月召开的十六届三中全会明确提出，我国要把扩大就业放在经济社会发展更加突出的位置，实施积极的就业政策，努力改善创业和就业环境。其基本方针是劳动者自主择业、市场调节就业和政府促进就业三者结合。从扩大就业再就业的要求出发，在产业类型上，注重发展劳动密集型产业，在企业规模上，注重扶持中小企业；在经济类型上，注重发展非公有制形式；在就业方式上，注重采用灵活多样的形式。扩大就业是中国的一项基本国策，也是政府的根本任务，其具体措施包括：创造更多的就业岗位，力争社会的低失业率，促进充分就业的实现；构筑统一、高效的劳动力市场，对所有的求职者平等地提供包括职业介绍、技能培训等在内的必要的服务；采取一系列积极的劳动力市场政策调节劳动力需求；在就业服务过程中扶助劳动力市场上条件较差的社会成员就业，消除性别、年龄、残疾上的歧视；通过立法和监督，维护就业竞争的公平性，保护劳动者的合法权益；通过与社会保障制度的协调保证失业的社会成员的生活；运用经济政策和社会政策鼓励创造更多的就业机会，改善劳动力市场和提供更好的就业服务等。

3. 降低劳动参与率，提倡灵活多样的就业方式

劳动参与率有广义和狭义之分，广义的劳动参与率有两种表达方式：一是总人口的劳动参与率；二是经济活动人口与劳动年龄人口的比率。狭义的劳动参与率是指就业人口实际提供的工作时数与就业人口法定工作小时数的比率，即按工作小时计算的劳动参与率。为了缓解中国的就业压力，除了在进一步扩大劳动需求方面做好工作以外，在劳动力供给方面——劳动参与率方面做一些适当的调整仍不失为一条有效的途径，其基本做法有以下几点：(1) 加快教育事业发展。适应我国国民经济发展对教育事业特别是高等教育和继续教育的迫切需要，扩大教育供给规模，刺激教育消费需求，达到全面提高劳动者素质和调整劳动参与率的目的。(2) 强化劳动就业管理。一是在全国范围内有计划有步骤地实施劳动预备制度，即对新生劳动力就业前追加 1—3 年就业培训和相关教育，使其掌握一定的就业技能后再进入就业岗位，同时也推迟或降低了青年人口的劳动参与率；二是严格实行超过规定劳动年龄的正规部门就业人员的退休制度。(3) 普遍实施劳动就业资格证制度。对就业者按照不同行业的特点，规定各行业的最短培训期，取得就业资格证书后方具有就业资格；吸纳就业人员的单位，应将就业资格作为招收员工的必备条件，吸收不具备资格人员的单位应受到经济制裁。

为了增加就业岗位、拓展就业空间，我国和许多国家一样，通过制定扶植政策，鼓励劳动者自主创业、自谋职业，引导城市失业人员和下岗职工创办小企业，或者去小企业就业。鼓励海外留学人员和大学毕业生创办各类企业。2003 年以来，上海平均每天新增一家海外留学人员创办的企业，目前已超过 2100 家，总投资额近 4 亿美元，吸纳了就业人员。此外，还应改变传统的

就业方式，提倡灵活多样的就业方式，它往往和狭义的劳动参与率紧密相连。近年来出现比较多的形式有：（1）非正规就业。非正规就业是相对于正规就业而言的，是指未签订劳动合同，无法建立或暂无条件建立稳定劳动关系的一种就业形式。社区服务中的临时性和非固定性的工作岗位，大多属于非正规就业范畴。这种就业方式由于劳动合同和保险问题存在的特殊性，必须给予必要的关注和保障。（2）非全日制用工。非全日制用工是相对于全日制用工而言的，是指以小时计酬、劳动者在同一用人单位平均每日工作时间不超过5小时，累计每周工作时间不超过30小时的用工形式。我国规定，用人单位支付非全日制劳动者的小时工资不得低于当地政府颁布的小时最低工资标准，使"小时工"就业有了保障。（3）人才派遣新型就业。这是2003年刚刚产生的一种新型用工方式。所谓人才派遣，是指用人单位通过人才中介机构选聘急需的人才，并通过该机构为所聘人才发放薪酬以及代办养老保险、档案托管等人事代理业务的一种"人才共享"的用人方式，它的特征是用人不养人，用人单位与被聘人才不存在隶属关系。人才派遣特殊的用工方式促成了用人单位、派遣单位、被聘人才"三赢"的局面，目前越来越多的受到欢迎并在人才市场上流行起来。

二、建立有效的失业治理调控体系

就业与失业是一对孪生兄弟，失业是就业的反面，我们在坚持就业制度市场化改革取向的同时，也就在着力治理着某些方面的失业问题。然而失业毕竟是现代社会存在的一个重大的经济和社会问题，构建有效的失业治理调控体系是市场经济发展的客观要求。这里侧重探讨我国现阶段失业预警、失业保险和社会保障有关方面改革的基本思路和措施。

1. 确定我国失业率的警戒线

所谓失业率的警戒线，应该是一个国家在一定的条件下可以承受的最高失业率。国家必须把失业率保持在警戒线以内。失业率的警戒线主要是由三个因素决定的：一是经济上的承受力，即取决于失业者自己的财富的多少和社会保障的程度；二是精神上的承受力，即失业者受到的经济上的损失、社会地位和名誉上的损失及社会舆论的压力，致使精神上能否承受的程度；三是国家政治上的承受力，即指国家是否有能力保持政治上的稳定，以应对来自失业者对政府某些政策的批评和施加压力的承受程度。

目前，国际社会没有统一的失业率警戒线，但有一个公认的衡量失业状况的标准：4%以下为低失业国家；4%－7.5%为中等失业国家；7.5%－10%为高失业国家；10%以上为严重失业。这实际上是把10%的失业率作为警戒线。但事实上，不少西方发达国家经常出现超过10%的失业率，而政治上并没有出现不稳定的情况。因此，这些国家的失业率警戒线实际上在12%－15%左右。

我国要确定失业警戒线，必须从我国的国情出发。目前，如果按照国际社会的标准来衡量，我国的失业情况是相当严重的。应该注意到，尽管我国在政治上是稳定的，但居民在物质上和精神上对失业的承受力很低，社会保险能力也很低。所以，警戒线的位置不能定得过高，城镇最高的实际失业率一般不应高于8%，这就是说，我国现阶段的最高失业率应当低于国际社会的平均水平。

2. 解决失业风险应采取综合政策措施

第一，完善失业保险与居民最低生活保障。失业保险制度作为一种重要的社会安全制度，是兼有社会救济性质和社会管理性质的一种制度。失业保险的核心是社会建立失业保险基金，分散失业这一劳动风险，使暂时处于失业状态的劳动者的生活获得基本保障。当前的政策重点应该是扩大失业保险覆盖面，加强服务保障系统建设，拓宽失业保险基金筹资渠道，调整失业保险的支出结构。确保国有企业下岗职工基本生活费和企业离退休人员基本养老金按时足月发放，逐步完善国有企业下岗职工基本生活保障制度，失业保险制度和城市居民最低生活保障制度。

第二，贯彻积极的财政政策，增加就业资金投入和政府的反失业财政开支。具体措施是：一要加大中央转移支付力度。中央财政转换支付用于保障下岗职工基本生活的资金，应逐步随下岗职工并轨转入失业的状况，重点转向用于下岗失业人员的再就业工作。二要增加地方财政的就业投入，建立促进就业基金。地方政府应根据当地的并轨形势和劳动力市场状况，调整财政支出结构，每年财政收入增长相当比例应投入促进就业工作，并通过筹集社会资金，建立促进就业基金。此外，在就业压力增大的情况下，可以在国债资金使用和项目审批方面向能够解决就业的，市场前景广阔的第三产业倾斜，从而把扩大投资带动经济增长和缓解就业压力结合起来。三要增加政府的反失业财政开支，主要是调整各级财政支出结构，提高社会保障支出比重；确定合理的社会保险缴险率，控制非工资性的人工成本上升过快；社会成员既有享受失业保险待遇的权利，又有参与发展失业保险事业的义务，社会保险基金来源渠道应呈现政府财政和各经济单位与社会成员的多元化格局，2001 年底，全国参加失业保险人数 1.04 亿人，领取失业保险金的人数由 1998 年底的 583 人增加到 2001 年底的 312 万人，四年累计提供失业保险待遇 270 多亿元，并向再就业服务中心调剂 150 亿元。

此外，还可以通过政府直接创造就业岗位，发展第三产业和社区就业，实行减税或补贴政策刺激企业雇人，发展非农产业和非公有制企业，为吸纳更多的农业剩余劳动力和城镇下岗职工创造条件等政策措施，解决失业问题。

3．建立和完善失业统计制度和失业监测预警系统

面对劳动力市场的发展和我国复杂的就业局面，现有的制度和基础工作已经有些不能适应科学化的政府决策需要，亟待加强。一要开展并建立起对政府投入的资金进行相对中立的政策实施评估系统；二是建立以调查统计为基础，能全面反映失业者及其家庭基本状况的，以适应市场经济需要的失业统计制度和工作体系；三是建立就业与失业的监测预警系统，包括农村劳动力流动的监测体系、失业预警系统和失业保险收入预测，促使其更加科学化和实用化。

第八章 劳动成果分配

劳动成果的分配是人们普遍关注的社会经济活动和社会生活的重要因素。对劳动者来说，通过劳动成果的分配获取收入来源维持个人和家庭的生活水平；对企业来说，劳动成果分配不仅影响企业的利润增减，还关系到能否最大限度地调动员工的劳动积极性；对政府来说，劳动成果分配直接影响到国民经济的正常运转和社会的稳定，以及就业、价格和国民收入的创造，等等。从经济理论上来说，劳动成果分配是社会生产总过程的一部分，是联接劳动与消费的不可缺少的中介，是生产关系的重要内容。

第一节 公平与效率是分配的基本问题

公平与效率是分配的基本问题。我们看到，国民收入的形成原因与分配原因是不完全对称的，资本与劳动要为使用土地付出代价。不仅因为它稀缺，而且因为它有用。在劳动与资本之间，经理与一般雇员之间，同样也存在一个分配天平的斜向性问题。由于分配直接关系到劳动者的生活水平与地位尊卑，联系着每个人的快乐与痛苦。因而，分配在公平与效率之间的选择及其分配政策的制定对于企业和政府来说总是一个重大的问题。如美国学者 A. 奥肯所说："平等和效率之间的冲突是我们最大的社会经济选择，它使我们在社会政策的众多方面遇到了麻烦。我们无法既得到市场效率的蛋糕又公平地分享它"。[①]那么，我们如何来解决这对矛盾呢？或者至少是不扩大矛盾，让它按着自应遵循的规律去做？

一、公平的内涵

什么是公平？由于劳动者所处的社会文化背景不同，面临的经济环境与选择的发展目标不一，由此形成了对公平概念及公平与效率关系的极不一致的理解。为了弄清公平的丰富含义直至最后处理好公平与效率的关系，必须对公平概念进行多角度的探讨和定义。

1. 劳动者在多个层面上的公平要求。

现代社会中，由于劳动者交往的广泛性与角色的多样性，使劳动者的公平要求也有了更为丰富的内容。一般可区分为劳动者在社会学、经济学、生物学等多个层面上的公平要求。劳动者是一种具有多方面公平要求的统一体。作为一种生物存在，它是劳动者的其他角色存在的基础。从生物学上讲，劳动者的公平性要求是指他们在获取衣物、食品等维持基本生存需要方面应有的机会平等与合理。这是人类的第一个公平要求。作为社会人，作为一种社会存在，劳动者必须具有在相应社会制度下获取人格、获取相应权利与地位的平等性，亦即要求有人权的平等性。在经济学上，劳动者作为经济活动的主体和归宿，不仅要求有在获取劳动就业、培训学习方面的机会平等，而且要求有劳动结果——分配上的公平性。因而，公平是一个具有相应内在层次结构的概

---

① 萨缪尔森等：《经济学》（第12版），中国发展出版社1992年版，第1247页。

念。不同的民族、不同的劳动者因所处经济发展阶段与社会文化环境的不同，归根到底又是因各自对公平需要的层次不同，而提出各自的公平要求。对于一个经济落后的国家来说，维护国民的生存需要与发展需要，是最基本也是最重要的公平要求。而对于发达国家来说，强调公民在政治学、法学与社会学意义上的公平则可能会显得更有意义。这就是处于不同环境中的人们对公平的理解与要求互有差异的重要原因，也是一些发达国家容易将自己的公平观念强加于落后国家之上而视后者为不公平的重要原因。

2. 按生产能力公平与按需要能力公平。

按生产能力的公平简称为按能力的公平，就是按劳动者、管理者、投资者等生产要素的能力、贡献来获取报酬，结果产生的是"效率"。按需要能力的公平又可简称为按需要的公平，这主要是以劳动者的消费需要为参照基准的人们在收入分配上的平等与合理，也就是一般所说的"公平"。因此，按每个人的需要能力在收入分配上形成的公平与按生产能力、按贡献在收入分配上形成的公平的关系，又往往被人们简称为公平与效率。这样，公平与效率的关系问题，实际上就是在社会经济活动中，究竟是以参与经济活动的各生产要素的贡献为收入分配的公平标准，还是以劳动者的需要能力为分配的公平标准的问题。而公平与效率的关系，实质上又是公平与公平的关系，即是按能力公平还是按需要公平的关系。当社会执行能力公平标准时，收入分配以各生产要素的贡献系数为标准，这样会有利于各要素功能的充分发挥，从而提高资源配置的效率。因而当社会讲求效率时，也是在讲公平，只是在讲能力公平。这样执行的结果就会是能力越大、占有生产手段越多的劳动者会得到更多的收入分配，而能力弱与生产手段缺乏的劳动者则只能得到较低甚至非常低的收入。相反，当一个国家主要从满足国民基本的福利需要考虑时，就会较多地照顾劳动者需要满足的平等性而减少对能力公平的考虑，这也就是人们一般意义上讲的"平等"，历史上的"均贫富"，还有现代福利主义强调的收入分配的公平性，都包含有这方面的含义。

这里我们可以看到，公平与效率的关系问题，讲到底就是劳动者在社会经济活动中执行哪一种公平基准的问题。由于各国的社会经济制度不同，所处的发展阶段与面临的社会经济困难不同，所执行的公平基准也就一定存在差异。就是同一个国家因其社会经济发展的阶段性变化，其采用的公平基准也是有变化的。从经济发展的普遍实践看，初次分配注重"效率"，即初次分配执行生产能力公平基准，按各生产要素的贡献大小进行分配；再分配注重"公平"，即再分配执行需要能力的公平基准，照顾到弱者的生活需要与生存、发展的合理性，分配向"贫困"阶层倾斜，以体现需要满足的公平原则，是一条既有利于充分发挥"能力"，提高效率，又照顾到弱者利益、维护稳定的合理的分配政策。

由此还可以看到，公平与效率实际上应当是发生在人类经济活动的两个环节，即初次分配环节与再分配环节，在两个环节执行各自的"公平"基准。只要这两种公平基准能各自得到较好落实，将既有利于社会经济的有效发展与资源有效配置，又有利于社会的稳定进步。现实社会中，劳动者抱怨不公平主要不是来之于经济范畴内的按要素与能力贡献来获得报酬这方面，而主要是来之于超经济的权力强制所形成的巨大的收入差异，那才是真正的不公平。所以，现实经济运行中需要解决的主要不是按要素贡献获得报酬的不平等，也就是说不是对按效率原则产生收入不平的抱怨，而是需要克服权力寻租等经济外强制所获取巨大收入所造成的不公平性，这才是既妨碍发展，又不利于社会稳定的因素。

3. 公平是一个自然历史过程，还是一个主动的目标。

关于社会主义国家与资本主义国家孰为公平问题的争论历时已近百年。仔细斟酌，发达资本主义国家与社会主义国家在公平问题上确实存在着差异性。发达资本主义国家因其工业化首先发展，要比周边国家的经济水平高些，它们不像落后国家受发达国家的经济夹击与比较而有"追赶"的紧迫性。发达国家其经济发展沿着能力公平的发展轨迹，通过充分提高效率而将国民收入这块蛋糕做大，其国民普遍的福利增进与需要满足上的公平性的实现是随着前一个公平的实现之后自然而逐步地到来的。也就是说，发达国家收入分配的公平化趋向是在经济发达与收入大幅度增长基础上的一种自然历史过程，是能力公平向需要公平的一种自然过渡。而社会主义国家因其大多工业化起步较晚，生产力水平较低，为了社会稳定与满足贫困阶层长期的对"均贫富"的渴望，大多是通过"制度"变革与平分财产的途径来实现一种超经济的公平。这样的收入分配的公平更多地是以基本需要满足为公平基准的，而且其水平也往往较低。因而，资本主义国家的收入分配公平是在国民收入大幅度增长与效率提高基础上的自然历史过程，而社会主义国家则从一开始就注重收入分配的公平性，这是两种社会制度的重大区别。所以，人们说的资本主义讲效率（实际上是讲生产能力公平），社会主义讲公平（实际上是讲需要能力公平），正是从这个角度讲的。由于发达资本主义国家与社会主义国家的工业化背景和产权制度差距甚大，各自执行的公平基准互有差别也正是基于这方面的原因。但从实践中看，一些社会主义国家在实践中混淆了按能力公平与按需要公平的界限，而把一次分配也按需要基准加以公平，那就会妨碍资源的有效配置与劳动生产率的提高，从而妨碍国民收入水平的提高与公平原则的全面实现。

总之，公平是个具有多层次、多角度的概念，是一个动态性、相对性、历史性的概念。弄清上述这几层关系，会有助于对公平这一概念的理解，也是我们掌握好公平原则，在众说纷纭的公平、贫困、效率、福利问题的争论中理出头绪来的一个重要基础。

二、走向公平的途径

由上述分析看到，公平是个具有多层次含义的概念。站在不同角度，处于不同经济社会环境中的劳动者，对公平的要求与理解都是不尽一致的。那么，怎样在公平与效率之间作出选择？能否既有效率地生产这个"蛋糕"，又公平地分配它呢？我们来作一些粗浅的分析。

1. 从注重效率走向公平

现在对公平问题的讨论，总是离不开穷人与富人之间的对比，并要在他们之间找出原因来，因为现在世界上还有许多穷人。财富与收入上的不平等仍然是现代人最为关心的公平话题。那么，引起贫富差别的原因是什么呢？一般从理论上认为有个人能力差异、家庭背景差异、社会环境差异与观念差异等因素。

一方面，现实世界的贫富差距的存在是不合理的，会不断地向较为合理的分配结果转化。由于社会公平是人类社会文明进步的一个重要条件，追求财富、社会地位等的平等化是人类行为的一个重要趋向。人类社会中只要有不平等状况存在，处于低位次的人们就会努力寻找机会，以克服自己的这种不利的生存处境。

无数次抗争、奋斗与寻找机会的结果是使社会各方的力量趋向均衡，形成一个无限接近平等的结果。因此，人类社会的发展趋向是逐步走向经济、政治、人权等方面的平等化，而不是相反。

另一方面，人类贫富差距的存在有其合理的原因与基础。一定历史条件下的贫富差异相对于那个条件而言总存在着相对合理的成分。然而，对于人类追求公平的愿望而言，存在的又是不合理的，而且存在与肯定的本身就包含着不合理与否定的因素，一定会向新的较为公平的存在过渡。这些是决定劳动者与劳动者之间收入、财富、社会地位关系的基本趋向。而导致贫富差距的诸多因素中，确有许多个人主观努力以外的"非公平"因素，政府对此分别采取措施以减少贫富对立是十分必要的。当然，除了政府措施外，经济自身的发展也会引导到公平结局的出现。

从趋势来看，从能力公平走向需要公平应是一个不移的分配选择。能力公平就是以劳动者的能力与实际贡献为依据进行收入分配，需要公平就是根据劳动者的需要状况来决定的分配。因而，能力公平就是讲求效率的公平，需要公平才是我们一般意义上说的作为与效率对应的公平。那么，人类在这两种公平要求面前应该如何作出选择呢？我们认为，效率（生产能力公平）第一，公平（需要能力公平）第二，或者叫初次分配讲效率，再分配讲公平，并且随着国民财富的积累与生产力水平提高，使分配逐渐地由能力公平向需要公平过渡，应是一个不移的分配选择。

2. 市场与政府是走向公平的双动力

坚持效率原则——按能力的公平原则，在此基础上才主要通过再分配途径来使按需要的公平获得实现。自李嘉图以来，西方经济学对此观点一直谈得很多，并有"涓流效应"的说法，即认为不公平的发展最终会使整个民族乃至全人类得益。只有奋发的人富裕起来，有个模仿效应，人类才会最终走上共同富裕之路。同时，公平又是人类的必由选择，追求效率的结果将使人类无论在经济还是社会地位上都逐渐地变得公平与和谐化。正如亚当·斯密所说，每个人都在为自己的利益奔忙，结果却推动起社会公平的发展。而如果你一开始就刻意地为公众利益去做，也许还达不到这样的效果。斯密关于效率即公平的理解，存在着很深的辩证法。那么，在人类历程中，是什么力量推动着公平的实现呢？一般而言，有两股基本的力量：一是市场，二是政府。

推动公平的第一种力量是人类对公平的必由的选择与追求，这就是市场力量。选择公平不仅由每个劳动者追求私利所推动，而且也由劳动者所有追求满足的愿望所推动。在现实生活中我们可以看到：当有钱人采取更多的休闲时间以节省人生成本而让资本去生钱时，穷人们便获得了更多的以劳力挣钱的就业机会，并且会随着富人财富增多过程中的支付水平上升和富裕之后生命成本的提高而必然使其让出更多的就业机会，而使穷人的收入跟着上涨。富人以钱生钱，穷人以劳力生钱，这样组合的结果是贫富差距逐渐地缩小了。在这里，效率踏上了公平的归途。

政府在维护社会公平中的作用机制是通过维护自身统治利益的要求而形成的。政府为了自身利益而需要维护公平，个人为了自身利益而推动了公平。这仍然是效率（利己）第一、公平（利他）第二原则的一种体现。而政府维护公平的措施则是通过税收、转移支付等形式来完成的。另外，在政府的角度，公平与效率两者亦可以是直接统一的。对于政府来说，维护一个公平的社会格局与机制对于其政权巩固是最有效率的。这亦便是政府往往成为公平的维护者与推行者的重要原因。

效率与公平是一对矛盾。人类经济的列车从效率始发而走向公平的归宿。效率是自利的，却又是向着公平的，并且直接就是公平的。人类通过追求私利与效率，做大蛋糕，使全人类得益，而逐渐走上公益与公平之路。社会公平的逐步实现又将推动着效率的进一步提高与私利的更加满足，效率这辆列车最终会缓缓驶进人人满足与公平共利的终点站。

第二节　工资理论

一、工资的含义

工资，是劳动者凭借劳动力个人所有权，向用人单位或个人让渡了劳动使用权后，通过劳动获取报酬的一种分配形式。

工资与薪金并无本质区别。薪金一般是指对脑力劳动者或机关、事业单位的职工所支付的劳动报酬；工资一般是指体力劳动者或企业工人所支付的劳动报酬；有些学者还以劳动报酬的支付周期来划分，把以月、周、日为时间单位计付的劳动报酬，称为工资；把以年为计付时间单位的劳动报酬称为薪金；把一次性支付的劳动报酬称为酬金。薪金与工资在实质、职能、构成、形成等方面没有差别，只是一种理论上的严格划分，因此，我们把薪金与工资看做一体进行考察。

工资与福利是两个不同的概念。广义的福利包括了工资，根据福利经济学家的理论，一切促进经济发展、人民生活水平的提高都是福利的增加。但是狭义的福利是指用人单位支付给员工的除工资或薪金之外的劳动报酬，例如，社会保险（人寿保险、失业保险、养老保险等），带薪假日、工伤事故补偿、免费午餐、免费交通等。员工福利不是雇主的恩惠，它同工资或薪金一样是员工劳动所得，属于劳动报酬的范畴。但是，它不属于工资，因为工资是按劳付酬，员工之间工资存在差别，而员工福利是根据用人单位工作和员工的需要支付，员工之间福利差别不大；工资是直接的劳动力再生产费用，而员工福利是间接的劳动力生产费用；工资金额与岗位需求和劳动素质相关，而员工福利则与之无关；工资作为人工成本随工作时间的变化而发生变化，员工福利作为人工成本则随人数而非工作时间发生变化，有些福利项目从利润中支付不列入成本；工资具有个别性、稳定性，而员工福利则具有集体性和随机性。

二、工资决定理论

1. 最低工资理论

又指维持生存工资理论，它是指按维持劳动者生计的水平来确定工资的理论。这一理论最初由威廉·配第提出，他把工资与生活资料的价值联系起来，提出了工资是维持工人生活所必需的生活资料的价值的观点。这一见解，后来就成了古典经济学派关于一般工资的理论基础。18 世纪初的法国经济学家魁奈和杜尔哥以及后来的斯密和李嘉图在此基础上有所发展。

这一理论的主要观点是，社会中工人的工资应该等同于或略高于能维持其生存的水平，并从长期来看总是稳定在这一水平上。如果短期内工资提高到维持生存的水平以上，那么，由于工人阶级的人口增长率上升而使劳动供应增加，工资仍会降到维持生存的水平；如果将工资降到维持生存的水平以下，它也不会持续多久，因为劳动力供给会因疾病、营养不良、出生率下降而减少，工资最终又会提高到维持生存的水平，所以工资总是保持在维持劳动者生存的水平。同时，维持生存工资也是必要的，低于这个水平，工人们将无法生存，资本家也失去继续生产财富的人力保证，因此，维持生存工资水平不仅是工人维持生存的基本保障，也是雇主生产经营的必要条件。

一些现代经济学家认为，维持生存的工资理论在当时也许可以得到证实。但是，有些国家的工资水平很难说是在生存线上，此外，它也不能解释为什么在同一国家和地区的工人之间的工资差别。所以，19世纪中期，多数经济学家放弃了这种理论，逐渐被工资基金理论所代替。这里说明一点的是，受维持生存工资理论的启迪，现在许多国家制定并实施了最低工资保障法律，以协调劳资之间的利益冲突。

2．工资基金理论

工资基金理论，是指工资水平取决于劳动力人数与用于购买劳动力的资本之间的比例的理论。该理论的主要代表人物是英国经济学家约翰·斯图亚特·穆勒等。

这一理论的基本观点是，工资水平取决于劳动力人数与用于购买劳动力的资本之间比例的理论。工资基金等于资本中扣除生产资料和利润后的剩余部分，资本总量在一定时期内是固定的，利润也是相对固定不变的，因此，工资基金也是固定不变的。那么，工人人数越多，工资就越低，反之，越高。

工资基金论是为了证明两点：其一，工资决定于劳动力人数和购买劳动力的资本与其他资本之间的关系，即工资决定于资本；其二，用于支付工资的资本成为短期内无法改变的工资基金。工资基金论者认为工会斗争和政府干预提高工资，改善工人生活的企图是无济于事的，如果工会增加了一部分人的工资，必然使另一部分工人的工资下降。政府制定的最低工资法虽然有利于低收入的工人，却牺牲了多数劳动者的利益。

穆勒的工资基金理论存在着很多缺陷。用于支付工资的费用比例和劳动力数量在特定时间内是不变的，不符合事实，实际上工资基金所占的比例和劳动力数量都在时刻发生波动。所以，1869年穆勒本人也放弃了这一理论。[①]

3．边际生产力工资理论

这是由美国经济学家约翰·贝茨·克拉克等人最先提出来的一种工资决定理论。克拉克以雇主追求利润最大化为前提，用边际分析方法，分析了边际生产力递减规律，得出了工资取决于工人的边际生产力的结论。厂商利润最大化的原则是边际成本等于边际收益，因此，劳动的边际成本等于劳动边际收益就是劳动的最佳雇佣点。如果增加工人所增加的收益（劳动边际收益）小于付给他的工资（劳动边际成本），雇主就不雇佣或裁减工人；如果增加的收益大于付给他的工资，雇主就会增加雇佣工人；只有在工人所增加的收益等于付给他的工资时，雇主才既不增加雇佣也不减少雇佣工人。因此，工资水平是由劳动边际成本等于劳动边际收益决定的。

尽管边际生产力工资理论很有独到见解，被一些现代经济学家所推崇。但是也有人称这一理论很难在实际工作中运用，因为现实生活中无论是雇主还是雇员，他们的竞争条件都不完善，在企业中由于各种复杂因素的影响，使得难以计算边际工人的劳动生产率。

4．均衡价格工资理论

克拉克的劳动边际生产力理论只从劳动力需求方面解释了工资的决定，没有反映劳动力供给方面对工资决定的作用，所以被认为是不全面的。英国著名经济学家阿弗里德·马歇尔在他的均

---

① 摩尔根：《劳动经济学》，工人出版社1984年版，第65－67页。

衡价格论的基础上，从劳动力供给与需求两方面来说明工资的决定，提出了工资水平是由劳动要素的均衡价格决定的理论。

根据均衡价格理论，工资是由完全竞争市场上的劳动需求与劳动供给两种力量共同决定的。从需求方面，劳动的需求价格取决于劳动的边际生产力，厂商愿意支付的工资水平，是由劳动的边际生产力决定的。从供给方面，劳动的供给包括两类：一类是实际成本，即维持劳动者及其家庭生活必需的生活资料的费用以及培养教育劳动者的费用。另一类是心理成本，即劳动是以牺牲闲暇的享受为代价的劳动会给劳动者心理带来负效用。

均衡价格论认为，当劳动的需求大于供给时，工资会上升，从而增加劳动供给，减少劳动需求，工资又会回到均衡价格水平；当劳动需求小于供给时，工资会下降，从而减少劳动供给，增加劳动需求，工资又会回到均衡价格水平上。但是这种工资理论只能说明完全竞争市场上的工资决定，对不完全竞争市场上的工资决定缺乏说服力。

5．劳资谈判工资决定理论

早在 18 世纪，亚当·斯密等经济学家就注意过劳资谈判对工资决定的影响，19 世纪末 20 世纪初，英国的庇古和美国的克拉克等经济学家对此也作过研究。第二次世界大战以后，随着工会力量的强大，工会在工资决定中的作用日益突出，劳资谈判工资理论也得以完善。对这一理论做出重要贡献的经济学家有多布、邓洛普、张伯伦、厄尔曼、里斯等人。

根据西方工会理论中经济福利工会理论的观点，工会是由员工组成的为提高工资、改善工作条件和增加就业机会的有组织的集团[①]。提高工资作为工会的一项重要职责，通常采取增加对劳动的需求、减少劳动供给和游说最低工资立法等措施来提高工资。这样就使市场上存在着两种垄断：一是劳动者组成工会对劳动供给的垄断；另一种是厂商联合组织（雇主联合会）对劳动需求的垄断。所以工资水平是劳资双方谈判力量抗衡的结果，因而劳资谈判工资理论又被说成是工会起作用下的工资决定理论。但是在现实中，工资水平的确定不完全取决于劳资谈判的力量，它还受工会力量的强弱、经济周期等因素的影响。

三、工资差别理论

1. 职业与政策工资差别理论

亚当·斯密是工资差别理论的创始人之一。斯密的理论认为，工资水平在同一地区内应该完全相等或趋于相等。因为在各事物听任其自然发展的社会，即一切听任其自由，各个人都能自由选择自己认为相当的职业，并能随时改变职业的社会，如果某人的工资水平低于其他人的工资水平，此人就会离开原来所从事的职业，而挤进比较有利的职业。工资水平就在这种流动中得到了均衡。然而，在现实经济生活中，货币工资在不同地区或同一地区有很大的不同。斯密认为，工资差别的原因有二：一是由于"职业本身的性质不同"，二是因为"政策不让事物完全自由地发展"。

职业本身的性质在五个方面影响工资差别：（1）职业本身有愉快和不愉快之分；（2）职业学习有难易，学费有多少；（3）工

---

① 郭庆松：《企业劳动关系》，经济管理出版社 1999 年版，第 197 – 198 页。

作有安全的和不安全的；（4）职业所须负担的责任有重有轻；（5）成功的可能性有大有小。社会必须对那些令人不愉快的、学费高的、不安全的、负担责任重的和成功可能性比较小的职业支付较高的工资，以对这些职业的"微薄金钱报酬给予补偿"。根据他的理论。屠夫、机械师、泥水匠、医生和律师等的工资水平应该高些。

政策的不均等对工资水平的影响主要表现在：（1）某些政策限制了某些职业中的竞争人数，使其少于原来愿意加入这些职业的人数；（2）增加另一些职业的竞争，使其超过自然的限度；（3）不让资本和劳动自由流动，使它们不能由一职业转移到其他职业，不能由一地方转移到其他地方。

2. 经济租金工资差别理论

租金是使用完全缺乏弹性的生产要素所支付的报酬。劳动的租金称为工资，作为租金的工资不同于通常所说的工资，它是劳动者得到的超过劳动机会成本的报酬。劳动的租金来源于垄断、创新、承担风险等方面。

19世纪末以前租金的研究主要是地租理论。19世纪末英国经济学家马歇尔提出了"准地租"，用于说明除了土地之外的其他要素获得的租金，后来，有的经济学家在马歇尔"准地租"的基础上提出了"经济租金"概念。

经济租金是资源所有者得到的实际收入高于补偿其成本的差额。这一理论应用到工资上即为经济租金工资理论。在劳动力市场上，某些具有非凡天赋或才能的人垄断了该劳动要素的供给，而使之成为稀缺劳动资源，他们可以得到巨额收入。如某些歌唱家由于天赋的嗓音条件，成为社会崇拜对象；著名画家由于独特的绘画才能，使其作品成为人们争相收藏的珍品；运动员因为顽强的毅力和超人的身体素质成为世界冠军，等等。这些特殊的劳动者可以"日进斗金"，同时又很少或没有人同他们竞争这份收入。另外，一些高、新、尖科技人员以及管理人员通过创新、承担风险等也可获得巨额收入。由于经济租金存在，就使人们的工资收入存在着差别，一个普通劳动者一辈子挣的工资可能不及歌唱家一首歌的收入，不及画家一幅画的收入，不及体育明星一场比赛的收入，不及科技或管理人员一个月的收入，等等。

3．人力资本工资差别理论

人力资本造成的工资差别可以从以下三点得到解释：（1）人力资本投资的回报和补偿。人们在进行人力资本投资时，总是想在未来得到高于投资额的回报；否则，没有人愿意投资。（2）高人力资本投资的劳动者的贡献大于低人力资本投资者的贡献。一般地讲，一个人的人力资本含量越高，其劳动生产率和边际产品价值也越高，他应得到较高的工资；反之一个的人力资本含量越低，其劳动生产率和边际产品价值也越低，他应得到较低的工资。工资差别正是内在人力资本价值的外在表现。（3）当前社会经济的发展对劳动力的需求是高素质、低数量。随着知识经济的来临，在一些发达国家的劳动力市场上，出现高素质劳动者供不应求，低素质劳动者供过于求，依据劳动供求关系决定工资的理论，也使人力资本投资多的劳动者的工资高于人力资本投资少的劳动者。

四、效率工资理论

效率工资是在 20 世纪 80 年代发展起来的一种理论。一些经济学家从逆向选择、劳动流动和社会伦理等方面论述了效率工资的作用。尽管论述角度不同，但基本假设是一致的：（1）在没有激励的条件下，劳动者是懒散的。（2）对偷懒行为的监管是需要成本的，而且在信息不完全情况下监督是不容易的事。（3）工人的生产率取决于工资率。

要使工人主动地在劳动过程中付出努力，有两种机制可以发挥：一是把工资定在较高的水平上（高于市场出清的工资水平），在一定程度上，工资越高，劳动效率越高，在这种意义上说，高于劳动力市场出清水平的工资称之为"效率工资"；二是失业的威胁也可以促使工人提供努力，因为失去工作，领取的救济金会低于工资水平，从而使生活水平下降。

按照效率工资理论的观点，提高工资可以解决对雇员的激励问题，消除他们的偷懒行为。因为对雇员来说，在一定的工资水平下之所以付出一定的努力是因为存在失业的威胁。但是，在雇佣制度下，雇员不是为自己劳动，而是为雇主劳动，所以在监督不充分的情况下，偷懒又是必然的。在不同的工资水平下，雇员的努力和偷懒现象的产生是不同的。在工资水平很高时，会引起低水平的劳动需求，高工资的员工一旦被解雇，要经历很长的失业期。所以，只要工资水平高，工人为了避免失业，就不会偷懒。反之在低工资水平的情况下，偷懒就会发生，这是因为：第一，低工资意味着工作与失业无大差别（在有失业保障金情况下）；第二，高就业水平（由低工资引起的高水平的劳动需求）意味着即使被解雇，也不会经历很长的失业期。在这种情况下，企业只能提高工资以防止偷懒行为。

接着要分析的是如下两个问题：其一，雇主为什么不用低工资招聘新的雇员？其原因有三。一是解雇老雇员需要支付赔偿费、安置费等成本，而雇用新工人又需要花费广告征选、培训等费用；二是不利于积累劳动者的工作经验和技能；三是降低员工对雇主的忠诚度和向心力。其二，当高工资提高了成本，企业怎样实现利润最大化？对该问题的解释是，一方面，企业可把监督成本（低工资下必须支付的）转移为员工工资；另一方面，效率工资可以激励员工做出超过企业要求的努力水平。对此阿克罗夫的"礼物交换"模型说明这一点，企业提供高于市场出清水平的那部分工资，等于向员工送一份"礼物"，雇员超出工作标准部分的劳动也是赠送给企业一份的"礼物"，两种礼物交换，企业支付的劳动成本等于没有增加。所以效率工资并不影响企业利润的扩大。[①]

五、利润分享理论

西方国家的企业推行利益分享的理论基础是分享经济理论，它是由美国麻省理工学院经济学教授马丁·威茨曼在 1984 年出版的《分享经济》一书中提出的。威茨曼首先将雇员的报酬制度分为工资制度和分享制度两种模式，与此相应，资本主义经济就分为工资经济和分享经济。工资制度指的是厂商对雇员的报酬是与某种同厂商经营甚至同厂商所做或能做的一切无关的外在的核算单位（例如货币或生活费用指数）相联系；分享制度则是"工人的工资与某种能够恰当反映厂商经营的指数（例如厂商的收入或利润）相联系"。[②] 威茨曼认为分享经济可以拯救资本主义于"泥泞深沟"，正如该书的副标题，他极力主张"用分享制代替工资制。"

[①]　胡学勤等：《劳动经济学》，中国经济出版社 2001 年版，第 191 页。
[②]　黄泰岩：《个人收入分配制度的突破与重构》，《经济纵横》1998 年第 11 期。

分享制度的基本原理可以用实行分享制度企业实例加以说明。假如，通用汽车公司实行了分享制度，该公司平均每个工人每小时的劳动成本是 24 美元，每追加 1 小时的劳动成本是 24 美元。在利润最大化的原则下，该公司是否雇用或解雇工人的衡量标准是该雇用工人所带来的收入是否等于和高于追加的劳动成本；如果等于追加劳动成本，说明这时企业获得了最大利润，企业就必须不再雇用新工人；如果高于追加的劳动成本，企业有利可图，才会引导企业追加劳动投入，扩大就业。

再假如，该汽车公司 50 万雇员中每人分享公司人均收入的三分之二的份额。该公司每小时的收入总额是 1800 万美元，其中劳动所得为 1200 万美元，资本（注：威茨曼称之为管理）所得为 600 万美元。平均每个雇员每小时劳动创造的企业收入 36 美元，按照分享比率，平均每个雇员每小时的收入 24 美元，而资本所有者可以从每个工人每小时的劳动中取得 12 美元（36 美元 – 24 美元）。

在旧的工资制度下，该公司在追加劳动成本等于追加的劳动所带来的追加收入，即每小时为 24 美元时，企业已获得了最大利润，因而就没有再扩大就业的必要。而在新的合同下，由于采用了分享比率合同，在追加劳动成本等于追加的劳动所带来的追加收入时，企业仍然是有利可图的。该公司所雇用一个新工人后的企业总收入为 18000024 美元，按照三分之二的分享比率，劳动所得为 18000024 × 2/3 = 12000016 美元，那么，很显然，企业每小时得到的收益为 6000008 美元，企业平均从每个雇员每小时的劳动中得到的收益为 6000008/500001 = 11.999992 美元，尽管企业平均从每个雇员每小时劳动中得到的收益从 12 美元降低为 11.999992 美元，但企业的收益仍然增加了，从 600 万美元增加到 6000008 美元。由于企业扩大生产多雇用工人仍然有利可图，因此，企业仍有扩大生产、扩大就业的积极性。如果其他企业同上述公司一样都积极实行分享制度，那么，新的就业机制和劳动成本的自我约束机制作用，对于消除失业、扩大生产和降低价格的内在倾向将会明显地显露出来，从而创造了新的需求，在新的需求的推动下，生产将进一步扩大，每个工人的每小时报酬又会重新增加到 24 美元，甚至超过 24 美元。

威茨曼认为，分享制能够形成新的就业机制和对劳动成本的自我约束机制，对扩大生产、降低成本、价格也有明显的作用。同时，它的意义也不仅仅限于微观经济层次，随着分享制的推广，分享制度将成为从根本上根治滞胀病的"天然武器"，发挥巨大的宏观经济效能。因此，分享经济思想一经提出，便引起了西方世界的巨大反响，在美国经济学界和实业界，有人称赞分享经济是"自凯恩斯理论之后最卓越的经济思想"，[①] 加拿大经济学界评论认为，该书的建设性意义在于：它对人们一向视为当然的经济制度提出了再评价的任务。

从理论上分析，分享制度建立分享基金，作为工人工资的来源，与利润挂钩，利润下降，分享基金减少。雇用水平不变时，工人工资就会自动下降，而且随着工人的增加，工人工资还会继续下降，即单位劳动成本随就业增加而下降，边际劳动成本低于平均劳动成本。因此，实行利润分享的企业倾向于多雇用工人，从而稳定就业，减少失业。虽然分享经济在宏观方面具有制约滞

---

① 参见《美国经济新闻和世界报导》1985 年 8 月 26 日。转引自陈恕祥等：《西方发达国家劳资关系研究》，武汉大学出版社 1998 年版，第 127 页。

胀效应，在微观方面具有改善企业内部人际关系的效应。但是在实际操作上还存在着难以克服的缺陷。如，随着雇用量增加，平均工资下降，工人是否愿意，能否留住和吸收优秀工人。再如当社会需要增加，经济回升，利润增加时，劳动成本也随之上升，由此还会产生需求拉动和成本推进的混合型通货膨胀。由于这些缺陷的存在，在西方国家运用分享经济理论成功的例子不多。

第三节　按劳分配与按生产要素分配相结合

党的十五大提出按劳分配与按生产要素分配相结合的分配原则，把分配理论从个人消费品的分配扩大到生产条件的分配，这是党在分配理论上的又一个重大发展和突破。

在现实社会经济活动中，一定的要素收入分配形式直接产生于人们参与的一定的生产和交换形式。由于产品和服务的生产和交换，一般是多种生产要素共同投入生产和交换过程并各自发挥功能的结果，如果这些生产要素有明确的产权所有者，并且所有参与分配的各方都是以某种要素的产权所有者身份出现，那么，作为新创造的社会财富的分配，首先就是在生产要素所有者之间进行的。

由于要素收入在要素所有者或个人之间的分配属于功能性收入分配，所以，要素所有者之间收入的多少，取决于所提供要素(包括土地、房屋、机器设备、货币资金、劳动力、企业家、技术和知识等)的多少。各种要素因其质和量的不同，在生产和交换过程中发挥的贡献功能不同，从而决定要素所有者之间收入的不同。

随着现代经济的增长和社会进步，个人越来越多地不是以一种要素投入生产和交换过程，而是提供一种以上的要素投入。如劳动力所有者通过储蓄积累起一定量的资本，资本所有者通过参加培训具备一定的管理或技术能力而参加生产和交换活动。这样，要素投入多元化，要素所有者的收入也就多元化。

在社会主义市场经济条件下，社会成员的要素投入呈现多元化趋势。比如一个工人，他既向企业投入劳动力，获得工资收入；又向银行投入存款，获得利息；向股市投入货币，获得股票差价和分红收入；向外汇市场投入外汇，获得外汇差价收益等等。由于要素投入多元化，人们的收入来源也就多元化。

提出按生产要素分配是适应市场经济的需要，以便促进资源的有效配置和提高资源的利用率。过去我们不提按生产要素分配是否就没有按生产要素分配呢？其实不然，在非公有制企业里实行的就是按生产要素分配；在公有制企业里也不同程度地执行了按生产要素分配。如国家对国有企业的投资要收取利润，国家的土地或矿藏被企业占用或开采要收取土地资源使用费。对工人要支付工资。主要是过去在按生产要素分配上很不规范，有的长期无偿使用不计成本，有的收费，有的不收费，有的少收费，企业有利润就交，利润少就少交，没有利润就不交，对国有资源的占有是越多越好，形成了严重的浪费和低效率的利用。

过去的按生产要素分配，主要是按劳分配即工资这一部分，现在提出按生产要素进行分配则是整个国民收入的分配，不仅包括工资部分，还要包括利润部分，不仅劳动要素，而且资本、技术等生产要素都要参与分配，使分配与各种生产要素投入相对应，使分配有所遵循，有利于规范分配原则。

一、重新认识按劳分配

1. 按劳分配的内容

按劳分配的主要内容是：参加劳动是有劳动能力的人按照自身的劳动力价值获得个人收入的前提，也是分配收入的尺度。也就是说，劳动是一种凭证，劳动者借此从劳动的总成果中取得相应的一部分。按劳分配体现了劳动者在分配领域中的关系是平等的。

按劳分配中的劳动虽然是由劳动者个人提供的，但从性质上说必须是符合市场需求的、为社会所承认的劳动。这是因为，在社会主义市场经济中，劳动者的劳动不具有直接的社会性，而是范围非常有限的（如企业范围）局部劳动。局部劳动转化为社会劳动的惟一途径就是该劳动所生产的商品或服务能在市场上成功出售，使其价值得以实现。如果劳动者进行劳动，但不为社会所承认，也不能成为分配的依据。例如，在一个效益不好的企业中，劳动者的收入没有稳定的保障不是因为他们不劳动，而是他们的劳动完全不为或部分不为社会所承认。从量的方面说，按劳分配中的劳动，不能单纯地以劳动的自然尺度即劳动时间来衡量，因为个别劳动的差异非常大，必须把个别劳动量还原为社会平均劳动量。这就需要从劳动时间、劳动强度和劳动复杂程度等方面进行综合考察。在一般情况下，劳动时间长、劳动强度大、劳动复杂程度高，则劳动量越多。但对某种劳动来说，尽管劳动时间长、劳动强度大，但由于是简单劳动，比时间短的复杂劳动所提供的劳动量还要少。另外，按劳分配是个人收入的分配，并不意味着劳动者凭借其劳动直接获得全部劳动成果，它是将社会全部收入中的一部分分配给劳动者个人。从物质形态上说，按劳分配所分配的不是全部社会产品，而只是其中的个人消费品。社会产品中的生产资料依然归社会所有，社会还要从社会总产品中扣除用于社会和劳动者共同需要的部分，剩余的部分才在劳动者个人之间进行分配。

2. 市场经济下按劳分配的特点

社会主义市场经济下的按劳分配的特点，明显不同于马克思主义经典理论中所设想的分配模式。在经典理论中，共产主义社会发展具有两个阶段，在分配上分别为"按劳分配"和"各尽所能、按需分配"。关于按劳分配的设想和假定，比较集中地体现在《资本论》的有关篇章中，"设想有一个自由人联合体，他们用公共的生产资料进行劳动，并且自觉地把他们许多个人劳动力当作一个社会劳动力来使用。……这个联合体的总产品是社会的产品。这些产品的一部分重新用作生产资料。这一部分依旧是社会的。而另一部分则作为生活资料由联合体成员消费。因此，这一部分要在他们之间进行分配。这种分配的方式会随着社会生产机体本身的特殊方式和随着生产者的相应的历史发展程度而改变。仅仅为了同商品生产进行对比，我们假定，每个生产者在生活资料中得到的份额是由他的劳动时间决定的。这样，劳动时间就会起双重作用。劳动时间的社会的有计划的分配，调节着各种劳动职能同各种需要的适当的比例。另一方面，劳动时间又是计量生产者个人在共同劳动中所占份额的尺度，因而也是计量生产者个人在共同产品的个人消费部分中所占份额的尺度。在那里，人们同他们的劳动和劳动产品的社会关系，无论在生产上还是在分配上，都是简单明了的。"在社会主义市场经济下，按劳分配具有不同于上述设想的特点：

第一，单个的企业是按劳分配的重要主体。根据经典理论，按劳分配的主体是社会，因为生产资料归社会共同所有，劳动具有直接的社会性，劳动者所提供的劳动是有效的，一定量的劳动从社会得到的报酬是完全相同的，劳动平等、报酬平等得以在全社会实现。实际上，在市场经济体制下，生产、经营和分配的主体是企业，在市场机制的作用之下，每个企业的生产经营效果不同，必然导致劳动者的收入不同。这样，由政府来规定不同企业内劳动者统一的工资收入标准是不科学的，结果会使分配不仅不能促进生产，反而妨碍生产。当然，即使是在市场经济中，社会作为分配的主体并不是已经完全消失了，而是在一定的范围和程度上存在，因为企业劳动者只是所有劳动者的一部分而不是全部，他们的个人收入是从国民收入的初次分配得到的，而另外许多劳动者如国家公务员、教师的收入是通过财政途径从国民收入的再分配中获得的，而国民收入的再分配是社会范围的分配，这时的分配还必须有一定的社会标准。

第二，按劳分配是货币收入的分配而不是实物分配。根据经典理论，由于商品货币关系已经不存在，劳动者直接从社会总产品中获得用于个人和家庭消费的生活资料。在市场经济下，劳动者的劳动不是直接的社会劳动，而且必须通过商品交换还原为社会必要劳动，即一定量的价值，具体表现为一定量的货币收入，在对此收入做出必要的扣除以后，再分配给劳动者个人，因此，按劳分配的实现过程体现了生产、交换、分配和消费的有机联系。

第三，市场机制制约按劳分配的实现程度。影响劳动者个人收入水平的一个重要因素是企业可供按劳分配的总收入的多少，这明显地取决于该企业的劳动生产率的高低（因为它决定产品的个别价值和社会价值的差异）、市场上对企业产品的需求状况以及生产要素的价格等因素。另外，只有在劳动者用货币收入购买消费品以后，按劳分配才最终实现。而用货币购买商品的过程就是市场交换，因此，按劳分配必然受到供求关系和价格等因素的影响。

第四，劳动时间不是衡量劳动的惟一尺度。受旧的社会分工的影响，在市场经济下，个人劳动不仅有时间长度的不同，还有劳动强度和复杂程度的差异，因此，对按劳分配中劳动的衡量必须综合考虑，而不能只看劳动时间。

第五，按劳分配与其他分配方式并存。经典理论的设想中，按劳分配是社会惟一的分配方式与原则。实际上，社会主义市场经济是多种所有制并存，即使在一种所有制下也有多种经营形式，因此，分配方式也不可能是单一的。按劳分配与其他分配方式一起构成社会主义市场经济完整的分配体系。

3．对按劳分配理论的不同看法

第一，按劳分配的"劳"是什么？

在这一问题上，存在两种对立的观点，一种认为按劳分配就是按劳动力要素分配，但也有人不同意这种观点，认为按劳分配并不等于按劳动力要素分配。按劳分配和按劳动力要素分配是两种性质完全不同的分配方式，前者是和生产资料的公有制相联系，后者是和生产资料的非公有制相联系。如果按劳分配就是按劳动力要素分配，就没有必要提出将按劳分配与按生产要素分配相结合，只提按生产要素分配就足够了。[①] 还有人提出按劳分配依据的是劳动产品的数量和质量，它实现于生产过程中，其标准基本上是固定的；按劳动力要素分配则是依据劳动力的价值量进行分配，其主要标志是劳动力股本化，它是在生产过程全部完成之后实现，只有在企业有可供分配的税后利润、才有可能对要素

进行分配，两者是各不相同的概念。①

第二，如何理解以按劳分配为主体。

有些学者认为以什么为主体，受所有制结构的制约。以按劳分配为主体，多种分配方式并存，把按劳分配与按生产要素分配结合起来，是就整个社会的分配办法而言的，并不是指一个具体生产关系内部的分配办法。就是说，它是有条件的相结合。如在社会主义初级阶段，是公有制为主体，多种所有制形式并存，与此相对应，由于公有制在全社会中占主体地位，所以按劳分配是主体；非公有制经济实行多种按生产要素分配的形式。就整个社会来看，是按劳分配与按生产要素分配相结合；在一个所有制内部，不存在以按劳分配为主体、多种分配方式并存。因为在公有制内部，只能实行按劳分配，不能实行按生产要素分配，否则就违反了劳动价值论，就会产生剥削行为。②

二、按生产要素分配

1. 按生产要素分配的内涵

生产要素是指进行物质资料的生产所必须具备的基本因素和条件，也就是生产力的构成要素，包括资本、土地、劳动力、企业家、技术、信息等。离开这些要素，企业生产就无法进行，只有在这些条件具备并且保持合理的比例时，企业生产才能得以进行，各种生产要素在新的组合下才能创造出带有附加价值的新产品。

---

① 张春贤：《工资动态》1999 年第 1 期。

② 张问敏：《按劳分配与生产要素分配能不能相结合》，《工资动态》1998 年第 7 期。

按生产要素分配是指生产要素的所有者根据其在生产经营过程中发挥作用的大小或贡献的大小，依据一定的比例获取相应的投资回报。

2．按生产要素分配中的几个突出问题

第一，企业经营者报酬。厂长（经理）、企业经营者、企业家、优秀企业家是不同的概念。比较起来，企业家的概念十分广泛，不同的研究者从不同的角度对企业家定义，国内国外研究者对企业家的认识差别又很大。我们这里说的企业经营者，主要是指企业经理层，他们可能是企业出资者或出资者之一，也可能仅仅是职业化的经营管理专家，在委托代理理论中，他们是代理人。他们投入企业的不是（或主要不是）资金，而是自己的经营管理智慧、知识和能力，是自己的人力资本。他们的报酬应当是人力资本投入的回报，或是要素投入的回报。

我国企业（尤其国有企业）在经营者报酬上还存在不少实践问题，这在报酬的决定（包括报酬的水平、结构）上表现得尤为突出，从而使得企业经营者报酬不能真正起到激励作用，反而导致一些企业经营者出现了不良行为。例如，"58、59现象"、"褚时健现象"等都在不同程度上由分配不合理所导致，这种不合理的分配现象是由于人们对企业经营者报酬认识上的模糊、研究上的滞后、改革上的不力造成的。从总体上说，目前普遍缺乏确定企业经营者报酬的理论基础和标准。

企业经营者作为代理人，最大的问题是容易产生内部人控制问题。内部人控制源于代理人与委托人之间的信息不对称，由此有可能产生道德风险，即代理人利用信息优势侵犯委托人的利益，如做假账、"偷懒"问题等等。如何提高经理人的忠诚度，使经理人能够献身于企业，把自己的全部聪明才智都贡献给企业，这是一个世界难题。

对经理人的各种激励机制都在探索之中。短期激励如年薪制等等；长期激励主要是经理持股制。股权激励被认为是最有效的长期激励措施，是给经理人的"金手铐"。经理人持股的途径有买股、奖励股份、以净资产增值的一部分量化、岗位股（分红股）、期股制、股票期权制等等。

于是，企业经营者的经济收入便由两部分构成：基础工资——按劳分配收入；效益年薪和股息收入——按生产要素分配收入。

第二，技术资本。技术是现实的生产力，是企业最重要的生产要素之一。在知识经济的背景下，技术作为收益递增性的生产要素对企业发展的推动作用越来越明显。但是，技术要素如何参与企业分配，是一个大难题。近年来，技术股份化的理论研究和实践在国内逐步兴起。我们认为，技术要素参与分配，可以通过大幅度提高科技人员的薪酬来实现，可以通过技术成果商品化来实现，更重要的是，还可以通过技术股份化来实现。

技术股份化中的"技术"，从狭义上讲，应当是技术、科技成果、无形资产、知识产权这四个概念共同覆盖的部分，概言之，这里的"技术"应当具有如下内涵：（1）可确指的具有实用性的技术成果；（2）其本身是有价值的、无形的并且能够给企业带来超额收益的技术成果；（3）受到知识产权法律法规保护的技术成果。这样的技术包括专利权、专有技术（技术秘密）、计算机软件等。

从广义上讲，由于各类企业的性质、股份结构、技术结构等方面存在着很大的差异，在技术股份化的实际运作中，"技术"不仅包括前述各类技术成果，而且延伸、扩展到所有有价值的、无形的、能够给企业带来超额收益的技术成果，与技术成果有关的管理技术，企业的商誉等不可确指的无形资产，以及科技人员的技术开发创新能力等等。具体地说，技术股份化是指：（1）技术成果（包括专利、专有技术、管理技术、商誉等）的股份化；（2）技术成果持有者或对开发该技术成果做出重要贡献的技术专家的创新价值的股份化；（3）科技人员的人力资本的股份化。

尽管技术股份化中的"技术"的边界并不那么清晰，对其存在着不同的理解，但技术股份化的实质是非常清楚的，这就是技术的资本化。股份是企业资本的最小单位，是资本的组成细胞。技术股份是企业资本结构中的一个组成部分。技术一旦资本化了，其产权就十分清晰了。这正是技术成为商品、走向市场的内在要求。因而技术股份化是技术商品化、资本化、市场化的结果。技术股份是一种特殊的股份，它表明技术所有者对技术使用权的部分让渡。

技术股份化后，科技人员的经济收入也由两部分构成：工资——按劳分配收入；技术入股股息和资本股息——按生产要素分配收入。

第三，劳动力资本。劳动力资本就是用资本所有权界定的人力资本，是参与企业所有权分割的人力资本，是转化为财产权的人力资本。劳动力资本范畴所概括的劳动形式，是劳动价值论所界定的平均劳动。它是特定经济中一切简单劳动和复杂劳动的基本换算单元。根据劳动力资本范畴包含的劳动价值论，不只是企业家劳动、复杂脑力劳动必须转化为资本；那些普通劳动者提供的技术劳动、熟练劳动、非熟练劳动以及体力劳动，也必须转化为资本。就劳动力资本进入企业所有权分配的权利而言，"白领职工"和"蓝领职工"应该是平等的。

劳动力资本化的核心内容，是把企业职工的劳动力资本所有权，转化为职工对企业的股权。企业职工根据股权法则参与企业的经营管理。企业成为劳动力资本与金融资本的联合体结构，真正成为以资本权力为原则、劳动者的劳动联合与劳动者的资本联合相统一的现代股份制经济组织。这是在传统经济体制的核心地带激发的一次产权制度的创新，由此引发的制度变迁效应，对我国经济体制改革的最后成功，将具有根本的、全局的意义。

劳动力价值资本化改革设想简要地概括为：在现代股份制企业内部产权安排过程中，企业职工的工资总额，必须作为资本计算，进入企业的资本存量。这部分资本同样采用股本形式。企业职工的劳动力资本股权，参与企业产权结构的内部治理。这里，企业职工是以自己的具体劳动实现对企业的投资，劳动力资本流通因而也与金融资本不同。劳动力资本股权也表现出与金融资本股权完全不同的特征：（1）劳动力资本股权含量的大小，反映的是职工前期的劳动记录，但在现期的企业剩余中参与分配，以此激励职工现期和预期的劳动供给。（2）劳动力资本与金融资本在企业所有权分割过程中，机会均等，一股一票，按股分红，金融资本以价值额承担有限责任，劳动力资本以剩余额承担有限责任。（3）劳动力资本股权反映的是劳动者本人具体劳动的质和量，其价值形态在职工劳动力资本再生产过程中已经消耗掉了，劳动力资本股权本身已不包含任何价值量，仅是职工对企业剩余索取权、剩余控制权的单纯凭证，是一种身份股权，它只能由职工本人行使，不能上市交易。（4）资本化劳动力的价值含量，惟一可能的评价机制是劳动力市场。因此，可以假定劳动力市场的运行是完善的，一个人所拥有劳动力资本的含量，应该体现在工资上，更高的工资只能依赖于劳动力资本的积累和改良。

由此可见，在现代股份制经济中，劳动者劳动力的资本化过程，从消费和流通领域开始，在生产领域形成其资本形态，在分配领域体现其资本含义。连续的循环形成劳动力资本的周转。每经历一次循环，劳动力资本都发生质的改变和量的积累。不断的循环和周转形成劳动力资本的进化和积累。

随着劳动力资本化的实现，企业职工收入结构也会出现相应变化：（1）职工劳动力商品价值收入——工资。这是按劳分配机制。职工劳动力作为商品，其价值大小是由劳动力市场调节。工资作为职工劳动力价值大小的尺度自然地成为职工收入来源之一。（2）职工劳动力资本要素收入——劳动股息。这是按要素分配机制。职工劳动力作为企业价值增值过程的功能性要素，应该和其他形式的生产要素一样，分割一部分剩余价值。劳动力资本作为生产要素，其价值含量的大小，应该以市场为机制，以当年工资量的余额计算。劳动力资本要素收入社会地成为职工的收入来源之一。（3）职工金融资本要素收入——金融资本股息。随着企业再生产的不断进行，必须发生职工个人的资本积累。工资收入、劳动股息收入的初次分配必然向再次分配和资本积累转化，职工从按劳分配和按要素分配中得到的收入将形成自身独特的循环和积累，其结果就是，职工个人成为企业金融资本的投入者。金融资本股息收入成为职工收入的重要来源之一。当企业的经济规模不断扩大，职工金融资本要素收入也会越来越大。

根据以上分析，企业职工经济收入分割为两个部分：工资收入——接劳分配收入，劳动股息收入和资本股息收入——按生产要素分配收入。这里暗含的一个理论结果是，实现按劳分配收入和按要素分配收入相结合的企业制度，只能是以劳动力资本化和职工持股为主要持征的现代股份制。

当然，劳动力资本化问题目前还处于理论探索阶段，与此有关的劳动分享理论、泛股制、全要素资本化等问题都有着深刻的理论意义与实践价值。要使劳动力资本化付诸实践，还存在着许多理论和法律障碍，诸如：劳动力资本化将不利于职工流动，劳动力资本化与《公司法》、《证券法》及现行财会制度存在着根本性的矛盾等等。但是，这种探索对深化劳动价值论的认识，拓展按生产要素分配的领域是有积极意义的。

3．理论归纳

第一，按劳分配与按生产要素分配的理论依据。我们要坚持按劳分配，理由是：（1）在生产领域中，劳动是创造财富的最主要的生产要素。（2）在市场经济中，劳动力归劳动者所有。

我们坚持按生产要素分配，理由是：（1）在生产领域中，各种生产要素共同构成创造财富的因素；（2）在市场经济中，一切生产要素都归不同的所有者所有，其所有权都要求等价交换，不能无偿使用。

第二，按要素分配→按劳分配→按劳分配与按要素分配相结合。西方经济学中按要素分配：资本——利息；土地——地租；劳动力——工资；企业家——利润。

西方国民账户统计，按要素分配构成：员工报酬、财产收入、租金收入、利息、企业利润等。

联合国统计，按要素分配构成：员工报酬、财产收入、营业盈余等。

马克思：一元价值论，即劳动创造价值。

十五大报告：按劳分配与按要素分配相结合。我们说的按劳分配，是被发展了的"按劳分配"定义；我们说的按要素分配，也是与西方经济学家不同的"按要素分配"定义。否则，这两者是不可能结合的。

第三，按劳分配与按生产要素分配的区别。按劳分配与按要素分配两个概念不同，才能结合，否则这两者也是不能结合的。两者的区别主要表现在如下几个方面（见下表）：

按劳分配	按生产要素分配
劳动力价值	劳动贡献（成果）
基础工资（V 成本）	利润分享（M）
劳动过程之前	劳动过程之后
个人消费品分配	生产条件的分配

第四节 对改革中收入分配差距拉大的分析

一、收入分配差距拉大的积极效应

改革中的收入分配差距拉大，是有其特定意义的。它首先是一个制度性的变化，其次才是一个经济问题。如果脱离改革及社会主义市场经济发展的大背景，单纯地谈论收入分配差距拉大，或者简单地与国外进行类比，是没有什么价值的。

当前我国收入分配的变化，是社会主义市场经济发展的必然结果，其市场化导向的大方向是应该充分肯定的。在现实经济生活中，这种市场化导向的收入分配变动已产生多重效应，对社会经济的良性循环产生了积极的促进作用。

1. 资源的市场配置效应。市场化导向的收入分配变动，已成为生产要素流动与重组的重要信号和驱动力量，导致生产要素（包括劳动力）从低收入部门向高收入部门的转移。

2. 效率优先效应。市场化导向的收入分配变动，不仅极大地调动了劳动者的积极性与创造性，使其能力得到充分发挥，而且也不断提高了各种生产要素的利用效率。

3．劳动替代效应。随着劳动力成本上升，将产生"资本、技术替代劳动"的效应，促进资本技术密集型产业发展。

4．消费升级效应。随着居民整体收入水平的提高，特别是一大批中高收入群体的形成，也将产生更多的保健服务、教育服务、咨询服务、法律服务、理财服务等更高层次的消费需求，促进知识密集型服务业的发展。

5．人力资本开发效应。在 20 世纪 90 年代初，我国高等教育收益率为 3%，而世界 100 多个国家高等教育收益率为 18.3%。这意味着我国受过良好教育的人得不到相对较高的收入。市场化导向的收入分配变动，改变了我国长期存在的"脑体倒挂"现象和知识贬值问题。根据国家统计局公布的统计资料表明，到 1997 年我国不同文化程度群体的年收入的差距已明显扩大，小学文化程度与大学文化程度收入之比为 1∶1.6。由于提高了知识收益率，从而也就大大促进了人们对人力资本投入与开发的重视。

二、收入分配差距拉大的原因

目前我国收入分配差距拉大的原因是很复杂的，但其主要来源归纳起来有两个基本方面：一是市场化的按劳分配和按要素分配的力度增强拉大了收入水平差距；二是非市场化的各种过渡性的收入分配以扭曲的方式拉大了收入水平的差距。

在市场化导向的收入分配变动过程中，以市场定价机制实现的按劳分配，把复杂劳动与简单劳动、熟练劳动与非熟练劳动、以及开创性劳动与非开创性劳动等严格地区分开来，并给予完全不同的劳动报酬，其差异甚至是几倍、几十倍，特别是那种开创性劳动获取的报酬更是无可比拟。

同时，在市场化导向的收入分配变动过程中，要素参与分配也越来越成为一个重要的内容和特征。要素参与分配本身就具有强化激励、从而扩大收入差距的内在机理，其主要是两方面原因：一是要素贡献率差异带来的收入分配差距拉大。二是要素拥有程度差异带来的收入分配差距拉大。自1990年至1999年，我国城镇居民人均财产性收入年平均增长26.42%，比同期城镇居民人均全部年收入的年平均增长率16.23%高出10.19个百分点，充分说明了个人的资本要素参与分配的力度在不断加大。然而，由于各种因素，包括双重体制并存等制度因素使个人财富积累及金融资产拥有程度有较大的差异，所以将其作为资本要素投入参与分配，并把其分配所得再作为资本要素进一步投入参与分配，势必使其收入分配差距动态扩大化。

各种非市场化的收入分配也在很大程度上引起收入差距的扩大化，并具有很大的负面影响。

1. 不平等竞争形成的收入差距不合理扩大。

在目前我国经济体制转轨过程中。旧体制遗留的"行政权力"因素仍严重干扰甚至直接限制市场作用，且很多都是以"合法"方式进行的，从而造成许多不平等竞争现象，其中最突出的是一些部门、行业甚至一些个别社会成员，能够通过垄断经营或竞争初始条件的不平等分割，获得垄断利益或高额利润，而其他群体或个人则不能，最终形成非常不合理的收入差距。此外，某些改革政策偏差，如在产业、地区发展方面的差别政策以及在某些领域的"一刀切"改革，也或多或少地造成了不平等竞争，进而形成收入差距的不合理扩大。

2. 再分配的调节手段和功能严重不足带来的收入差距扩大。

首先，对高收入调节不力。主要原因是缺乏对收入监控的基本能力，税制及征收、处罚手段也相当无力，致使高收入群体的"逃税"或"避税"极为普遍。其次，对低收入阶层缺乏有效保护。尽管初步建立了各种扶贫、基本生活保障、就业援助及最低工资保护等制度，但投入严重不足，管理和执行过程也存在不少问题，致使相当多贫困者难以获得有效援助。再则，许多形式的再分配存在"逆向调节"特征。这一问题的最突出表现是住房、医疗等福利分配体制。此外，一些税赋政策的实际结果也不是在缩小差距，而是在扩大差距。比如，农民承担的税赋种类及数量就明显高于城市居民；在农村内部主要基于人头数的征税方式以及在城镇内部仅仅考虑货币收入征税方式也都造成了类似问题。

3. 非法收入加剧了分配矛盾。

虽然腐败等非法收入问题在严格意义上不属收入分配范畴，但在经济转型中，由于各种制度不健全，通过侵吞公有财产、偷税漏税、制假贩假、敲诈勒索、贪污受贿等非法手段攫取财富，以及通过各种权钱交易，以权谋私等腐败行为谋取非法收入，是一个比较突出的现象。更为重要的是，在正常的分配领域，收入差距并不是很大，但灰色收入和黑色收入部分越来越大，形成尖锐的反差，不利于鼓励勤劳致富，不利于社会财富的积累和合理分布，也会进一步加剧社会风气的恶化。这就成为收入分配中的一个突出问题，从许多方面直接或间接地影响着社会分配过程，进一步加剧了分配矛盾，同时也对社会心理产生了极大负面影响。

三、完善收入分配的基本思路与对策措施

随着社会主义市场经济体制和运行机制的进一步完善，以及工业化与城市化互动带来的二元结构程度减弱，将对收入分配产

生两种同时存在的效应；一方面，市场化不足的收入分配将进一步发展到位，从而对收入分配差距呈扩大化影响；另一方面，非市场化和非法的收入分配将逐步缩减，从而对收入分配差距呈缩小化影响。从发展前景来看，我国收入分配差距变动将呈现结构性调整趋势。因此，当前完善收入分配并不是指简单的调整收入分配差距，而是要在完善和形成合理的收入分配方式的基础上结构性地调整收入分配差距。在这当中，首要的任务是进一步完善收入分配方式。

在这一调整过程中，市场化导向的收入分配要进一步发展，特别是一次收入分配中的市场化力度要进一步增强，形成效率优先的合理的分配制度，以更好地体现促进生产力发展，特别是先进生产力发展的根本要求。在调整过程中，主要体现在开创性知识劳动和复杂知识劳动的收入将大幅度上升，与一般性劳动的收入进一步拉开差距。

对于各种非市场化导向的收入分配方式，则要在加快完善社会主义市场运行机制和健全法制环境的基础上使其尽快消亡，并尽可能缩小由其带来的收入差距。因此，要全面解决市场秩序混乱及分配过程中的不公平问题，其根本出路只能是完善市场经济体制及规则，积极营造公平、规范的竞争环境，最大限度地体现收入与贡献的对等。

在上述完善收入分配基本思路的框架下，要积极采取各种强有力的措施，特别是完善收入分配机制的对策措施，以保证形成有利于生产力发展的合理的分配制度和有效调节收入分配差距的实现。

1. 大力营造收入分配的激励机制。在坚持市场化导向驱动的收入分配方向的前提下，进一步完善按劳分配与按要素分配机制，最大限度地体现收入与贡献的对等。特别是要适应人才争夺国际化的客观要求，推进知识产权的货币化和资本化，强化股权、期权激励，逐步使人力资本价格与国际接轨，提升以人力资本为核心的国家综合竞争力。在此过程中，要强化收入分配激励对产业发展的导向作用，逐步形成收入分配变动与产业结构升级的联动机制。

2．构建以就业政策为积极手段的收入分配调节机制。收入分配差距拉大的调节，不仅仅是二次分配的问题，首先应该在一次分配上就予以调节，主要是增加就业。目前，下岗失业是造成居民收入绝对下降乃至处于贫困的主要原因，如果不能实现更多的就业，在二次分配中实行的收入差距调节作用是极其有限的。从这一意义上讲，就业政策应成为调节收入分配的最有效的工具，其主要是通过引导专业分工细化和网络性配套，培育新的就业岗位，特别是服务行业的就业岗位，并创造灵活多样的就业模式，让下岗和失业人员通过各种类型的劳动就业提高收入。在当前经济增长难以提供充分就业的情况下，应通过加大政府投入，结合基础设施建设与环境保护，积极实施以工代赈。

3．在调节城乡居民收入差距中要形成有序引导的城市进入机制。在我国目前情况下，依靠农业收益来提高农民收入水平的边际可能性基本上趋于零，而通过非农收益来改善其收入水平的潜力也不大，惟一的现实途径是通过城市化的大规模转移，改变农民的身份，进入城市的非农产业部门。因此，加大城市化力度（其中有可能包括土地政策的调整），打破人口流动壁垒，实行大规模的农业过剩劳动力的转移，是控制城乡之间、地区之间收入差距持续扩大的最有效的途径。

4．在地区经济协调发展基础上调节地区收入分配差距。要结合西部大开发战略，以基础设施建设、人力资源开发为重点，尽可能缩小地区间发展基础条件的差异。此外，政府还必须通过各种优惠政策促进生产要素向有利于落后地区的方向流动，设法将各种经济活动吸引到这些地区去，以逐步提高中西部地区的自身竞争力。同时，要强化财政转移支付以及其他经济援助手段，缓解地方财政压力，强化扶贫，尽可能弥补市场竞争中不可避免的收入差距。

5．完善社会保障体系及其功能。要加大社会保障的力度，特别要加强对贫困群体的直接救助与扶持力度，并逐步把反贫困纳入法制化的轨道，确保贫困人口的基本生活和合法权益不受侵害。同时，要逐步扩大社会保障的覆盖面，由公有经济部门向非公有经济部门延伸，由城镇向农村延伸。"十五"期间，应在有条件的地区建立和推广农村居民最低生活保障制度，逐步使农村扶贫制度化和规范化。此外，鉴于各种自然灾害对农村贫困的影响较大，应积极探索更为有效的灾民救助制度和救助方式。另外，还要积极稳妥地推进基本医疗及教育援助。用转移支付的方式为所有人提供受教育和医疗保健服务的均等机会，不应仅仅被看作一种慈善行为，而应被看作是一种投资。这种投资不仅有利于贫困地区，而且也有利于整个国家。

6．强化再分配的调节作用。首先要规范收入方式，并建立起规范完整的簿记体系，使各种经济活动及居民收入能够纳入有效的政府管理体系范围。在此基础上，积极探索税制改革，个人所得税由分类征收逐步过渡到与综合征收相结合，建立个人所得税为主，辅之以财产税、遗产税、赠予税等多种税种的税收体系。通过累进税对高收入群体进行再分配调节，并利用财政转移支付去帮助弱势群体。

第九章 社会保障理论

　　社会保障机制的形成,虽然并非始于工业化社会,但其发展和完善则和工业化进程紧密相关。在前工业化时代,对少数社会成员因各种原因而陷入生存危机的救助,主要是由其家族、社区(邻里)及其他个人的慈善活动来实施的,国家在其中所起的作用十分微弱。工业化时代的到来,既给人们带来了更多的择业机会和更大的经济自由,但同时也给人们带来了更大的工作压力和更多的生存风险。人们随时面临着失业、伤残、疾病等方面的威胁,从而可能丧失基本的生存条件。同时,社会原有的保障体系在这一过程中,或随之消失,或趋于弱化。这样,国家作为社会保障的主要供给者就逐步登上了历史舞台。而伴随工业化进程而来的社会财富的巨大增长,也为国家实施各种必要的社会保障提供了相应的资源手段。

　　就现代社会而言,社会保障的内容十分庞杂,几乎包括个人从生到死这一过程中各种生活需要的方方面面。同时,对社会保障的研究,涉及政治、经济、法律、社会、道德、文化、心理、历史等诸多学科。本章侧重从经济理论方面讨论社会保障问题。

第一节 社会保障概述

一、社会保障的概念与性质

　　对社会保障的含义可以作狭义和广义的理解。狭义的社会保障以必需原则为依据，以保障受救援者的最低生活需要为目标，它一般以处于贫困状态的低收入阶层为对象，通过现金和实物的救济保证其最低生活水平。广义的社会保障也称为社会福利，其依据的不是"生存必需"的原则，而是"文明生活"的原则，即每个人都应该享有"健康而文明的生活保障"，其标准的确立，不取决于个人生存的绝对需要，而取决于他所生活的社区或社会的其他人的相对生活水平。如果某些个人、家庭和群体没有足够的资源去获取他们所属的那个社会公认的、一般都能享受到的条件和机会，那么就可以说他们处于贫困状态，政府或社会就有责任对他们给予援助，使他们也能过上体面而文明的生活。①

　　一般而言，社会保障，是指社会（国家）通过法律手段，采取强制性措施对国民收入进行分配和再分配，形成特殊的社会消费基金，当社会成员丧失劳动能力或基本生活发生困难时，给予物质上的帮助，以保证社会安定的一系列有组织的措施、制度和事业的总称。社会保险是全体社会成员应享有的基本权利，是国家应履行的确保全体社会成员生活权利的一种法律责任。社会保障体系的核心是社会保险。社会保险是社会保障的重要组成部分。

　　周弘在《福利的解析》一书中曾列出了现代西方福利国家所实施的社会保障或社会福利的主要内容及其政策功用。它们包括：

　　——通过再分配减少工业风险；

---

①　杨先明等著：《劳动力市场运行研究》，商务印书馆 1999 年版，第171 页。

——创造平等机会，减少或者消除贫困；

——保护弱者：照顾老人、儿童、病人、残疾人；

——就社会成本给人们以补偿：污染补贴、伤残津贴、社会保障、康复服务；

——满足需求：提供个人帮助、医疗和康复、社会化和个人发展的服务、满足人群和社区对于改善环境和提高生活素质的需求；

——解决社会问题：医治犯罪等恶劣的社会生活环境；

——规划、影响社会购买力：使得穷人能够用福利支付购买他们的生活必需品；

——推行人口政策：实行婴儿福利及家庭补贴；

——使人融于社会：帮助新移民、残疾人和少数民族的政策和措施；

——对于人的投资：从事教育和培训；

——保护社会：改正行为的服务；

——鼓励社会变革：社会规划、社区发展和组织。①

上述关于社会保障或社会福利的项目清单，对于劳动经济理论而言，显然过于庞大。我们认为，从劳动经济理论的角度研究社会保障和社会福利问题，其研究范围应该圈定在对劳动者、劳动过程、劳动成果分配有直接影响这一界限之内。因而社会保障主要包括社会保险、社会福利、社会救助、社会优抚等等。其中，社会保险又是社会保障体系的核心，是一个国家的基本保障。

---

① 周弘：《福利的解析——来自欧美的启示》，上海远东出版社 1998 年版，第 81 – 82 页。

社会保障的性质主要包括如下几个方面：

1．政府之责

政府之所以应该负起社会保障和社会福利的责任，是因为在现代社会，许多人生活保障的丧失是由于社会的原因而不是由于个人的原因所引起的，譬如非自愿失业。经济体制的选择是国家整体经济效率的一个决定性因素，而自由市场体制又被认为是人类在目前状态下所能找到的最有效率的体制。同集中计划体制存在效率损失一样，自由市场体制也存在着因竞争淘汰和经济周期性波动而带来的损失。一方面，要维护整体经济效率，淘汰机制是必不可少的，这就必然使一些低素质的个人和低素质的企业在竞争中失利，从而使这部分人成为谋求整个社会进步的一个必要代价。事实上，依照我们的观点，即使经济能够提供充分就业，在体制设计上，也应强制地使一部分人处于失业状态，以保障对整个经济的有效刺激。另一方面，在市场经济条件下，劳动力市场的均衡受制于劳动力供给和需求的共同作用。在动态经济中，劳动力供给主要是受出生率的影响，是一个相对稳定的因素。而劳动力的需求则同经济中频繁出现的、长短不一的各种周期性波动密切相关。由于周期性波动是市场经济本身所不能医治的痼疾，或者说是市场经济获得更高效率的一个必要成本，因此劳动力周期性失业现象也就在所难免。

既然失业是体制运行的必然结果，同时也是保障体制效率的一个重要前提，那么，作为体制设计者和调控者的政府，对此应该承担必要的责任，也就成为顺理成章的事情。同样，对于社会保障的其他方面，如养老、医疗、教育等，我们也能找到必须由政府承担责任的体制原因。这里因篇幅关系，不再赘述。

2．权利性

在前工业化社会，非家庭成员之间的救济活动，不仅带有很大的随机性，而且带有浓厚的施舍——受惠意味，双方的地位是不平等的，受惠方往往须以牺牲自己的尊严和人格为代价。而在现代社会，社会保障的目的已由最初的社会公正、社会人道和社会稳定，演变为人权范畴的基本内容。它赋予所有社会成员应享有健康的、体面的、文明的最低限度的生存权和福利权，认为公民享有这些最低范围的生存和福利保障是公民应有的政治权利，而不是接受慈善施舍。以此为出发点，现代社会保障强调普遍性和公平性原则。也就是说，一方面社会保障必须囊括所有个人可能出现危机而影响其正常生活和个性（人格）发展的领域，另一方面，社会保障必须针对全体社会成员而非某些特殊群体，同时，个人在依法享有社会保障时，不受其性别、年龄、党派、种族、肤色及宗教信仰等个人因素的影响，任何人在同等条件下，都应享有同等的保障权利。

3．再分配性

社会保障通常有从高收入者向低收入者进行"垂直分配"的性质，这在很大程度上属于一种转移支付。简单地说，失业保险是由就业者向失业者进行的再分配；医疗保险是由健康者向非健康者进行的再分配；养老保险是由年青一代向年老一代进行的世代间再分配，当然在基金制下，也包括老年人自身由青年时向老年时的再分配（即年轻时缴纳年金，老年时领取）。从这种意义上说，社会保障是一种以税收和转移支付为形式的分配政策。

4．部分项目的投资性

有一些社会保障项目，如对已经丧失劳动能力的伤残者的救助，属于政府福利的净支出，这种支出主要基于社会公正和社会道义。但是还有一些社会保障项目，如教育补助、医疗保障、失业救济等，在短期虽然也表现为政府的福利支出，但在长期，随着被救助者人力资本存量的提高和劳动能力的恢复以及加入或重返劳动力市场，对其个人和对于社会都能创造新的财富，且由于其素质的提高能创造较以往更多的财富。因此，从长期的社会成本—收益账户看，它具有舒尔茨意义上的人力资本投资的作用，因而应该把它等同于投资看待，而不是一般学者心目中的纯粹再分配。

5．不可逆性

制度化的社会保障一旦形成之后，就具有一定程度的刚性。这种刚性主要来源于各种制约因素的相互作用。一方面，对于社会保障制度直接受益者群体而言，政府任何试图压缩保障范围或降低保障基准的举动，都会遭受激烈反对。另一方面，立法的权威性和政党政治在一定程度上的非理性，也使得对社会保障制度的调整须经过一个漫长的时期和支付巨额成本。特别是在多党竞选的政治体制下，竞争的各党派往往把扩大社会保障作为争取选民的一个重要手段。正是在上述种种制度背景下，原本以协调公平、效率为目标的社会保障，最后往往演变为社会整体效率进一步提高的阻碍因素，也就不足为奇了。

6．预防性

也就是说，同前工业化社会保障机制的事后补救特性相反，现代保障机制着重于事前预防。这要求在政策措施和经费筹措上具有一定的预见性和超前性，以避免临阵失措造成效率损失和社会混乱。

二、社会保障的类型、作用及原则

1．社会保障的类型

第一，传统型。它是以俾斯麦的理论为依据，选择性（选择部分人）原则，强调个人责任，支付与收入、交费相联系，分配有利于低收入者，支付有一定期限，费用由个人、单位和政府三方（或两方）负担，工作统一由政府专门机构管理。这种类型以美国、日本等国为代表。如美国社会保障制度的特点是：社会保障内容广泛，但发展程度不高（与欧洲一些高福利国家相比）；多渠道筹谋社会基金；实行强制与自愿相结合的原则；多层次的管理体系等。

第二，福利型。福利型的社会保障以"贝弗里奇福利计划"为依据，贯彻普遍性原则，口号是："收入均等化、就业充分化、福利普通遍化、保障设施体系化"。保障范围包括"从摇篮到坟墓"的各种生活需要。社会保险按统一标准交费，统一标准支付，保障水平足以维持基本生活，享受时间以需要为标准，保障基金主要来源于税收，保险业务由国家设置机构统一管理。这种类型的社会保障以瑞典、英国等国为代表。

第三，储备金型。以新加坡等国为代表。这种保障制度采用劳方或劳资双方交费，以职工名义存入储备金局，职工退休或其他情况需用时，连本带息发给职工。新加坡早在 1955 年就建立了"中央公积金制度"，并成立"公积金局"专门机构进行管理。公积金的用途规定为退休后生活费、购置住房或建造住宅、本人或家属医药费、购买股票及黄金、购买人身保险等。这种类型的保障制度的缺点是互助互济性差，在支付期出现货币贬值时，如不采取补救措施，就起不到应有的保障作用。

第四，国家型。以苏联及一些社会主义国家为代表。这种社会保障制度的主要特点是：（1）与就业相联系，从参加工作之日起就享有一切保障；（2）保障内容广泛，生老病死等都有保障；

（3）资金由财政开支，个人不付费；（4）免费住房、医疗等；（5）充足的退休费；（6）大量建立保障机构和福利机构（干休所、疗养院、文化宫、俱乐部等）；（7）实行区别待遇原则，所有制不同、城乡不同其待遇也不同，对战斗英雄、劳动模范等实行特殊优惠待遇。这种类型的社会保障会造成沉重的财政负担，在经济落后的条件下会影响经济的发展。

2. 社会保障的作用

从个人层次看，社会保障具有扶优助弱的作用。在社会经济中，会有一些为社会做出了贡献而未得到应有收入的人（抗灾死伤人员、见义勇为人员、军人等），对他们经济上的补偿或扶持只有通过社会优抚来解决。在社会上也不可避免地会有一些不能靠自力维持生活的人（失业人员、病残人员等），对他们出于人道主义的考虑也应进行救助。所以，社会保障起着扶优助弱的作用。

从再生产来看，社会保障是劳动力再生产和物资资料再生产的必要保证。例如，扶贫可以保证贫困家庭人员劳动力再生产的顺利进行；可以使患病的劳动力尽快恢复身体健康，多为社会做贡献；同时社会保障还起着刺激消费、扩大需求的作用，这在过剩经济条件下是社会再生产顺利进行的重要条件。

从社会稳定来看，社会保障能够增强人们生活的安全感，从而减少因失业和贫困带来的不安定因素，实现社会稳定健康发展。

从发展目标来看，社会经济发展的重要目标是社会公平、消除贫困、共同富裕。社会保障是实现这些目标的重要手段。

此外，社会保障还可以激励人们努力工作，提高效率，一方面，社会保障会提高人口素质，从而提高劳动效率；另一方面，社会保障会激发人们爱国主义热情，增进向心力，而努力工作使效率提高。但是，社会保障程度过高也会产生消极影响，如劳动者因保留工资提高而形成自愿失业增多，增加一些人的依赖思想等。

3．社会保障的原则

第一，与经济发展水平相适应原则。一国经济发展的状况基本决定着社会保障的水平，因此，社会保障的水平就取决于两个方面：一是经济总量及其增长率；二是能用于社会保障资金的多少。总的来说，社会保障的提高程度要低于经济增长的速度；经济总量增加、速度提高，社会保障的水平也应提高。

第二，权利与义务对应原则。(1) 社会保障是人人平等享有的权利。1948 年 12 月 10 日联合国大会通过的《世界人权宣言》第 22 条规定："人既为社会之一员，自有权享受社会保障，并有权享有个人尊严及人格自由发展所必需之经济、社会及文化各种权利之实现。"(2) 社会成员作为义务主体，应承担为社会做贡献的义务，才能取得权利主体的资格。社会成员的义务包括两个层次。第一，通过劳动为社会做贡献的义务；第二，为社会捐献或缴费的义务。

第三，兼顾效率与公平的原则。公平与效率存在着某种交替关系，因此，社会保障所实现的公平要以不牺牲效率为优先。但是，公平与效率并非总是对立的：(1) 效率提高会产生某些不公平，但不能说非效率必然能实现公平；(2) 效率提高会产生某些不公平，不能反过来说不公平就必然有效率；(3) 从长远来看，公平有利于效率提高，高效率也能促进公平。正因为如此，社会保障又要兼顾公平。

第四，普遍原则。社会保障的普遍原则意味着一种全民的保障，是社会保障发育成熟阶段的表现。最初的社会保障往往是为有工作的人们举办的，对有工作者提供某些保险或福利，对无能力工作者不给予保障。以后越来越多的人认为社会保障应扩展到任何无力自助的人（孤儿、孤寡老人、贫困人员等），政府应提供最低限度的生活保障金。这可追溯到德国俾斯麦时期的社会保险规划。"二战"以后，西方福利国家社会保障大都采取了普遍原则。现在许多国家的社会保障都具有内容广泛、法规完善、管理机构设施齐全的特点。因此，普遍性成为社会保障的一项原则。

三、西方社会保障学说

1. 庇古的福利经济理论

英国经济学家庇古（1877－1959 年）因 1920 年出版《福利经济学》而被称为"福利经济学之父"。在这本书中，他有关社会保险的福利经济理论可以概括以下几点：

第一，福利的概念。庇古指出，福利是一个人获得的效用或感受到的满足。他把福利分为两类：一是一般福利，即社会福利，包括经济福利和非经济福利（不能用货币来衡量的福利，如自由、正义、友谊等）；二是经济福利，它可以用货币来衡量的福利，如国民收入等。由于非经济福利难以计量和研究，加上经济福利对社会福利具有决定作用，所以，他主要研究经济福利。

第二，经济福利与国民收入。庇古把经济福利等同于国民收入。他指出："正是由于经济福利是可以直接或间接地与货币量相联系的那部分总福利，国民收入是可以用货币衡量的那部分客观收入……所以这两个概念，经济福利和国民收入是对等的，对其中之一的内容任何表述，就意味着对另一种内容的相应表述。"① 这样就可以把对经济福利的研究变为对国民收入的研究了。

第三，检测经济福利的标准。庇古提出了检测经济福利的两个标准：（1）国民收入总量及其增长。在人们嗜好和购买力及分配不变的情况下，经济福利与国民收入总量及其增长呈同方向变化，国民收入总量越大，经济福利越多；国民收入增长率高，经济福利增长率也高，反之亦然。（2）国民收入分配。他认为，一国的经济福利是国民收入中每个人的经济福利的总和，根据边际效用递减规律，货币对不同收入的人有不同的效用，同量货币，穷人所获得的效用比富人大。这样，如果富人的一部分收入转移给穷人，将会增加一国的经济福利。为此他认为，收入分配愈平均，其福利就愈大；反之，就愈小。关于增加经济福利的途径，他写道："以下情况中的任何一种情况，即或者使国民收入增加，而不减少穷人在其中占有的绝对份额，或者使穷人占有绝对份额增加，而不减少国民收入，都一定会增加经济福利"。②

第四，增进经济福利的措施。首先，他主张要合理配置社会资源，以使国民收入值最大。他把边际私人纯产值与边际社会纯产值相等作为社会资源最优配置的实现条件。其次，政府采取必要干预（如由政府提供费用或使工人终身受雇等）解决劳动者失业问题（由于信息不畅、劳动流动成本、传统和习惯对劳动流动的限制等形成的失业问题）。其三，实行公平工资。公平工资就

---

　　① 转引自胡学勤等著：《劳动经济学》，中国经济出版社2001年版，第324页。

　　② 同上。

是在所有地区与职业中支付给工人的工资都等于劳动的边际净产值。不公平工资有两类，一种是虽然工资不公平，但在工人所从事工作的地区与职业中等于劳动的边际净产值；另一种是存在着剥削，工资低于劳动的边际净产值。前一种不公平要通过促进劳动在地区与职业间的流动来解决，后一种不公平要由政府进行干预来解决。此外，即使工资是公平的，但如果低于最低生活工资，也应制定工资法来提高工资水平。最后，庇古主张实行收入均等化，提出了相应收入转移措施。他认为要实现收入均等化，必须实行收入的转移分配。实现收入转移可以有自愿转移与强制转移两种方式。自愿转移就是富人自动出钱兴办教育、保健、娱乐、文化科学等事业。但他感到仅靠自愿转移是不够的，还需要国家实行强制转移。强制转移就是征收累进的所得税与遗产税等，并把这种收入向穷人转移。转移的方法分为直接转移与间接转移。直接转移就是举办社会保险与社会服务。间接转移就是对穷人最需要的产品的生产进行补助，如对农业、交通、住房建筑等进行补助，以便这些产业以低价卖给穷人，使其间接受益。

2. 福利标准理论

由于经济福利涉及国民收入和分配状况，因而检验标准势必包括资源配置效率和收入分配的公平标准。庇古是把这两个标准结合起来分析福利理论的，而帕累托则侧重于效率标准，其他的经济学家也提出了"补偿原理"、"双重标准"等理论。

第一，帕累托最优状态。意大利经济学家帕累托1906年出版的《政治经济学教程》一书中，提出了资源配置最优理论，故称"帕累托最优状态"。资源配置最优状态是指，任何形式的资源重新配置，都不能使至少一个人受益而其他任何人受到损害的状态。换言之，当任何变革都不可能使任何人的福利有所增进，也不能使他人的福利有所减少时，社会就实现了资源的最优配置。西方经济学界把它作为衡量社会福利改善与否的一项标准。实现帕累托最优有三个条件：交换和消费的最优条件是任何两种商品的边际替代率对所有消费者都相等；生产的最优条件是任何两种生产要素之间的边际技术替代率对所有生产者都相等；生产和消费的最优条件要求任何两种产品的边际转换率等于消费的边际替代率。

第二，补偿原理。"帕累托最优"给出了一个评价和改进社会福利的标准，这一标准很难与现实接近，因为现实中任何社会经济的变动都会使一些人受益，而使另一些人受损。因此，美国经济学家霍特林在 1938 年发表论文最早提出了补偿原则论。后来卡尔多、希克斯、西托夫斯基和李特尔等对这一理论进行了研究先后提出了一些补偿检验的福利标准。其中最有影响的是卡尔多—希克斯补偿原理和西托夫斯基检验福利的"双重标准"理论。卡尔多在《经济学的福利命题与个人间的效用比较》（1939）论文中认为市场上的价格变化或任何政策所引起的价格变化，都会使一些人受益，另一些人受损，因此，必须采取补偿原则。这里所说的补偿可以是直接补偿，也可以是潜在（虚拟）补偿（如通过提高社会效率使受损者受益等）。希克斯也提出了类似的解释，所以称为卡尔多—希克斯补偿原理。简单地说卡尔多—希克斯的福利标准就是：如果在补偿受损者之后，受益者的情况仍比过去好，那么对社会来说，就是福利的增进。卡尔多—希克斯补偿原理实质上提出了这样一种检验社会经济福利的标准，即在社会经济变动后，只要受益者所得大于受损者所失就是增加了社会福利。美国经济学家西托夫斯基在卡尔多—希克斯补偿原理的基础上，提出了检验福利的双重标准。他认为单用卡尔多—希克斯福利标准，有可能出现自相矛盾，即，一方面可以认为从状态 A 到状态 B 的改变增进了社会福利，而另一面，如果考察相反方向的变化，又会发现从状态 B 到状态 A 能够增加福利，为此，他提出增加福利的社会状态改变需要同时满足两个条件：一是通过改变，得者可以补偿失者的损失而有余；二是不出现这种情况，即失者可以补偿得者而其不作改变，并且在作出这种补偿后失者不觉得比改变后更坏。

3．福利国家理论

福利国家这个术语 1941 年由阿奇比肖普·坦普尔（Archbishop Temple）提出，1942 年被应用到贝弗里奇报告中。[①]

第二次世界大战后在一些西方国家得到广泛流传。按照福利国家论的观点，福利国家论的特征和实质是：对国民收入作有利于劳动者的再分配，没收（通过税收）富人的部分收入转交给穷人，因而实现各阶层居民收入分配均等化；消灭经济和社会上的不平等，消灭物质方面无保障、贫穷等现象；实现充分就业等。

第一，收入分配均等化。福利国家论者认为，自从 20 世纪 50 年代以来，一些国家正在进行一场收入革命（收入均等化）。美国经济学家库兹涅茨在 20 世纪 50 年代就提出，美国收入最高的 5％的人口在全部可支配的个人收入中所占的比例，1929 年为 34％，1946 年降为 17.9％。17 年间几乎降一半。[②] 荷兰经济学家丁伯根也指出西方国家出现趋向收入分配平等的事实，其基本观

① 《新帕尔格雷夫经济学大辞典》第 4 卷，经济科学出版社 1996 年版，第 968 页。

② 转引自胡学勤等著：《劳动经济学》，中国经济出版社 2001 年版，第 327 页。

点是：（1）最近几十年，低收入阶层所占的比重有提高的趋势，而高收入阶层的比重则趋于下降；（2）如果收入不平等每年降低的百分比继续下去，只要 50 – 85 年，现有不平等就会降低一半。① 加尔布雷思在《丰裕社会》（1958 年）一书中也认为，美国已进入丰裕社会，甚至已经富裕到了"死于食物太多的人比饿死的人多"，富裕到一些人"故意把衣着穿得破一些，""大多数的极端贫困已经转向少数人极端贫困"。苦力的劳动者人数减少，空闲时间增多，劳动者成为工作无痛苦、劳动悠闲和愉快的新阶级。② 这些论述基本符合美国 1929 – 1975 年收入分配差距缩小时期的事实，但是不符合 1975 – 1996 年收入分配差距扩大的事实。美国低收入家庭收入占总收入的份额从 1975 年的 5.4% 下降为1995 年的 4.1%，这些家庭平均的实际收入也低于其 1975 年以前的高峰时期。③

　　第二，社会福利全民化。社会福利包括社会保险、失业救济、卫生保健、家庭补助、养老金，以及住房、教育、文化活动等社会服务和设施。萨缪尔森指出："在福利国家中，政府调节市场力量以保护个人能应付某些偶然事件，并保证人民有最起码的生活水准。"④ 有人甚至提出福利国家事实上已经成为了"私人拥有物质资料而政府越来越多地提供服务"的国家。虽然一些西方国家的福利化程度较高，但它远不能满足人们的需要，工人

---

　　① 转引自胡学勤等著：《劳动经济学》，中国经济出版社 2001 年版，第 327 页。

　　② 同上。

　　③ 萨缪尔森、诺德豪斯：《经济学》（16 版），华夏出版社 1999 年版，第 283 – 284 页。

　　④ 同上书，第 285 页。

所享受的福利相当大程度上仍然是自己创造的，在一些学者理论中含有夸张和虚伪的成分。

第三，保障充分就业。西方学者认为，充分就业是福利国家关心民众福利的一项重要政策目标。萨缪尔森在其《经济学》一书中（第9、10、11等版）中不再详细解说"非自愿失业"，"有效需求不足"等词条，而认为"富裕中的贫困"已经变成陈旧过时的东西。但是，事实上失业问题始终是困扰西方国家的严重问题，许多时期并没有实现充分就业目标。

第四，国有化，计划化和公共工程。这是福利国家的一项重要内容。实际上是政府宏观调控，解决市场失灵的手段。

第五，混合经济。在勒纳看来，混合经济是既包含有以利润为动机的私人企业因素，又包含有集体因素的经济制度。汉森认为，混合经济是一种依靠企业来解决物品生产问题，依靠政府提供社会服务和设施的福利国家。萨缪尔森则把混合经济等同于福利国家。他指出，混合经济制度被称为"福利国家，即由市场调节日常经济生活中的具体活动，而政府管理社会秩序，提供退休金、医疗保健以及编制社会安全网等等"。[①] 他认为在福利国家中政府职能主要是："1. 政府通过促进竞争、控制诸如污染这类外部性问题以及提供公共品等来提高效率。2. 政府通过税收和支出项目等手段，向某些团体进行有倾斜的收入再分配，从而增进平等。3. 政府通过财政政策和货币政策保证宏观经济的稳定

---

① 萨缪尔森、诺德豪斯：《经济学》（16版），华夏出版社1999年版，第20页。

和增长——在鼓励经济增长的同时减少失业，降低通货膨胀。"[1]

4．民主社会主义的社会保障理论

民主社会主义是"二战"结束后在西欧广泛发展的一种社会主义思潮。从 1951 年成立"社会党国际"发展到现在，已经包括了欧洲 80 多个工党、社会党和社会民主党。社会党国际在《法兰克福》的经济纲领中，提出"社会主义政策的当前目标是充分就业，增加生产，提高生活水平，实行社会保障和推行收入和财产的合理分配"；"社会主义的指导原则是满足人的需要"；"社会主义人民的经济和社会权利包括：工作权利、享受医疗保险和产期津贴的权利，休息权利，因年老丧失工作能力或失业的公民享有经济保障的权利，儿童享有福利和照顾的权利，青年有接受教育的权利，得到足够住房的权利。"[2]

西欧各国社会民主党的纲领也将社会福利置于重要地位。英国工党制定的民主社会主义的五项原则是"政治自由、混合经济、福利国家、凯恩斯主义、和平信念"。瑞典社会民主党政策主张混合经济，不赞成生产资料国有化，认为在生产资料私有化社会中也可以达到"经济与社会平等"的目的，通过高额、累进税制和工人参加企业管理的劳资合作，不用实行公有制，也能实现社会主义。[3]德国社会民主党是德国在政治上具有举足轻重的大党，它在《哥德斯堡纲领》中强调，"每个公民在年老、丧失就业能力或自力谋生能

---

①　萨缪尔森、诺德豪斯：《经济学》（16 版），华夏出版社 1999 年版，第 27－28 页。

②　转引自徐崇温著：《民主社会主义评析》，重庆出版社 1995 年版，第 207 页。

③　陈冬红、王敏：《社会保障学》，西南财经大学出版社 1996 年版，第 53 页。

力或在家庭供养人死亡时，都有权从国家得到一笔最低限度的养老金，""必须通过个别照顾和社会救济措施来充实普遍的社会福利事业，"全部的劳动立法和社会立法都必须统一地和总括地分别编成劳动法典和社会法典，社会民主党从 1969 年执政后，在国内政策上一贯强调增加社会福利，"改革税制"和工人"参与企业管理"使社会保障事业得到了空前的发展。①

5. 贝弗里奇计划

1942 年 11 月时任英国伦敦经济学院院长、社会保险和联合事业部国际委员会主席的贝弗里奇发表了受政府委托完成的《社会保险及有关服务》的报告。报告以消除贫困、疾病、脏乱、无知和懒惰五大社会疾病为目标，制定一个以社会保险为核心的全面的社会保障计划。报告指出，社会保障计划是一个"以劳动和缴纳保险金为条件，保证维持人们必需的收入，以使他们可以劳动和继续保持劳动能力的计划。"②

社会保障计划包括三种社会保障方法：社会保险、社会救济和自愿保险。社会保险用于满足居民的基本需要；社会救济用于满足特殊情况的需要。计划提出了 6 条改革原则：（1）基本生活资料补贴标准一致的原则；（2）保险费标准一致的原则；（3）补助金必须充分的原则；（4）全面和普遍性的原则；（5）管理责任统一的原则；（6）区别对待的原则。这个计划贯穿两个基本思想：一是社会保障以保证居民维持生存所必需的生活资料为限度；二是社会保障应当体现普遍和全面的原则，即惠及全体人民

①　转引自李琮主编：《西方社会保障制度》，第 211－212 页。

②　陈冬红、王敏：《社会保障学》，西南财经大学出版社 1996 年版，第 52 页。

及不同需要的全民全面保障。

贝弗里奇报告在英国被称为"贝弗里奇革命"，这个报告的革命性主要表现是，把社会福利作为一项社会责任确定下来；把救济贫困的概念由原来的救济贫民变为保障国民的最低生活标准。英国政府在批准贝弗里奇计划的基础上，通过一系列社会保障立法，主要有《社会保险法》（1946）、《国民健康服务法》（1946）、《家庭津贴法》（1945）、《国民救济法》（1948），以及为社会保险主管机构专门建立的《国民保险部法》（1944）等。这些立法加上其他有关政策构成了战后英国社会保障的新法典。1948年7月，英国宣布在西欧第一个建立了福利国家。贝弗里奇计划在英国的成功，鼓舞了欧洲各个国家，他们纷纷效法。贝弗里奇也因此获得了"福利国家之父"的称誉。

第二节　社会保险

一、社会保险与社会保障

社会保险和社会保障二者在客观上都具有对基本生活需要的保障功能，都是国民收入再分配的手段。但二者在保障范围、对象、职责等方面又有不同。

1. 实施范围和对象不同

社会保险在一定时期只在法律规定范围内实行，这取决于一国的经济发展水平。起初它主要以社会劳动者为保障对象；在当今的发达国家，社会保险如养老保险、医疗保险也以全民为保障对象。而社会保障始终是在全社会范围内实行的，经济发展水平只决定其保障水平高低，不决定其范围大小，它以全体国民为保障对象，而不论是否参加过社会劳动。

2．职责不同

社会保险是对暂时或永久丧失劳动能力和失去劳动机会的劳动者承担生活保障责任，其职责只限于补偿劳动危险（含工伤事故）所造成的直接收入损失，因此它是维持劳动力再生产的特定手段。而社会保障不但承担所有国民可能遇到的一切普遍危险、困难和损失的保障责任，而且还包括社会发展方面的责任，如免费教育、卫生保健等，可见它是以保障整个社会机体正常运行为己任，协调社会各方面关系的、多功能、多责任的手段。

3．分配原则和保障水平不同

社会保险的分配与国家、企业、劳动者对保险基金的贡献直接相关，保障水平不仅要适当考虑劳动者原有的收入水准，还要根据社会经济发展成果，适当提高其保障水平，以在物价上涨的情况下，满足其基本生活需要。而社会保障分配在多数情况下是国家或社会对国民的单方面援助，待遇给付不考虑接受者原有的收入水准，它保障的是最低生活需要。至于有关社会发展方面的内容，则多以机会均等、大体平均的原则分配，而且明显有益于低收入阶层和无收入来源的人。

总之，社会保险是以社会劳动者为对象，在劳动危险损失前提下发挥作用的保障制度，而社会保障是以全体国民为对象的，在任何危险损失以及满足社会全面发展方面发挥作用的。因此，社会保险是社会保障体系中的一个重要内容，在社会保险作用充分发挥的情况下，社会保障作用就主要体现在社会救济、社会福利等发展方面。

二、社会保险与商业保险

社会保险作为现代社会的一种保险形式，它与商业保险一样都是为人们提供保险服务。但它们又是两种完全不同的保险形式，必须加以区别：

1. 性质不同

社会保险是国家通过立法形式实施的保障劳动者遭遇到意外事故时的基本生活而建立的一种社会保障制度，它既是国家对劳动者承担的一种社会责任，又体现了国家对社会生活的强制干预，具有物质帮助性和非营利性的特点。而商业保险则是一种金融活动，由专门的经济实体即保险公司按照市场价值规律的作用经营，以营利为目的。

2. 对象不同

社会保险适用对象为薪金劳动者，而且是一种强制性保险制度，凡法律规定应投保的劳动者，须一律参加，无选择余地。而商业保险则以全民为对象，且是任意保险制，也就是一种完全自由的商业活动。公民可以根据自愿决定是否参加商业保险的投保。

3. 费用负担不同

社会保险费用一般由雇主、被保险人和政府三方负担。行政事务费系由政府补助或全部负担。保险费收取较商业保险费低。而商业保险的保险费则由被保险人全部负担。营业费用及营业税收均在保险费项下支出。保险费收取标准较高。

4. 作用不同

社会保险强调其作用在于保障丧失劳动能力或劳动机会的劳动者的基本生活。实际上是利用国民收入的再分配，为劳动者提供切实的生存保障，以促进商品经济的发展和社会秩序的安定。商业保险的作用在于，在被保险人遭遇到被保事故时，给以一定的经济补偿以减轻其损失。这种补偿的使用并不一定在于保障被保险人的基本生活，也不是一种国民收入的再分配，只是意味着保险方与被保险人之间一种金融活动的结算。当然，商业保险对于商品经济的发展和社会秩序的安定的作用也是相当重要的。只是它不像社会保险那样直接、明显和普遍。

综上所述，社会保险是一项福利保障事业，而商业保险是一项商业经济活动。它们从本质上来说，是两种截然不同的事物。

就社会保险与商业保险各自针对的风险而言，它们的逻辑关系又是交叉的。商业保险中以人的生命和身体为保险对象的人身保险，包括人寿保险、健康保险、伤害保险等等，与社会保险所针对的风险事故多有相似之处。所以许多国家也把这部分商业保险作为"自愿保险"纳入社会保险体制之内。从不同的保险层次出发，社会保险与商业保险既有明确的分工，又相互密切配合。社会保险保障基本生活需求，使劳动者不能劳动时不致生计断绝；商业保险则通过经济赔偿，使投保者遭受风险时能迅速恢复生机。这样，就形成了强制与自愿相结合的多重"安全网"。对满足人们生存需求和风险保障，增强社会安全感，更具有重要意义。

三、社会保险的内容

社会保险的项目，亦称险种，构成社会保险的主要内容。社会保险的内容一般包括养老社会保险、医疗社会保险、失业社会保险、工伤社会保险、生育社会保险等项目。除此之外，一些国家还设有家属津贴制度，即对多子女和无职业收入的丈夫、妻子提供生活费用补贴。还有一些国家，将生育、疾病（包括非因工伤残）和医疗保险三项合并为健康社会保险，而将因工伤残单立一项。

社会保险的内容复杂，它所包含的各项保险内容又有各自特定的内容。

1. 养老社会保险

世界各国的养老社会保险大体有三种模式：（1）国家统筹模式。该模式一般出自社会主义国家。该模式的主要特征是，资金来源于国家财政划拨；根据工龄年限和退休时工资确定不同比例确定退休金额；保险对象是国有单位职工（部分集体单位职工）。（2）强制储蓄模式。以新加坡、智利等少数发展中国家为代表。其特征是：一是资金来源于雇主、雇员或雇员个人缴费，设立雇员预算基金账户，国家不直接进行财政资助，仅在税收、利率等方面给予政策支持。二是社会化程度高，覆盖面宽。三是养老保险管理机构作用重大。新加坡的中央公积金局不仅有序地管理全国劳动者的个人养老基金账号，根据经济发展状况调整总缴费率和雇员之间分担的缴费比例，而且卓有成效地运营已经积累的养老保险基金，使其保值增值。智利的个人储蓄养老保险实行民营体制，劳动者自主选择养老金的管理公司。（3）投保资助模式。这是世界上多数国家实行的养老金保险模式。其养老金来源于雇主、雇员和国家三方，国家颁布法律，强制劳资双方按一定比例共缴养老保险金，国家在税收、利率等方面给予支持，当养老保险金出现赤字时，国家财政直接补漏，因此该模式的资金来源稳定、可靠，养老金一般分为三个层次：普遍养老金（对象是所有达到老龄的公民都可享有最低生活水平，条件是必须缴纳了一定时间的养老保险金），雇员退休金（对象是工资劳动者，享受条件是定期缴纳养老保险金）、企业补充退休金（除上述两种退休金外，由企业为提高员工的养老保险待遇而设立的追加或辅助性养老金）。养老社会保险在实际操作中，一般都要确定覆盖对象、享受条件、给付方法等内容。

2．医疗社会保险

医疗保险是社会对因疾病、负伤等事故丧失劳动能力的劳动者提供的医疗服务和经济援助。医疗社会保险按风险选择的主体不同，可分为个人医疗保险（在国外占比例不大）、团体医疗保险和国家医疗保险；按承保风险的性质分为疾病保险、伤害保险、分娩保险等；按损失的性质分为死亡与残废保险、收入损失保险、医疗费用保险。医疗保险覆盖范围各国规定不同，原则包括所有的工资劳动者；医疗保险的待遇包括疾病津贴（保持患者最基本生活的费用）、医疗服务（体检、门诊、住院、医疗用药等费用由医疗保险机构支付）、被抚养者补助（劳动者病残对其配偶和子女的经济补助）、病假（规定一年内可带薪休病假的天数，美国大多数企业规定为全薪病假为每年12天）；医疗保险的享受条件是按投保时间和具备一定的就业期限决定。

3．失业社会保险

各国失业保险制度可概括为以下四种类型：（1）国家强制性保险。由政府规定实施范围，范围之内所有人员都必须参加失业保险。（2）非强制性失业保险。分为两类，一类是由工会等团体自愿建立，团员参加，政府提供大量资助，如瑞典，只要参加工会，就自动参加了失业保险。另一类是参加商业性的失业保险金。（3）失业补助制度。适用于经济状况经调查达到规定标准的失业者以及无资格享受正常失业保险金的失业者。如，澳大利亚、新西兰、阿根廷就实行单一的失业补助制度。（4）强制性或非强制的失业保险与失业补助相结合的制度。即在规定期限内失业者领取稍高的失业保险金，规定期限结束后仍未就业，则领取较低的失业补助金，或在强制范围内的失业者享受失业保险金，在范围之外的其他失业者领取失业救助金。失业社会保险的覆盖范围，国际劳工大会第 75 届年会（1988）通过的《促进就业和失业保护公约》约定，受失业保险保护的人数不少于全体雇员（包括公务人员和学徒工）的 85%。[①] 享受失业社会保险的条件是：失业者必须处于法定的劳动年龄之内；失业者必须是非自愿失业；已做出了寻找工作的努力；已完成取得资格的时期（规定的就业期限或投保期限）。保险资金的筹集方式可有：国家、集体与个人三方共同负担；国家财政全部支付；雇主与雇员共同负担；国家和雇主分担；全部由雇主负担；全部由雇员负担。失业保险的待遇包括失业津贴（由失业者在失业期限内的基本生活水平决定）、失业救助金（对象是失业津贴给付期满后仍未就业者，没有就业经历和投保记录的失业者）、补充失业率津贴（用人单位为提高其单位失业者生活水平而提供的津贴，由企业经济效益而定）。失业保险金给付期包括等待期（自失业登记到津贴领到手的时间，国际劳工组织建议为 3 天到 7 天）和支付期（各国规定不一，国际劳工组织第 44 号公约约定，给付期每年至少 156 个工作日）。

4．工伤社会保险

工伤是指对因公受伤（包括职业病的伤害）而暂时或永久失去劳动能力的劳动者给予经济补助和帮助的一种社会保险制度。世界各国实行的工伤保险大致有三种类型：（1）国家统一实行强制性的工伤保险。雇主按照国家统一规定必须定期向工伤保险机构缴费，由工伤保险机构支付医疗费用及残障赔偿金等费用。这是最普遍的类型。（2）国家强制雇主向商业保险公司投保雇主责

---

① 　参见厉以宁：《西方就业理论的演变》，华夏出版社 1988 年版。

任险，为其雇员遭受工伤事故时提供基本保障。（3）国家规定雇主必须为其因工伤的雇员赔偿经济损失。雇主可通过向保险公司投雇主责任保险或参加雇主团体的互助保险，以及从自有资金中为受伤员工提供经济赔偿。

工伤保险制度的实施原则是：（1）无责任补偿原则。它是指工伤事故发生后，无论责任在谁，都应及时对受伤者进行经济补偿。无责任补偿仅就对受伤者的生活而言，并不意味着不查清和追究事故责任。（2）工伤与非工伤区别原则。工伤者是为他人或社会做出的牺牲。非工伤者有时可能是为自己而造成的伤害，因此，工伤者的医疗服务范围和津贴水平要明显高于非工伤者。（3）直接经济损失与间接经济损失区别原则。受伤者的经济损失有两种，一种是直接经济损失，即工伤者在本单位劳动报酬的损失；另一种是间接损失，即工伤者的兼职收入、股票和利息的损失。工伤保险只对其直接经济损失进行补偿，间接损失不在保险范围之内。

工伤保险的基本内容包括：（1）覆盖对象，工伤保险一般覆盖工资劳动者；（2）享受条件，它只对保险对象工伤时给予收入补偿的物质帮助；（3）保险待遇包括医疗服务、短期负伤津贴（其标准高于一般疾病津贴）；（4）残障恤金（本人残障恤金、家属补贴、护理津贴等）；（5）丧葬费与遗属恤金，这是被保险人因公伤或职业病死亡，所给予的经济补偿。

5．生育社会保险

是为妇女劳动者因生育子女而暂时丧失劳动能力，失去正常工资收入来源时，提供基本生活保障的项目。凡社会保险中的妇女成员在合法生育前后的一定时期内，都可以从社会保险中获得一定的生活补贴保险金。其主要目的是保护妇女劳动者及其子女的身体健康，并适当补偿其因生育而造成的收入损失；同时，可以维持企业之间的公平竞争。

四、社会保险基金

1. 社会保险基金的含义

社会保险基金，是国家为举办社会保险事业而筹集的，用于支付劳动者因暂时或永久丧失劳动能力或劳动机会时所享受的养老保险、工伤保险、失业保险、生育保险等各项保险待遇的资金。可见，社会保险基金是社会保险事业得以建立和发展的经济基础和物质保证，没有社会保险基金也就谈不上对劳动者进行社会保险。

2. 社会保险基金的来源

纵观世界各国社会保险制度的规定，社会保险基金的来源通常有三个：（1）由劳动者所在经济单位，或雇主按本单位员工工资总额的一定百分比缴纳保险费。（2）由劳动者个人按其工资收入总额，或基本工资总额的一定百分比缴纳保险费。（3）由国家财政对社会保险基金的开支给予适当补贴。

此外，还可以有其他经常性收入，如利息、利润、以及社会捐赠等。

3. 社会保险基金的筹集

第一，社会保险基金筹集的原则。

社会保险基金是社会保险制度的物质基础。要想为丧失劳动能力和失业劳动者提供基本生活保障，就必须满足在这方面的实际开支需求。因此，社会保险基金筹集原则，就是"以支定收，收付平衡"，即一定时期内社会保险基金的筹集总额，应以同期预计需要支付的社会保险费用总额为依据来确定，并使二者始终

保持大体上的平衡关系，否则就会使社会保险制度失去物质保证
而无法维持。对于"以支定收，收付平衡"的原则，可以有以下
两种基本的解释：

——近期横向收付平衡。一般是指当年或近年内，从所有参
保单位按平均比例提缴的社会保险基金总额，应以同期所需支付
的社会保险费用总额为依据，并在收付过程中保持平衡。这种平
衡是着眼于当前需求，采取在所有参加社会保险的单位之间以平
均比例横向地分散劳动危险并分担损失的做法。这是一种在短期
内大量积聚基金并在同期内基本使用完毕的原则。

——远期纵向收付平衡。一般是指社会保险范围内的劳动者
在整个就业投保期间，或是在一个相当长的计划期内提缴的社会
保险基金与利息的总和，应以劳动者在整个享受保险待遇期间，
或计划期预计开支的社会保险费用总额为依据，并使二者在长期
内始终保持平衡关系。这种平衡是着眼于将来的需求，采取在劳
动者整个就业或投保期间，或是在较长的计划期间内根据预计的
总需求，逐期按相同比例均匀地提缴保险费，以事先的积累储备
来分担危险损失。这是一种在长期内逐步积累基金并逐期使用、
不断增减循环的纵向的劳动危险分散原则。

第二，社会保险基金的筹集方式。

在上述基本原则的指导下，社会保险基金的筹集，大体上有
以下三种不同的方式：

——现收现付式。这是以近期横向收付平衡原则为指导的基
金筹集方式，即先作出当年或近一二年内某项社会保险所需支付
的费用测算，然后按照相同的比例分摊到参加社会保险的所有单
位和个人，当年提取当年支付。其中保险基金的预测一般是根据
上年度实际开支总额，加上本年度预计增支的总额求得。提取比

率则是根据预测需求总额占工资总额的比例确定的。此种筹集方式一般要使提取总额略大于预测支付总额，使支付之后略有节余。

这种筹集方式的优点是简便易行，可依需求增长及时调整征税比例保持收入平衡，也可以避免长期筹集方式所遇到的物价上涨造成的基金贬值危险。其缺点是缺乏长远规划，没有必要的储备积累，随着社会保险成员结构变化和需求水平的增长，提取比率亦会不断上升，使企业、个人和国家的负担加重，甚至出现支付危机。

——预筹积累式。这是以远期纵向支付平衡原则为指导的社会保险基金筹集方式，即首先对有关人口健康和社会经济发展指标进行长期的宏观预测，然后在此基础上预计社会保险成员在享受保险待遇期间所需开支的保险基金总量，并将其按一定比例分摊到劳动者整个就业期间或投保期间。其特点就是"先提后用"，从社会劳动者开始工作的第一天，就必须依法定期缴纳一定的社会保险费。与此同时，劳动者所在单位或雇主亦必须依法为所属职工定期缴纳一定的社会保险费。二者合一，经几十年后，形成一笔可观的保险基金，待劳动者需要享受时，逐期或一次性给付。

此种方式的优点是在较长时期上分散劳动危险损失，提取比率稳定，个人或企业负担较小，在支付期间每年仍留有相当数量的储备积累基金，使社会保险有稳定的经济来源和雄厚的物质基础。缺点是在通货膨胀的条件下难以保值。而且此种方式需要对基金开支进行长期预算和科学管理，涉的因素多，专业性很强，在实施上有相当的难度。由于纯粹的预提积累方式其影响制约因素众多且多变，特别是几十年内物价波动使基金面临贬值危险，迄今世界上尚无采取单一的积累方式的先例。

——部分积累式。即将上述两种方式相结合，在社会保险基金的形式上，一部分采取现收现付式，保证当前开支需要；另一部分采取预筹积累式，满足将来开支需求的不断增长。因此又可称之为"混合式"的基金筹集。此种方式兼取现收现付和预筹积累二者之长，现收现付额和积累额之间可以随时相互调整补充，在生产发展状况好、工资水平高的时期，可以多提一些积累，或是将现收现付的节余部分存入积累；在生产不景气、工资水平不高的时期，可以少提一些积累，甚至可以将积累适当拨入现收现付部分，以满足当年需求。这样，社会保险的保障功能和维持社会安定的作用，就表现得更加充分了。不过应特别注意解决积累基金的正确运用问题，关键是要使其在保值的前提下，实现不断的增值，以抵消物价上涨的影响。否则，几十年后积累部分将失去应有的意义。

4．社会保险金的管理

第一，设置管理机构。不仅要设立全国统一的社会保险管理机构，还要设立专门从事社会保险基金管理机构。前者主要从事政策研究，预测研究，后者主要负责日常基金收缴、支付、存放与运营。

第二，通过社会保险金的运营实现其保值增值。社会保险基金的保值增值，对于因物价上涨所引起的贬值，提高其基金的支付能力都有积极的意义。要使社会保险金保值增值 必须做到以下几点：（1）政府制定对社会保险的优惠政策，包括减免税政策，优先获得投资项目政策，高存款利息率政策等。（2）搞好社会保险金的投资及运营，以取得较好的经济效益。如以高利率存入银行；以高利率委托贷款或直接贷款；购买有保证收益的有价证券，进行房地产开发投资，直接或委托银行投资兴办企业或事业等。所有这些都必须坚持投资安全，回收快，经济效益显著的原则。(3) 搞好社会保险的使用和运营的监督与审计工作，避免其流失。

第三节　社会福利、社会救助与社会优抚

一、社会福利

这里的社会福利是专指在社会保障体系中除社会保险、社会救助和社会优抚之外用于改善人们物质文化生活的事业和措施。社会福利作为一种社会保障形式不同于社会保险，作为一种分配形式不同于工资。

社会福利与社会保险存在着如下四点区别：(1) 目标不同。社会保险的目标在于保障劳动者的基本生活，而社会福利的目标在于使人们的生活水平在原有的基础上更进一步提高。(2) 作用性质不同。社会保险一般由国家立法，强制实施，而社会福利则没有强制特性，它由单位根据自己情况，自主建立和实施。(3) 覆盖范围不同。社会保险覆盖的主要对象是工资劳动者，而社会福利覆盖的范围是全体居民。(4) 享受条件不同。社会保险以权利义务对等为原则，要享受保险待遇，必须具备基本条件（如工作期限，投保期限等）；而社会福利是个人的额外收入，不需要享受者为之付出代价，即享受福利是无特定条件的。

社会福利不同于工资。尽管有人把社会福利称为"社会工资"或"附加工资"。其实福利与工资存在着如下区别：(1) 工资是按劳分配，不同劳动者工资收入差异很大，而福利是按需分配，劳动者之间福利差别较小。(2) 工资具有下降刚性，员工工

资下浮较为鲜见；而福利由经济状况决定，有较强弹性，既可升也可降。（3）工资主要表现为货币形式，而福利则有实物、货币、服务等多种形式。

社会福利依据不同标准可以多方面分类：（1）根据人们享受的福利范围，可分为全民福利（全体社会成员都有的福利）和职工福利（仅指就业者所享有的福利）。（2）根据存在的形式，可分为：货币形式的福利（如带薪休假等）；实物形式的福利（免费工作餐、工作服等）；服务形式的福利（免费交通等）。（3）根据内容，可分为公共福利（免费义务教育、体育娱乐设施等）、专门福利（疗养院、幼儿园、养老院等）、选择性或局部性生活福利（出差生活补贴等）。（4）根据举办者的地位和层次划分，有国家福利、地方福利、单位福利。我们研究的重点是职工福利。

二、社会救助

社会救助是根据居民因自然灾害、意外事故和个人原因（年老、生理、残病等原因）出现生活困难时，由社会或政府提供一定资助的社会保障制度。主要项目包括救灾、扶贫、建立救助设施（养老院、孤儿院等）等。社会救助作为社会保障的一个组成部分，主要有两个特点：（1）资金全部由社会筹集，受救助者无需缴纳任何费用；（2）受救助人享受救助待遇需要接受一定形式的经济状况调查，社会向符合救助条件的个人或家庭提供资助。

社会救助的措施有：（1）救灾。它包括生产自救和政府救灾两种方法。当自然灾害破坏程度较低、灾害时间较短时应以生产自救为主，政府辅以适当经济补助；若灾害破坏严重、历时较长，社会或政府应以筹集物质和资金给予救助。（2）扶贫。贫困有地区和个人（家庭）贫困两种，对于地区性贫困，政府应给予财政补贴或实施地区开发政策（增加物质和技术投入、以工代赈等）；对于个人或家庭性贫困，除政府发给最低生活救助外，更要提高个人或家庭的脱困能力（培训、优先安排就业、推迟下岗时间等）。（3）兴办救助机构和设施。例如，建立困难户养老院、孤儿院等。（4）发展社会捐助事业，广泛筹集社会救助资金。

三、社会优抚

社会优抚是社会保障体系中一种带有褒扬、优待和抚恤性质的特殊制度。政府依照法律对那些保卫国家或维护社会秩序做出贡献或牺牲的人员及其家属在物质上给予优待和抚恤。它面向的是备受尊敬和受戴的特殊群体，如军人、军属、烈属、见义勇为者等。社会优抚项目包括：军地两用人才培训费、复转军人就业安置费、伤残军人抚恤金、军属优待费、烈军属抚恤金、见义勇为伤残抚恤金等。社会优抚工作的范围包括：（1）制定优抚法规和政策；（2）开展拥军优属和褒扬烈士和见义勇为者的活动；（3）实施审批烈士和见义勇为者评定伤残等级行政管理；（4）管理抚恤、补助及优待金的发放事宜；（5）开展国防教育和褒扬见义勇为行为的活动；（6）扶持优抚对象发展经济，解决困难；（7）兴办优抚事业等。

第十章　建立与完善具有中国特色的社会保障制度

建立与社会主义市场经济相适应的社会保障制度是前无古人的开创性事业。为此，我们只有一方面借鉴国外社会保障制度建设中的经验和教训；另一方面，更重要的是应结合本国国情，不断探索，勇于创新，建立具有中国特色的社会保障制度。

第一节　中国社会保障制度变迁

中国社会保障制度形成与发展的历史，与欧美一些发达国家相比是滞后的。解放前，我国还没有完整的社会保障制度。1949年新中国成立后，我们党和政府就开始着手创建新中国的社会保障制度。50多年来，我国社会保障制度随着经济体制的历史演变，也经历了由建立——停滞——改革——迅速发展的过程。因此，中国的社会保障制度变迁，大致经历了以下四个历史阶段：

第一阶段：从1949年到1966年，是新中国社会保障制度的创建时期。

新中国刚刚成立，百业待兴。旧中国留下来的是通货膨胀、大量失业、经济萧条、各种矛盾和问题显得非常严重。为此，党和政府立即着手建立我国的社会保障制度。1951年政务院公布实施了《中华人民共和国劳动保障条例》。这一条例的颁布，使我国形成了除失业保险以外的工伤保险、生育保险、老年保险等社会保险的体系框架，它标志着新中国社会保障制度的诞生。

1953年，随我国财政经济状况的好转和大规模经济建设的展开，政务院又对《条例》作了修正，将劳动保险的实施范围扩大到工矿、交通和国营建筑公司等，提高了部分待遇标准。同时，政府也开始建立社会救济、社会福利和优抚安置等保障制度。颁布了救灾救济、优抚安置等一系列社会保障政策，所有这些政策和措施构成了我国计划经济时期社会保障的主要内容。

到1957年，我国社会保障制度的奠基阶段基本完成，初步形成以城镇为重点，以社会保险为主要内容的计划经济体制下的社会保障制度。这套制度按照社会主义为广大工人阶级提供国家保险的指导思想，以统收统支的计划安排为基础，为广大职工提供了基本生活保障。她在建国初期的社会主义建设中，对统筹安排当时的就业，保护工人的权益，促进经济的发展，稳定社会秩序发挥了重要作用。

第二阶段：从1966年到1976年，是我国社会保障制度遭受干扰和破坏的时期。

1966年"文革"爆发，林彪、"四人帮"的极左路线把社会保障制度视为"修正主义"并进行批判，使我国社会保障工作遭到了极大的破坏和干扰，我国的社会保障几乎处于瘫痪状态。主要表现在：一是负责社会保障工作的各级组织，机关被撤销。各级工会干部和部分民政干部及优抚对象遭到诬陷和打击，使工会、劳动部、卫生部和民政部等不能正常工作。二是新中国成立以来建立起来的社会保障的各项制度被否定和废止，社会保障工作无法可依。三是原来建立的社会保险又退回到了企业保险。1969年2月，财政部下发《关于国营企业财务工作中几项制度的改革意见》，规定国营企业一律停止提取劳动保险金，企业职工中的退休职工、长期病号及其劳保开支均在营业外列支，社会保险的统一调剂被废止。社会保险逐步演变成"企业保险"或"单位保险"，加重企业负担。四是"文革"的爆发，使商业保险受到毁灭性的打击。商业保险被诬蔑为资本主义制度，保险公司是"剥削公司"，国内保险业务被迫停办，中国人保公司只留下7人进行清理。可见，"十年动乱"期间，我国社会保障事业停滞不前，甚至倒退。

第三阶段：从1978年到1992年，是我国社会保障制度恢复及改革时期。

1976年10月，"四人帮"垮台，百废待兴，我国社会保障事业重新得到恢复。重新建立社会保障管理机构，1978年2月决定设立民政部，做好企业的劳动保险工作。1979年7月国家劳动总局设置保险福利局，工会的各级组织陆续重建。1980年3月，国家劳动总局与中华全国总工会通过协商，联合发出了《关于整顿和加强劳动保险工作的通知》，要求各级劳动部与工会互相配合、密切协作，使劳动保险政策顺利落实。

特别是1978年党的十一届三中全会以后，我国的社会保障制度在经济体制改革推动下也进行改革，社会保障事业得到恢复和发展。从1984年到1993年，是我国社会保障制度改革的探索阶段。我国的社会保障以养老、医疗、失业保险单项制度改革为突破口，在社会保险模式选择、保险费用分担等方面，进行了积极探索。

可见，在粉碎"四人帮"，特别是在党的十一届三中全会以后，我国的社会保障在社会保险、社会福利等方面都进行了很大的改革和发展。但在改革目标、方法等方面，还有很多局限性，即社会保障改革的指导思想定位在服从国企改革需要上，把社会保障改革作为企业改革的配套措施进行，或社会保险改革的出发点局限于为企业改革提供配套报务，没有从整个社会经济发展的高度进行通盘设计。

　　第四阶段：从1992年党的"十四大"到现在，是我国社会保障制度全面改革、发展的新阶段。

　　这一阶段概况，我们将在第二节现状分析中详细介绍，这里不再赘述。

第二节　中国社会保障制度改革

一、成就展示：建立新的社会保障制度所取得的进展

　　1992年党的十四大提出我国经济体制改革的目标是建立社会主义市场经济体制。1993年党的十四届三中全会专门设定了社会主义市场经济体制的基本框架为"五个环节一个体系"。其中建立社会保障制度为第五个环节。全会通过的《中共中央关于建立社会主义市场经济体制若干问题的决定》进一步明确了建立新型的社会保障制度的目标、原则和基本内容。提出了建立社会统筹与个人账户相结合的多层次养老保险和医疗保险制度，以及政事分开、统一管理的社会保障管理体制。从此，我国就迈出了建设新型的社会保障制度的步伐。

　　与以往社会保障制度改革所不同的是，20世纪80年代以来的改革是在计划经济体制框架内进行"小打小敲"，而这次改革则是要彻底改革传统计划经济体制的社会保障制度，建立一个全新的社会保障制度。从1993年至今已十年之余，这一期间随改革深入和经济发展，各种矛盾都集中到社会保障制度建设滞后的

焦点上。党和政府高度重视社会保障制度的改革与发展。特别是1998年以来，以江泽民同志为核心的党中央从改革、发展、稳定全局的高度，优先关注社会保障制度改革，把社会保障工作看作当前改革与发展的重点及国家长治久安的根本保证。党的十五大进一步明确了完善社会保障体系的方向和原则。党的十五届五中全会把完善社会保障制度作为社会主义市场经济体制的重要支柱，提出加快完善社会保障体系的任务和措施。党的十六大又把健全社会保障体系作为全面建设小康社会八大任务之一。可见，从1998年以来，我国社会保障制度大大加快了改革步伐，全国上下对社会保障体系建设的重大意义认识之深刻，投入财力之多，下功夫之大是空前的。这一阶段，是建国以来我国社会保障制度改革和发展速度最快的时期。经过艰苦努力，我国社会保障体系建设取得了长足进展。主要表现在：

1. 养老保险制度改革取得突破性进展

1995年，国务院发布了《关于深化企业职工养老保险制度改革的通知》，决定建立社会统筹与个人账户相结合的制度模式，明确基本养老保险费用由企业和个人共同负担，并决定在全国进行社会统筹与个人账户相结合的制度模式的试点。1997年国务院制定了《关于建立统一的企业职工基本养老保险制度的决定》，对养老保险金的计发办法进行了明确界定，统一了企业和职工的缴费比例，统一了个人账户的规模，开始在全国建立统一的城镇企业职工基本养老保险制度。

中国的基本养老保险制度实行社会统筹与个人账户相结合的模式。基本养老保险覆盖城镇各类企业的职工；城镇所有企业及其职工必须履行缴纳基本养老保险费的义务。目前，企业的缴费比例为工资总额的20%左右，个人缴费比例为本人工资的8%。

企业缴纳的基本养老保险费一部分用于建立统筹基金，一部分划入个人账户；个人缴纳的基本养老保险费计入个人账户。基本养老金由社会统筹基金支付，月基础养老金为职工社会平均工资的20％，月个人账户养老金为个人账户基金积累额的1/120。个人账户养老金可以继承。对于新制度实施前参加工作、实施后退休的职工，还要加发过渡性养老金。

经过几年的推进，基本养老保险的参保职工已由1997年末的8671万人增加到2001年末的10802万人；领取基本养老金人数由2533万人增加到3381万人，平均月基本养老金也由430元增加到556元。为确保基本养老金的按时足额发放，近年来中国政府努力提高基本养老保险基金的统筹层次，逐步实行省级统筹，不断加大对基本养老保险基金的财政投入。1998年至2001年，仅中央财政对基本养老保险补贴支出就达861亿元。目前，基本实现了基本养老金由社会服务机构（如银行、邮局）发放，2001年基本养老金社会化发放率达到98％。此外，机关事业单位职工和退休人员仍实行原有的养老保障制度。[①]

2. 医疗保险制度改革也取得较大进展

我国传统的医疗保险制度存在着种种弊端，从1993年起，国家体改委牵头，启动医疗保险制度改革。1994年在江苏镇江市、江西省九江市进行试点，开始探索建立社会统筹与个人账户相结合的医疗保险制度。1996年国务院办公厅转发了《关于职工医疗保障制度改革扩大试点的意见》，医疗保险改革试点扩大到38个城市。1998年底，国务院召开了全国城镇职工医疗保险

---

① 国务院新闻办公室：《中国的劳动和社会保障状况》，《社会保障制度》2002年第7期。

制度改革工作会议，在总结 1994 年以来职工基本医疗保险制度改革试点经验和反复调研论证的基础上，1998 年国务院发布了《关于建立城镇职工基本医疗保险制度的决定》，明确了我国城镇职工基本医疗保险制度的模式和改革方向，开始在全国建立城镇职工基本医疗保险制度。

中国的基本医疗保险制度实行社会统筹与个人账户相结合的模式。基本医疗保险基金原则上实行地市级统筹。基本医疗保险覆盖城镇所有用人单位及职工；所有企业、国家行政机关、事业单位和其他单位及其职工必须履行缴纳基本医疗保险费的义务。目前，用人单位的缴费比例为工资总额的 6% 左右，个人缴费比例为本人工资的 2%。单位缴纳的基本医疗保险费一部分用于建立统筹基金，一部分划入个人账户。统筹基金和个人账户分别承担不同的医疗费用支付责任。统筹基金主要用于支付住院和部分慢性病门诊治疗的费用，统筹基金设有起付标准、最高支付限额；个人账户主要用于支付一般门诊费用。

为保障参保职工享有基本的医疗服务并有效控制医疗费用的过快增长，中国政府加强了对医疗服务的管理，制定了基本医疗保险药品目录、诊疗项目和医疗服务设施标准，对提供基本医疗保险服务的医疗机构、药店进行资格认定并允许参保职工进行选择。为配合基本医疗保险制度改革，国家同时推动医疗机构和药品生产流通体制的改革。通过建立医疗机构之间的竞争机制和药品生产流通的市场运行机制，努力实现"用比较低廉的费用提供比较优质的医疗服务"的目标。

在基本医疗保险之外，各地还普遍建立了大额医疗费用互助制度，以解决社会统筹基金最高支付限额之上的医疗费用。国家为公务员建立了医疗补助制度。有条件的企业可以为职工建立企业补充医疗保险。国家还将逐步建立社会医疗救助制度，为贫困人口提供基本医疗保障。

中国的基本医疗保险制度改革正稳步推进，基本医疗保险的覆盖范围不断扩大。到 2001 年底，全国 97%的地方启动了基本医疗保险改革，参加基本医疗保险的职工达 9629 万人。此外，公费医疗和其他形式的医疗保障制度还覆盖了一亿多的城镇人口，中国政府正在将这些人口逐步纳入到基本医疗保险制度中。

3. 失业保险制度迅速建成

在新中国成立之初，曾实行过短暂的失业救济制度。此后在计划经济体制下，由于实行统包统配的就业制度，"社会主义社会不存在失业"也成为理论的误区，失业救济制度由此被取消。一直到 1986 年，随着劳动体制改革以及国企改革深入，实行"劳动合同制"，打破了"铁饭碗"，为此就建立了"待业保险"制度。1993 年十四届三中全会解放思想、实事求是，才把"待业保险"转为失业保险制度来建立。开始失业保险基金按照企业工资总额 1%的筹资规模来建立。1999 年 1 月，国务院对原来的国有企业职工待业保险规定进行了修改，进一步明确了覆盖范围、筹资方法、缴费比例、享受条件和保障水平，并将规定上升为法规，发布了《失业保险条例》。我国政府颁布《失业保险条例》构架了新的失业保险体系，把我国失业保险制度建设推到了一个新的发展阶段。

可见，我国现阶段失业保险制度建立虽起步迟，但发展速度较快，其进展表现在：一是逐步扩大了失业保障范围（城镇正向所有就业人员扩面），为所有制结构调整和产业技术结构调整所必然要求的劳动力结构调整奠定了基础。二是适当提高了失业保险基金的缴费率为 3%（企业缴 2%，个人缴 1%），引入个人缴费的新机制，增强失业保险制度的保障能力。三是把失业保险与下岗职工最低生活保障有机结合起来，建立中国特色的"再就业服务中心"形式，化解改革矛盾，降低改革成本，实现平稳过渡。近年来，失业保险的覆盖面不断扩大，保障对象不断增加。

从 1998 年到 2001 年，失业保险参保人数由 7928 万人扩大到10355 万人。2001 年末领取失业保险金的人数为 312 万人。随着失业保障制度的完善，国有企业下岗职工基本生活保障制度正逐步纳入失业保险。

4. 城市职工最低生活保障制度也已确立

"城市居民最低生活保障制度"是我国政府现阶段实施的社会救济制度。20 世纪 90 年代初，随着产业结构调整和国企改革深入，全国各地城市出现大量企业下岗职工和困难企业职工，城镇出现了"新的贫困人口"。在这种形势下，各地城市在社会救济制度改革方面进行了新的探索。上海市于 1993 年率先实施最低生活保障制度，对城市救济对象按最低生活标准进行救济，成效显著。对此，国家民政部及时总结并在全国推广。1994 年初，在一些城市开始试行。1997 年国务院发出《关于建立居民最低生活保障制度的通知》。1999 年中国政府正式颁布了《城市居民最低生活保障条例》，城市居民最低生活保障资金由地方人民政府列入财政预算。由地方政府根据当地维持城市居民基本生活所必需的费用来确定最低生活保障标准。家庭人均收入低于最低生活保障标准的城市居民均可申请领取最低生活保障待遇。城市居民领取最低生活保障待遇需要经过家庭收入调查，领取的待遇水平为家庭人均收入与最低生活保障标准的差额部分。

2001 年，全国领取城市最低生活保障金的人数达 1170.7 万人，中央财政投入用于发放最低生活保障待遇的资金为 23.01 亿元。近年来，部分农村地区也开始建立了最低生活保障制度。①

综上可见，改革开放 20 多年来，特别是近 10 年的加快步伐，我国社会保障制度改革与建设已取得很大进展，2000 年初步形成了以养老保险、医疗保险、失业保险和城市居民最低生活保障制度为主要内容，适应社会主义市场经济要求的社会保障体系框架，标志着我国社会保障体系建设进入了全面健全，加快完善的新时期。党的十六大要求：完善城镇职工基本养老保险制度和基本医疗保险制度。健全失业保险制度和城市居民最低生活保障制度。

二、难点聚焦：完善新型社会保障制度所面临的困难

综上所述，党的十四届三中全会以来，我国社会保障制度改革与发展取得了突破性进展，以养老、医疗、失业保险和最低生活保障制度"四位一体"的社会保障制度框架已初步形成，并对整个经济体制改革和社会、经济发展都起到了重要作用。然而总体上来说，我国整个社会保障制度还欠完善。养老保险制度建设虽然进展最快，但面临困难最大，养老保险在制度颁布一年后就出现全国性的当期基金入不敷出的艰难局面；医疗保险的实施还只停留在市、地一级，离社会化还有较大一段距离；城镇最低生活保障制度也只覆盖了应覆盖人口的 20% – 30% 等等，可见，我国社会保障体系仍处于构建初期的探索阶段，还需加快完善的步伐。由于我国体制改革及社会保障制度改革采取的渐进式的改革方式，旧的传统社会保障制度的弊端难以彻底根除，影响着新

①　国务院新闻办公室：《中国的劳动和社会保障状况》，《社会保障制度》2002 年第 7 期。

制度的建设。随改革的深入，深层次问题愈加复杂，解决问题的难度更大，许多难点就成为新制度完善的障碍：

第一，我国目前社会保障范围覆盖仍不全。

社会保障制度应覆盖全体居民，这是社会保障促进人类平等的本质要求。而我国不仅传统社会保障制度覆盖面很狭小，仅限于全民所有制企事业单位职工，个私企业及外资企业人员包括广大农民排除在外。而且新建成的社会保障体系覆盖范围仍然不全；医疗保险改革试点实际上局限在国有企事业单位；失业保险制度也只适用于国有企业；我国现有城镇贫困人口3100万以上，其中70%以上享受不到社会保障——最低生活保障待遇；养老保险覆盖面略大一些，目前正向城镇的个私企业、外资企业等非国有经济及所在城镇就业人员覆盖，但扩面难度较大。目前问题是，非公有制企业社会保障扩面难，如青岛一些个私企业不愿为职工交纳社会保障费，甚至集体开会研究拒绝参保，借以阻挠社会保障扩面工作进行；另外工伤、生育两种保险费覆盖面扩展更为缓慢。

第二，现阶段社会保障基金缺口大，筹资难。

我国现阶段社会保障基金缺口增大，是当前完善社会保障体系、充分发挥其积极作用的首遇难题。一方面由于我国加入WTO，市场化改革进程加快，短期内由于竞争加剧，可能会产生更多失业者成为弱势群体，使失业保险金及最低生活保障费出现较大的缺口。另一方面，跨入新世纪我国面临"银发浪潮"的冲击。据统计，2000年我国60岁以上老人将达1.32亿人，到2010年将猛增到3.8亿人，增速之快，比重之大，导致我国养老保险和医疗保险的压力加大。据民盟中央的调查，仅我国职工养老保险一项，基金收不抵支的城市就逐步攀升，1998年缺口是100多亿元，2001 年增加到 400 亿元，加之过去历史上社保基金没有资金积累，国家对中老年职工养老金的历史负债至少在 2 万亿元以上。究其主要原因：一是需求猛增，令人措手不及；二是历史上没有资金积累；三是筹资渠道单一；四是筹资手段软化，企业欠缴社会保障费的情况很普遍。

第三，社会保障基金的管理与保值增值仍未找到完善的解决方案。

在我国传统的社会保障体制中，政府全权管理，社会保障基金管理和运营合一，导致社会保障基金管理混乱，效率低下，社会保障基金流失情况严重。养老保险基金的管理问题尤为严重，一些地区和部门出现严重侵蚀、挪用、浪费的现象。据统计 1996 年发现全国被挤占、挪用的社会保障基金 60 亿元。审计和财政、劳动部门检查的情况表明，挤占、挪用基金的形式多种多样：有的投资房地产血本无归；有的超标准提取和滥支管理费挥霍浪费，盖大楼等；有的对存入财政专户的基金截留利息；有的公款私存化公为私。甚至失业保险金竟然也出现被挪用的问题。

自改革以来，我国社会保障基金的管理有所改进，但对社会保障基金的管理与保值增值至今尚未找到完善的解决方案。目前我国新的社会保障体系中，一个长期问题是保险基金缺乏安全、有效的投资方式。从发展过程看，我国的社会工资水平上升较快，从而养老保险的支付额也将不断提高。如果再考虑到通胀因素，个人账户积累部分的基金迫切需要有安全、稳定且收益较高的投资方式以实现保值和增值。而在 1999 年以前，我国的保险基金几乎只能用于银行储蓄或投资于国债，而国外则有多种形式。

第四，我国社会保障立法长期滞后。

纵观世界，先立法后实施是各国建立或修订社会保障制度的一项最基本的规则。而中国社会保障法制建设则是一个薄弱环节，大大滞后于社会保障实践。除了1953年政务院修正公布的《劳动保险条例》惟一可视为社会保障立法外，48年来没有过第二个社会保障法律。《社会保障法》至今仍未出台。虽然也制定了一些规定和条例，但不能代替法律的作用。正是由于缺乏系统的法制，管理混乱，出现欠缴社会保障基金等现象，手段软化，无法可依，极大影响我国社会保障制度的改革与建设。建国50多年以来，社会保障缺乏立法，仅仅依靠一些暂行规章、试行办法以及临时性措施，不利于我国社会保障制度的建立与完善。我国加入WTO后，更迫切要求和加快社会保障法制建设的步伐。

三、热点研讨：当前我国社会保障制度建设中的突出问题

1. 中国农村社会保障制度建立是一个缓慢而艰难的过程

农村社会保障制度是中国社会保障体系的重要组成部分，也是最薄弱的环节。随着我国城镇社会保障制度改革和发展取得较快的进展，城市居民得到了比过去更可靠、安全、平等的社会保障。而中国广大农村居民却长期徘徊在社会保障体系的边缘或排斥在社会保障体系之外，城乡之间的这种巨大差别，这与社会保障的宗旨相背，不仅不利于深化农村改革和农村经济的可持续发展，而且不利于整个经济和社会的协调发展。在扩大内需和中国加入WTO的情况下，加快建立和完善农村社会保障制度，已成为当前一项刻不容缓的工作。

自古以来，中国农村就缺乏来自政府的保障。中国农村社会保障起步迟、发展慢、水平低。由于历史的原因和城乡差距的存在，城乡社会保障出现巨大差别：占总人口25%的城镇居民享

受并占用全国社会保险费总支出 89%，而占总人口近 75% 的农村居民却占全国社会保障费的总支出 11%，明显表现为城乡"二元结构"和不平等的"国民待遇"。所以从总体上讲，改革前广大农民和农村人口真正享受到的社会保障近乎一片空白。

改革开放后，农村实行联产承包责任制，农民与集体经济联系减弱，计划生育的推行和人口年龄老化的加剧以及城市化、现代化的发展，使传统的"养儿防老"失去了坚实的基础，使农村对养老、医疗等社会保障要求更加迫切。1990 年民政部在部分农村地区进行"农村社会养老保险制度"试点，1992 年在全国推广。政府规定农村养老保险覆盖农村各业人员，采取以个人缴费为主，国家政府支持，集体适当资助，建立个人账户的办法，取得了明显成绩。但从总体来说，现阶段中国农村社会保障的层次低，范围小，覆盖面窄，只有 10% 的农民参加了养老保险。我国农村人口比例大，经济发展程度低，实力不强，保障功能差，关键在于国家财力有限，尚无能力对全体农村劳动者提供基本的生活保障，也就是说目前国家还不具备把城乡的社会保障统一起来的能力和条件。可见，我国农村社会保障制度建立将是一个缓慢的过程。

劳动和社会保障部负责人曾在党的十六大记者招待会上说：农村社会保障是我国社会保障体系的一个重要组成部分，但是在现阶段全面推行农村社会保障十分艰难，尚不具备条件。经济比较发达的一些地区已经开始探索建立农村养老保险制度，主要办法就是农民自愿出一点钱，集体经济或社区进行辅助，建立养老保险制度。现在全国已有 6000 万农民参加了农村社会养老保险，积累了 216 亿元，有 108 万的农民开始领取养老保险金。十六大报告指出："有条件的地方探索建立农村养老、医疗保险和最低生活保障制度"。为了适应全面建设小康社会的新形势、新要求，我国正在研制适应于进城务工农民、被征用土地的农民以及农转非人口的养老保险制度，然而再逐步过渡到其他农村人口。

2. 社会保障社会化的"社区管理"是改革的发展趋势

"管理服务社会化"是完善我国社会保障体系总目标的重要内容。党的十五届四中全会《决定》指出："逐步推进社会保障的社会化管理，实行退休人员与原企业相分离，养老金由社会服务机构发放，人员由社区管理。"十五届五中全会《建议》又将"管理服务社会化"为社会保障体系的主要内容。国务院《关于完善城镇社会保障体系的试点方案》第八部分，专门阐述了推动社会保障管理和服务的社会化问题。这充分表明，社会保障社会化管理服务在社会保障制度建设中占有重要的地位和具有重要意义。只有社会化的管理服务，才能建立起独立于企事业单位之外的社会保障体系。才能减轻企业负担，使企业能轻装上阵，平等参与市场竞争，有力推进国企改革和建立现代企业制度。同时，社会化管理服务也是维护社会保障对象合法权益的有效手段，能够全面带动社会保障基础管理水平的提高。总之，社会化管理服务是社会保险的应有之义，是市场经济发展的必然趋势，如国际上已经建立社会保险制度的国家中，无一是由企业发放养老金的。

按冯兰瑞的观点，社会保障社会化内容包括四方面：一是保障对象社会化；二是保障主体社会化；三是基金筹集社会化；四是管理服务社会化。其中"管理服务社会化"的具体内容是：社会保障事务由社会保险经办机构和其他社会服务机构管理。养老、失业、工伤、生育保险待遇由社会保险经办机构或委托的银行、邮局等机构发放，医疗保险待遇由社会保险经办机构与定点医疗机构等单位结算；社会保障对象中的退休人员等由社区组织统一管理。[①] 可见，其主要内容不外于两大块：社会保障金实行社会化发放和社会保障对象纳入社区管理。

我国在新中国成立到改革开放前，有相当长的一段时期内，我国对社会保障对象的管理服务基本是以企业自行管理为主。改革开放以来，在经济体制改革的推动下，中国的社会保障制度开始出现了社会化发展趋势。特别是近年来，伴随着社会保障改革步伐的加快，我国社会化管理服务工作有了迅速发展。目前，全国已基本实现企业离退休人员基本养老金的社会化发放，部分地区开始进行企业退休人员纳入社区管理的新试点。社区管理是社会保障社会化管理服务的一项重要内容，是国际社会保障制度改革的发展趋势（亚洲一些国家由于社会保障制度建设起步迟，有效借鉴了发达国家的经验和教训，在社会保障运行机制上，更重视发挥社区的作用且成效显著，使得欧美国家纷纷效仿）。1995年颁发的《国务院关于深化企业职工养老保险制度改革的通知》明确指出，要逐步将主要由企业管理退休人员转为主要依托社区进行管理，提高社会化管理水平，切实减轻企业负担。党的十五届五中全会提出：发挥基层组织、社区组织在社会保障对象的管理和服务方面的作用。可见，"社区管理"作用重要、意义深远。近年来，各地在企业退休人员纳入社区管理工作方面进行了积极的探索。据对大连、上海、深圳等试点城市的统计，上述地区目前已有120多万退休人员纳入社区管理。目前正在对企业退休人员纳入社区管理的途径进行积极探索。

---

　　① 参见张左已主编：《领导干部社会保障知识读本》，中国劳动社会保障出版社2002年版。

由于我国幅员辽阔，地区之间的社会经济发展很不平衡，企业的情况也有很大差异。因此，推进企业退休人员纳入社区管理工作不能搞"一刀切"，必须坚持因地制宜，分类指导的原则，社区管理模式可以多样化：如在社区组织比较发达的城市，要尽可能将企业退休人员直接转入社区管理；在退休人员数量大且相对集中的城市，可以考虑由大型企业集团专设的退管机构对退休人员进行日常管理。作为社会化管理的过渡形式，逐步使它与企业相脱离，融入社会管理等等。

总之，建立社会化的社会保障制度将需要一个比较长期的过程，也是一个渐进的过程，需要一种逐步过渡的方式来完成。

第三节　完善新型社会保障制度的政策选择

如前所述，经过 20 多年的改革探索，特别是近十年的加快速度，我国社会保障体系建设已取得很大成绩，形成了一个具有中国特色与社会主义市场经济体制相适应的社会保障体系基本框架，对改革、发展、稳定发挥了重要作用。当然还不尽完善，尚处在构建新制度的初期阶段，因而，当前的主要任务是进一步发展和完善的问题。完善的社会保障体系是市场经济成熟的条件和标志。建立完善社会保障体系是建设有中国特色社会主义、加快社会主义现代化建设的重要任务，是关系我国改革、发展、稳定全局和长治久安的大事。要做好这项工作，必须以江泽民同志提出的"三个代表"重要思想为指针，认识完善社会保障体系的重要性和紧迫性，制定和完善各项社会保障政策①。为此，下面我们来了解和把握完善新型社会保障制度的目标、原则及其措施。

一、完善的目标

党的十五届五中全会通过的《中共中央关于制定国民经济和社会发展第十个五年计划的建议》明确提出："要加快形成独立于企业事业单位之外，资金来源多元化，保障制度规范化，管理服务社会化的社会保障体系。"这是对我国社会保障体系总体目标的高度概括，为我国进一步完善社会保障制度指明了努力的方向。具体可分四层来理解：

1. 独立于企业事业单位之外

独立于企业事业单位之外，是对计划经济体制下社会保障制度的根本性变革，体现了社会保障体系的本质特征。社会保障的重要特征之一是其社会性和互济性，它要求采取均衡负担、分担风险的办法，切实保障广大劳动者的基本生活。在计划经济时期，用人单位过多地承担了本应由政府和社会承担的社会责任和具体事务，保险福利费用由单位承担，职工的生老病死等问题由单位自行解决。这种做法，导致用人单位负担畸轻畸重，不利于劳动力的合理流动，部分单位不堪重负，职工基本生活难以得到根本保障。随着经济体制改革的深化，企业逐步成为独立经营、自负盈亏的主体，在参与市场竞争的过程中，如何为各类企业创造公平的市场竞争环境，使企业从繁重的社会事务负担中解脱出来，已经成为摆在我们面前的一个重大课题。因此，建立独立于

---

① 参见张左已主编：《领导干部社会保障知识读本》，中国劳动社会保障出版社，2002 年版。

企业事业单位之外的社会保障体系，已成为我国社会保障制度改革的重要内容。

社会保障独立于企业事业单位之外，是社会保障制度的深刻变革，要求我们重新界定国家、用人单位以及职工个人在社会保障中的权利和义务。政府是社会保障体系的组织者和实施者，要按照建立公共财政的要求，强化社会保障的职责，加大对社会保障的投入。社会保险经办机构及社会服务机构要做好管理服务的相关事务。企业要体现对社会、对职工应尽的社会责任，依法参加社会保险，按时足额缴纳各项社会保险费。职工个人要增强社会保障意识，依法参保和缴费，履行应尽的义务和责任。建立独立于企业事业单位之外的社会保障体系要求：社会保险费用实行社会统筹，社会保险事务由政府委托的社会保险经办机构及社会服务机构管理，社会保险待遇由银行、邮局等社会服务机构发放，社会保障对象由社会保险经办机构和社区组织等机构进行管理。

2. 资金来源多元化

资金是社会保障运行的物质基础，是完善社会保障体系的关键所在。一方面，我国人口多，与之相应的是下岗失业人员也多，且老龄化速度加快，这对社会保障提出了很高的需求；另一方面，我国社会保障资金缺乏积累，难以满足日益增长的需要。在这种情况下，社会保障对象的逐步增加与保障资金的相对不足，形成了制约我国社会保障事业的主要矛盾。因此，必须采取多渠道筹资的方式，解决社会保障资金的来源问题。

一是要做好社会保险扩大覆盖面和基金征缴工作。企业事业单位和职工个人缴纳的社会保险费，是社会保障基金的主要来源。我国扩大覆盖范围还有较大空间，有相当一部分非公有制经济组织没有参加社会保险，要依法把它们纳入覆盖范围，使城镇所有用人单位及其职工都积极参加社会保险。同时，加强社会保险基金征缴，参保单位和职工都应按时足额缴纳社会保险费，做到应收尽收。对少数故意拖欠、能缴不缴的，要加大执法力度，督促按时缴费。

二是要调整财政支出结构。社会主义市场经济条件下，政府职能转变的一个重要内容，就是从过去的上项目、投资办企业等，转到维护市场秩序、创造公平环境、发展公共事业上来。这几年，我国财政支出用于社会保障的资金增加较多，已达到10%左右，但与发达国家相比差距较大，尚不能满足社会保障的实际需要。各级政府要积极调整财政支出结构，逐步将社会保障支出占财政支出的比重提高到15%－20%左右。压缩部分行政事业性经费支出，增加社会保障资金。预算超收的财力，除了保证法定的支出外，主要用于补充社会保障资金。

三是变现部分国有资产。国有资产属于全体人民，是人民的劳动积累。变现部分国有资产，用于弥补社会保障基金的不足，是取之于民，用之于民。通过股市变现部分国有资产的方向是正确的，具体办法需要通过实践不断探索和完善。

四是积极探索社会保障基金的投资运营。过去积累的基金一律买国债，不允许进行其他投资。随着资本市场的不断完善，社会保障基金进入资本市场的条件将逐步形成，应积极探索基金的市场化投资运营，严格进行投资监管，以实现基金的保值增值。

五是发行社会保障债券和彩票。随着经济不断发展壮大，社会财富日益增加，我国可以借鉴国外动员社会闲散资金用于社会保障的办法，通过发行债券和彩票等手段筹集社会保障资金。

六是开征新税种。开征新税种是许多国家调整收入分配关系、实施社会保障的重要手段。在我国，通过开征新税种，用于弥补社会保障资金缺口势在必行。

3. 保障制度规范化

保障制度规范化，是完善社会保障体系、深化我国社会保障制度改革的基本内容。在相当长的一个时期内，不同的单位之间、行业之间、地区之间，甚至不同的劳动者之间，在社会保障标准、管理制度和运行规范上实行了不尽相同的办法，用人单位的社会保障费用和事务负担不均衡，劳动者保障待遇有差别，不同的保障办法之间难以衔接，制约了劳动力的流动，不利于统一的劳动力市场的形成，也影响了部分职工群众的生活。因此，建立社会主义市场经济体制，促进经济发展和社会进步，必须改变过去的做法，实现社会保障制度的规范化。

一是加强立法。各项社会保障制度上升为法律是保障制度规范化的最终结果和最高标准。社会保障体系是政府通过立法建立的，立法是社会保障制度规范化的根本保证。我国的立法程序一般是先实践，取得成功经验后再上升为法律。我国社会保障改革和发展的实践相当丰富，立法条件已基本成熟，应尽快制定颁布《社会保险法》及相关法规。同时，加强社会保障执法力度，依法规范和管理社会保障工作，将社会保障纳入法制化、规范化的轨道。

二是完善制度。社会保障对象的界定、资金来源、缴费费率、待遇水平、发放办法等，要有一个全国基本统一的标准。由于地区之间社会经济发展的不平衡，应允许各地在基本统一的标准之内有一定灵活性。完善社会保障制度，不是一蹴而就的事情，还必须及时研究和解决改革过程中遇到的新情况和新问题，如积极探索统筹层次、待遇水平、征缴体制和社会化管理等问题。

三是规范运作。规范运作是实现管理制度规范化的基础。在登记申报、费用征缴、待遇发放等方面，应严格执行统一的规定，杜绝擅自改变管理体制和运作方法的做法。规范运作离不开技术手段的支持，技术手段的运用又可以促进制度规范化。要创造条件，实现管理手段的现代化，建立一个功能齐全的社会保障信息网络，规范业务流程、办事程序和管理权限，既提高管理运行的效率，又制约不规范行为，实施有效管理和监督。

4. 管理服务社会化

管理服务社会化，是社会保障独立于企业事业单位之外的重要体现和完善社会保障体系的内在要求。所谓管理服务社会化，就是按照政事分开的原则，在政府的指导下，把从企业事业单位分离出来的一系列社会保障事务，交由有关社会服务机构承担，充分体现保障制度的社会性。其主要内容是：用人单位和个人的社会保障事务由社会保险经办机构进行管理、提供服务；养老保险、失业保险、工伤保险、生育保险等社会保障待遇由社会保险经办机构及银行、邮局等社会服务机构发放，医疗保险费用由社会保险经办机构与定点医疗机构等进行结算；退休人员逐步由社区组织进行日常管理和服务，下岗失业人员由就业服务机构或社区组织参加职业培训，提供就业服务。当前，实现管理服务社会化，应重点做好以下工作：

一是转变职能，切实减轻企业事业单位负担。按照政事分开原则，一切社会保障事务均由政府部门委托的社会保险经办机构及其他社会服务机构管理。在转变职能过程中，要提高有关社会服务机构的管理服务水平，通过加强基础管理，提高服务效率和质量，实现管理服务的公开化，增加管理服务的透明度。

二是坚持养老金社会化发放的方向。全额征缴是实现养老保险待遇社会化发放的必要前提，对于减轻企业负担、促进按时足额发放基本养老金、维护离退休人员合法权益、推进改革都具有积极的作用，必须坚持做好。

三是进行社区管理试点。社区管理是社会保障管理服务社会化的一项重要内容。要通过积极探索、积累经验，加强社区组织建设和基础设施建设，强化社区服务功能，提高社区管理和服务水平，实现退休人员、失业人员与企业事业单位脱钩，在城市社区因地制宜开展社会保障对象的统一管理，为退休人员提供生活和其他服务，帮助下岗失业人员再就业，落实城市居民最低生活保障以及社会救助责任等。

四是推进社会保障信息社会化。社会保障是公众的事业，实现社会保障信息社会化，将社会保障信息公之于众，有利于社会监督。运用现代信息技术，不仅是进行日常管理服务的客观需要，也能方便快捷地向公众和社会保障对象公布有关信息，提供及时准确的查询服务。[①]

二、完善的原则

社会保障体系的建设，必须建立在符合国情的基础之上。从我国国情的实际出发，借鉴国外经验和教训，我国的社会保障体系的改革与完善，应遵循以下几项基本原则：

1. 坚持基本社会保障的标准与我国经济发展水平相适应的原则。

西方福利国家在社会保障方面待遇过高、包揽过多，给政府

[①] 　参见张左已主编：《领导干部社会保障知识读本》，中国劳动社会保障出版社 2002 年版。

财政背上了沉重包袱，养成了国民的依赖思想，改革起来举步维艰。目前，许多国家在建立、完善社会保障制度时都力图避免这一弊端。我国现在处于社会主义初级阶段，生产力发展水平比较低，人口多、底子薄，一要吃饭、二要建设，这些特点决定我国社会保障体系建立的经济基础比较薄弱，保障水平要适当。水平定得过高，企业负担过重，财政承受不了，势必影响国家经济发展和企业竞争力。但水平也不能过低，要满足广大群众的基本需要，保证保障对象的基本生活。

2. 坚持城乡有别和体现经济发展不平衡的原则。

我国社会经济发展的一个显著特点是地域之间、城市与农村之间差距较大。从经济发展水平看，城市经济已经进入到工业化和社会化大生产的阶段，需要为广大劳动者建立包括养老、失业、医疗等项目在内的社会保险体系；农村经济市场化程度低，自给半自给经济占相当比重，实行土地家庭承包制后，土地既是农民的生产资料，也是生活资料，能给农民提供一定的保障。从对社会保障的需求看，大多数城市居民的收入水平和消费水平都高于农村居民，他们对保障项目、保障水平的要求也高于农民。这些情况表明，目前，城镇的社会保障同农村的社会保障要有所区别，我国的社会保障体系不可避免地会存在着二元结构的特征。另外，地域之间经济发展的不平衡，决定了社会保障的具体标准不可能一样。因此，要建立多层次的社会保障体系，满足不同水平的社会保障需求。

3. 坚持公平与效率相结合、权利与义务相对应的原则。

实行社会主义市场经济，要保持经济运行的较高效率，社会保障也不能再像计划经济那样吃"大锅饭"，在考虑权利、公平的同时，还要突出效率。社会保障制度对用人单位和职工个人应该具有较强的激励作用。实行社会保障制度，为企业经营、职工劳动就业创造了平稳的经济运行条件和安全的社会环境，用人单位和职工个人都从中受益，企业有责任缴纳社会保险费，职工个人在享受社会保障权利前必须履行缴费义务。这种做法符合世界社会保障改革的方向，符合市场经济的基本要求。

4. 坚持由近及远、逐步完善、保持政策连续性的原则。

社会保障制度改革是一项十分复杂的系统工程，涉及到社会各方面的利益，处置不当，步骤不妥，容易引发社会矛盾。另外，社会保障的实践也证明，一项社会保障制度是否成功，必须经过较长时期的实践检验，才能看出它是否符合国情国力，是否符合社会成员的需求，是否能实现可持续发展。我国社会保障制度的改革安排，不管是出台单项的制度，还是对体系的完善，都要注意把握改革政策出台的时机和社会各方面的承受力，注意保持有关政策的相对稳定和各项政策的衔接配套，注意采取平稳可行的过渡措施。[①]

三、完善的措施

建立完善的社会保障体系需要一个长期过程。从国际社会保障发展历史看，各国社会保障从开始建立到形成完善的体系都有一个逐步发展的过程。由建立单项制度逐步发展到多项制度，最终形成项目齐全的制度体系；由覆盖少数人逐步发展到大多数人口，直到覆盖全体居民；保障水平也由初期的仅能维持生存，发展到保障基本生活，最终达到较高的保障待遇。就我国来说，社

---

① 参见张左已主编：《领导干部社会保障知识读本》，中国劳动社会保障出版社 2002 年版。

会保障体系建设也必然是要经过一个由近及远、由低到高逐步完善的长期过程。因而，完善我国社会保障体系的基本思路应是"立足当前，着眼长远，逐步完善"。具体措施：

一是积极稳妥地推进社会保险制度的改革，强化城市居民最低生活保障制度的作用。

二是实现社会保障对象管理和服务的社会化，明确政府、企业和个人三方的社会保障职能与责任。

三是拓宽社会保障资金来源渠道，提高资金使用效率。

四是加强社会保障体系法制建设。加快制定出台《社会保险法》及配套法规，逐步建立以《劳动法》和《社会保险法》为基础的劳动和社会保障法律法规体系。

五是广泛运用现代信息技术手段，建立覆盖全国的社会保障服务信息网络。[①]

总之，完善社会保障体系是一个长期复杂的过程，面临困难很多，任务十分繁重。然而，我国社会主义市场体系的建立和发展，在呼唤完善的社会保障体系诞生的同时，也为完善社会保障体系创造了有利条件：我国社会政治稳定、经济发展迅速、财政收入持续增加，这为我们进一步完善社会保障体系提供了有利条件，也就是说已经具备完善社会保障体系的物质基础和社会条件，我们应抓住这一有利时机，加快完善社会保障体系。可以预见，在新世纪头十年，在我国社会主义市场经济体制不断完善的时期，我国新的社会保障制度也将随之不断完善，发展成熟，发挥更大作用。

---

① 　窦莉：《新时期下中国社会保障制度的构建与完善》，《宏观经济研究》2002 年第 4 期。

第十一章 国外社会保障制度的
比较与借鉴

　　由于国外特别是西方发达国家市场经济发展较为成熟，社会保障制度比较完善，因而分析和比较各国社会保障制度的模式，总结和借鉴其经验及教训，研究和探索社会保障发展趋势及规律，对推动中国社会保障制度改革和发展，建立与完善中国特色的社会主义市场经济社会保障制度具有十分重要的启示意义和参考价值。

第一节　现代社会保障制度的形成与发展

　　从整个人类社会的社会保障制度历史演变来分析，社会保障的发展大体可划分为互助共济时期（社会保障萌芽期）、传统的社会保障时期和现代社会保障时期三个阶段。而本节则着重分析现代社会保障形成与发展的第三个时期。

一、现代社会保障制度的形成

1.萌芽阶段

　　现代社会保障制度萌芽于英国，早在 1601 年英国女王伊丽莎白一世颁布了《济贫法》。19 世纪初，随着产业革命的深入，资产阶级的政治力量不断壮大，终于在 1832 年掌握了政权。由于济贫费用逐年增加，财政不堪重负。为了解决这个问题，英国议会根据 1817 年和 1832—1834 年《贫民法》调查委员会的报告，于 1934 年通过《济贫法》修正案。这就是英国社会保障史上重要的新《济贫法》，它是现代社会保障制度的萌芽。

2. 雏形阶段

现代意义上的社会保障制度首先产生于德国。19 世纪 70 年代德国实现统一后，资本主义经济有了突飞猛进的发展，工农业增长速度很快超过了英国和法国。德国政府十分清楚，要想加快经济发展速度，发展壮大自己的民族，就必须保持国内政治社会稳定。而当时的德国工人运动在马克思主义指导下，一浪高过一浪，使资产阶级感到其统治地位受到了严重的威胁。"铁血宰相"俾斯麦在残酷镇压工人运动的同时，也逐渐意识到了对工人阶级进行安抚的重要性。他公开宣称："社会保险是一种消除革命的投资，一个期待养老金的人是最安分守己的，也是最容易被统治的"，即俾斯麦的"胡萝卜加大棒"政策。1883 年德国推出了世界上第一部社会保险法案——《疾病保险法》。此后又于 1881、1889 年相继推出《工伤保险法》、《老年和伤残保险法》和《失业保险法》，形成了一套比较完整的社会保险体系，开创了现代社会保障制度的先河。德国这些社会保险法规的确立，标志着现代社会保障体制的诞生。但在这一时期，各国的社会保障制度只是初步确立，尚未形成完整的体系。

3. 形成阶段

现代社会保障体制形成于美国。早在第一次世界大战期间，美国大发横财。19 世纪末 20 世纪初，美国就已成为发达的工业国家。但它与欧洲发达国家不同，历来认为政府不宜干预社会保障。1929—1933 年给美国带来空前灾难的经济危机，改变了美国的传统观念。为了使美国迅速摆脱危机，在这关键时期，美国总统罗斯福上台推行"新政"。新政强调国家干预社会经济生活，包括由国家出面实施社会救济、社会保险和社会福利。新政影响最深远的是社会保险方面，经过努力，克服重重阻力，美国国会终于在 1935 年 8 月通过了世界上第一部社会保障法典——《社会保障法》，它充分体现了罗斯福新政的思想，标志着社会保障最终形成一种制度。

自此，在英国和德国社会保险制度基础上建立起来的、现代第一个比较完整的社会保障体系在美国面世，标志着了现代社会保障制度的最终形成。

二、现代社会保障制度的发展

20 世纪 50 年代后期至 70 年代，现代社会保障制度进入充分发展阶段并进入鼎盛时期。

一方面，德、英、美等主要资本主义国家，在第二次世界大战后，为医治战争创伤，恢复经济，安置伤残人员，促进社会稳定，欧美国家进一步以政府名义加强了社会保障体制的建设，并作为长期发展战略的重要组成部分。当时英国首先宣布建成公民"从摇篮到坟墓"均有保障的"福利国家"。接着，西欧、北欧、北美洲、大洋洲、亚洲等发达国家都相继宣布实施"普遍福利政策"。美国 30 年代的经济大危机以及第一次"石油危机"对日本经济的冲击，均是由于及时采取了增加社会保障支出的措施，使危机引发的社会矛盾和经济衰退现象大大缓慢，对社会稳定和经济发展起了重要的促进作用。因此，这一时期世界各发达国家都普遍建立社会保障制度。

另一方面，社会主义国家也相继建立了"国家保险型"的社会保障制度。苏联建国后，认为沙俄时期建立的工伤和疾病保险范围太窄，待遇太差，于是在列宁的领导下建立了以国家保障为主体的社会保障体系。此后，东欧、中国及亚洲社会主义国家纷纷仿效苏联模式，建立起"国家保险型"社会保障体制。

另外，亚、非、拉发展中国家也普遍建立起自己的社会保障制度。

分析第二次世界大战以后，西方资本主义国家的社会保障事业广泛迅速发展的经济原因主要是：二战结束，各国开始把主要精力由应付战争转移到了发展经济上来。这就要制定一些有利于经济发展的配套措施，以扫清阻碍经济发展的一些问题，社会保险政策是各国首选的措施。因为它的建立能很好地安抚百姓，缓和劳资矛盾，促进经济发展。于是，第二次世界大战以后，全球出现了近20年经济迅速增长的"黄金时代"，与之相联系，社会保障发展迅速覆盖全球。仅就对1958－1967年的统计，实行社会保险的国家由加个猛增到120个。世界各国纷纷建立社会保险制度，这说明社会保险是当时社会经济发展普遍的内在要求。

第二节　现代社会保障制度的不同模式

本节将对当今世界主要的社会保障模式进行比较，分析其利弊，总结并借鉴其经验和教训。然而，由于每一个国家都有着自己独特的历史文化传统、人口结构，所处的经济和社会发展阶段也不同，因而各国的具体国情的不同就决定了社会保障模式的差异。为了便于比较，我们将当今世界的社会保障制度模式大体上分为四种类型：保险型、福利型、储蓄型和国家保险型。并分述如下：

一、"保险型"社会保障模式

德国、美国、日本等许多发达国家都建立了"保险型"社会保障制度。这一模式的基本特征是：（1）权利与义务相对应，通过立法强制实施保险，公民只有在履行义务后，才能享受社会保障权利；（2）社会保障费用由政府、企业和劳动者三方分担，个人和企业缴费为主要社会保险基金的来源，政府在必要时酌情拨款资助；（3）待遇给付标准与劳动者的个人收入和缴费相联系；（4）以保障基本生活水平为原则。社会保障的目的在于解决"困难"，而不是搞"高福利"；（5）强调公平与效率兼顾，既要保证每一个公民都能享有一定的社会保障待遇，又不能影响市场竞争活力。总之，这一模式虽有公平内容，但更强调效率，强调自助和安全。

这种模式可以美国和德国为典型代表，下面就对美国的社会保障制度进行考察与分析：

在西方发达国家中，美国社会保障制度建立较晚。1935 年 8 月为了使美国尽快摆脱经济危机的打击，罗斯福总统签署了《社会保障法》，这是美国第一个全国性的由联邦政府承担义务以解决老年和失业问题为主体的社会保障立法。其主要内容包括社会保险、公共补助、儿童保健和福利服务的主要四类，社会保障管理分为国家、地方政府和民办形式。美国社会保障制度建设虽起步较晚，但发展较快，今天美国已形成一个门类较为齐全、运作比较灵活的社会保障体系。其主要特点如下：

第一，社会保障内容广泛，但保障程度不高。

美国社会保障涉及生老病残、衣食住行、工作学习、职业工种等各个方面，集保险、福利、安居、救济于一体，项目达数百种。但在覆盖面与保障水平上都明显不如瑞典。在美国，尚有小部分因各种原因未享有任何保险项目的人。在一些地方，一些重要的保险项目如失业保险、工伤保险等将农工、小企业职工排除在外。除对现役军人及退休军人提供较高的补贴外，由政府资助的保障项目，特别是各类补贴总的说水平较低，如退休保险、失业保险等只相当于工资的50%，略高于国家制定的贫困线标准。住房补贴、医疗补贴（主要是对穷人的部分）水平也不高。

第二，多种渠道筹集社会保障资金。

美国社会保障资金主要以税收形式向企业和个人征收，具有强制性。政府将征收到的社会保障税作为一个独立的基金与财政分开。支出如有不足，则由联邦、州和地方政府从财政拨款补贴。其中，联邦政府主要的出资项目有老年、遗属和残疾、健康保险等；州和地方政府主要的出资项目有公共援助、医疗补助、公立大专院校补助等；企业在社会保障方面支付的项目，主要是失业保险、私营企业养老、残疾保险和各类职工培训。

第三，实行强制与自愿相结合的原则。

美国对那些开支大、影响面广的社会保障项目，如老年保险、失业保险等采取强制执行的办法，而对那些开支少，影响面窄的项目，如医疗费用保险等则采取自愿的原则。当然，美国社会保障的各个项目对受惠者都规定有严格的条件。

第四，适度体现效率原则，但着眼点在于公平。

在美国，保障资金的来源体现了多方共同负担的原则。雇主与雇员都有缴纳保险税（费）的责任。但从支配层次上看，国家财政直接支出和属国家管理的社会保障费用比重较大。国家有意扩大了其中公共补贴、福利支出的比重，并保障着填补收入差距而造成生活差别的低水平支付。因此，尽管有一些直接与个人、企业交费水平相关的保障项目体现了多缴多得的原则，但保障的着眼点还在于公平。除特殊人群（如军人）外，保障的重点在于解决"困难"，这是美国补贴很多的一个重要原因。20 世纪 90年代，美国在公共项目下的社会福利开支已占居国内生产总值的20%。这种做法使美国绝对贫困人口从上个世纪 50 年代末期的近 4000 万人降至近期的数千人。但由于美国由收入差别导致的"基础性"贫富差别较大，故侧重于"济贫"、着眼于解决困难的保障未能达到消除贫富差别的目的。不过，它也一定程度上避免了瑞典高水平的保障制度所带来的吃"大锅饭"、养"懒汉"的"福利病"。

第五，建立多层次的管理体系。

美国社会保障项目的管理体系是多层次的，不同项目由联邦、州、地方政府各有关部门分别管理，并与民间机构形成了遍布全国的组织机构体系。为了节约行政开支，加强管理，提高效率，美国政府近年逐步将一些社会保障项目交给私营企业或民间群众团体管理。同时，社会保障基金的管理与运营严格分开，政府部门只负责监管，保险基金保值增值在内的运营活动是由专门的经营机构进行的。[①]

美国的社会保障制度和西欧有很大的差别，社会保障的范围与方式都有自己的特点。如果单纯从社会保障制度的角度看，美国社会保障制度的覆盖面比较低，没有形成涵盖全体居民的保障体制。但是，和多数西欧国家比较起来，美国的就业率比较高、税率比较低，因而形成了一种和"工作"联系得更加紧密的福利

---

① 参见吕学静编著：《各国社会保障制度》，经济管理出版社 2001 年版。

环境。20 世纪 80 年代以前，人们普遍认为美国在社会保障制度建设方面比较落后，但是自从西欧福利国家先后陷入困境之后，人们开始重新审视美国的社会保障制度模式，并认为它在促进经济发展方面拥有独到的优势。目前，在西欧福利国家改革的过程中，已经没有人能够完全否认"美国模式"的参考作用了。

二、"福利型"社会保障模式

福利型的社会保障模式以英国、瑞典为代表，多见于北欧和西欧国家。其基本特征是：(1) 全民保障，其社会保障不仅覆盖面很宽，而且保障水平很高；(2) 社会保障内容庞大，由生到死，几乎无所不包；(3) 实行广泛而优厚的公共津贴制度，津贴与个人收入及缴费之间缺乏联系，权利与义务不对称；(4) 国家成为社会保障义务的主要承担者，社会保障资金主要来源于国家一般性税收，政府财政负担沉重。(5) 社会保障目的已不完全是解决贫困，而是增加社会福利。总之，这一模式极力推崇公平，其代价则是牺牲了效率。

下面我们就以瑞典的社会保障制度为代表进行考察和分析：

瑞典是世界公认的社会保障体系比较完整福利国家的典型，在西方素有"福利国家的橱窗"之誉。瑞典的社会保障制度主要是由年金保险、医疗保险、失业保险、残疾人保险、家庭补贴、住房补贴和社会救济制度组成的。在瑞典，随着社会保障水平的提高，衡量社会保障的概念也在发生变化，从过去单纯看消费水平转向重视综合考察。综合考察包括九个方面：一是医疗保健、福利和长寿；二是就业和劳动条件；三是生活水平；四是受教育机会和文化教育水平；五是生命财产的安全和犯罪状况；六是家庭和社会关系；七是文化和娱乐活动；八是对政治生活的参与和关心；九是住房和地方所提供的各种服务。

瑞典社会保障制度是"北欧"模式的典型代表，概括起来，其具有如下一些特点：

第一，覆盖面宽，内容广泛，保障水平高。

瑞典的社会保障覆盖在瑞典工作的所有人，不论其是否具有瑞典国籍；保障内容相当广泛，"从摇篮到坟墓"；不仅如此，保障水平也很高。二战后，瑞典的福利国家制度首先强调的是完整意义上的"普遍性"，其社会保障制度不仅比多数其他西欧国家覆盖面更宽；而且在一定程度上把社会福利变成了公民与生俱来的一种"社会权利"。长期以来，瑞典福利国家制度最鲜明的特点就是让每个人都享受到照顾，不仅移民可以享受到相当的社会福利，就是监狱里的福利制度也是很高的。瑞典的监狱被人们称为"犯人的天堂"：不设围墙和铁丝网，牢房里生活设施非常完备。囚犯可以享受到相当程度的"有限自由"，不仅可以在监狱里会见自己的亲友配偶，甚至可以出版自己的报纸，接受职业培训，在刑期结束之前还可以请假出去找工作。当然，这与瑞典的犯罪结构也有关系。在瑞典，严重的暴力犯罪很少见，多数囚犯是因为毒品犯罪、酒后驾车等原因被关入监狱的。瑞典目前全国共有罪犯 4000 多人，每三个罪犯配备两名管理人员，但是瑞典人对巨额的监狱开支普遍持支持的态度

第二，公平优先、兼顾效率的保障原则。

瑞典保障大致可分为两个层次：一是对所有人提供的基本保障；二是在这个基础上提供的与收入相联系的保障。前者所涉及的保障内容繁杂，后者则主要同少数保障内容相联系。总体上说，瑞典的社会保障制度虽然在一定程度上体现效率原则，但本质上是体现公平优先的。

第三，以福利水平为基础的保障。

在瑞典，由社会保障机构提供给人们的保障主要是同整个社会收人或福利的增长状况相关的，个人贡献的大小同所得到的保障没有太大关系。受保人大体情况相同，得到的福利也大体相同。雇员工作岗位发生变化，相应更换雇主，福利水平不会受到影响。在瑞典，不同条件的受保人会对应得到不同的福利水平，形成了一套计算体系，每个人都根据它计算出自己的福利水平。[①]

第四，雇主是社会保障基金支付的主体，政府是社会保障的支配主体。

瑞典基本保障项目与补充保障项目的费用支付，主要靠雇主，雇主是支付主体。例如，1995 年企业雇主负担的养老金和医疗等多种法定保险费率达到 32.9%，雇员基本上不交纳。

国家成立了统一的社会保障委员会，管理全国的社会保障。在国家社会保障委员会之下，形成了由国家、州市各级政府社会机构与服务处所构成的社会保障服务网络。国家，地方自治政府也发挥着较大的作用。例如从费用的分担看，国家管理基本保险特别是养老保险；而医疗和高龄者护理服务则从制定计划到提供服务全部由州市、镇、村实施。

第五，"高福利"靠"高税收"来支撑。

高税收是瑞典社会保障制度的又一特点，也是它赖以存在的基础。北欧国家的税收一般都处于较高的水平上，它们的高福利政策就是以高税收为前提的。如 1979 年瑞典中央政府征收的个

---

① 参见吕学静编著：《各国社会保障制度》，管理经济出版社 2001 年版。

人最高边际税率达到 87%，1985 年政府雇员和企业雇员交纳的社会保险费，大致相当于薪金总额的 34.5%，自由职业者交纳的社会保险费，大约相当于其收入的 32%，比美、英、日等国家个人承担的社会保险费高出很多。除了一般西方国家的常见税外，瑞典的税种也相当繁多，甚至还征收成人教育税、小儿入托税、教堂税等。

瑞典的社会保障制度最大特点就在于它既照顾了穷人利益，又考虑了全民利益，社会贫富的分配较为公平。瑞典人自豪地称自己的国家为"真正的社会主义国家"，因为那里根本不存在西欧和北美社会中普遍存在的两极分化问题。瑞典既没有特别贫穷的人，也没有特别富裕的人，比较充分地体现了社会公平原则。

瑞典战后作为"全民福利国家"，一度成绩骄人，声名显赫。但瑞典实施的高福利、高消费是以高税收、高公共开支为代价的，这势必产生难以回避的矛盾和严重的后果。瑞典公共开支增长与经济增长比例失调，终于导致瑞典国民经济陷入"滞胀"困境："滞"即低储蓄率、低投资率、低生产增长率和低竞争力；"胀"即高福利、高消费、高公共开支、高税收、高赤字、高通货膨胀和高国债。瑞典一度耀眼的经济成就已成昨天。

三、"储蓄型"社会保障模式

储蓄型社会保障制度以新加坡、智利为代表，其基本特征是：(1) 强制性储蓄。国家通过立法强制雇主和雇员的缴费，并以职工名义存入储金局的个人账户；(2) 雇员退休后的养老保险待遇完全取决于其个人账户积累额，存多少用多少，权利与义务对等；(3) 个人账户资金投入资本市场运营，以实现保值增值；(4) 建立个人账户，实行个人负责制，政府不提供资助，只在宏观方面加以调控，完全是一种自助型的保障模式。总之，这一模式充分体现了社会保障的自助性，但互助性不足。

下面我们以新加坡社会保障制度为代表进行考察和分析：

新加坡独立后，经济发展迅速，社会保障制度也取得了举世瞩目的成就。新加坡的社会保障制度由社会福利和社会保险两部分组成：社会福利制度是通过政府及社会团体组织实施；社会保险制度是指由国家强制实施个人储蓄的中央公积金制度。中央公积金制度已成为新加坡社会保险制度的代名词。

新加坡中央公积金的英文称为 Central Public Funds，缩写为CPF。中央公积金制度是政府立法强制个人储蓄、完全积累模式的社会保险制度。这项制度建于1955年，其最初目的是为了雇员退休后或不能继续工作时提供经济上的保障。中央公积金制度通过立法强制所有雇主和雇员，依法按工资收入的一定比例向中央公积金局缴纳公积金，由中央公积金局加上每月应付的利息一并记入每个公积金会员的个人账户，专户储存。会员所享受的待遇，就在其账户的公积金额度下支付。经历了40多年的演变，新加坡中央公积金制度已成为为社会成员提供养老、医疗、住房等项目的社会保障制度。

新加坡中央公积金局负责社会保险费的收缴、管理和运营。规定的总投保费率从10%直到50%，1984年后稍许调低，至90年代初约为40%，这样高的社会保险费率举世不多。正是因为投保费率很高，保证了充足的社会保险基金，不但年年收大于支，并且滚存的积累资金相当庞大。中央公积金局通过购买国家长短期债券，一方面保证了基金增值，使退休金支付确有保障；另一方面支持了国家的经济发展和社会进步。发展到80年代末90年代初，中央公积金局秉承政府特殊规定，允许投保人提前支取的部分退休金，远远超出最初只准用于购买公屋的限制，也允许用以购买私屋出租、进行个人投资，因此，投保人可以在退休前得到利益。

新加坡是一个极富特色的东盟小国，它的政治体制、经济发展和社会政策都与众不同，其社会保障制度更是特色鲜明，其特点主要表现在以下三个方面：

第一，中央公积金制度实质上是一种强制储蓄型社会保障。

"强制性"是由人民行动党的"权威型"政治决定的，也是这个制度的最显著特色。根据《中央公积金法》规定，每一位有工资收入的公民均有义务参加中央公积金储蓄。任何一个为政府、公司或私人工作并领取月工资、周工资或日工资的雇员，就自动加入了中央公积金计划，成为当然的公积金会员。同时，在新加坡有薪金收入的外国雇员也被强制要求参加这个计划。

第二，社会化程度高是新加坡中央公积金制度的又一个显著特点。

根据新加坡社会保障制度的基本精神，一切工资劳动者都在《中央公积金法》的覆盖范围。受这个计划涵盖的会员人数增长很快，1965 年独立时有 42 万人，1980 年已经上升到 152 万；据1998 年统计，全国参加公积金制度的会员有 200 多万人，覆盖面达 85%。由于工资水平不断提高和 40% 的总投保费率，新加坡积累了雄厚的老年社会保障基金，既保证了退休工人的晚年生活，又促进了经济运行的良性循环，从而巩固了已实行几十年的中央公积金制度。

新加坡实行医疗社会保险很晚，几乎晚于实行社会保障制度的所有国家。但自从医疗保险推开之后，不到 10 年，就获得了令世人吃惊的成效。国家规定的医疗卫生服务目标实现得相当成功。以婴儿死亡率降低目标为例，1960 年，新加坡婴儿死亡率高达 35%，1992 年锐降至 5%，几乎超过所有发达国家。再看人口预期平均寿命这一指标，1960 年，新加坡这一人口指标为 66岁，1992 年猛升到 76 岁，与发达国家并驾齐驱；1992 年，美国这项人口指标是 75 岁，德国和英国均为 76 岁，日本 79 岁。最值得一提的是，新加坡医疗卫生目标的成就是在相对少的条件下获得的。这可从总人均医疗费看出：1991 年，新加坡人均医疗费仅 480 美元，占国内生产总值的比例为 3.2%；而德国这两项指标分别高达 1700 美元和 8.5%，美国为 2900 美元和 13.2%。新加坡医疗卫生获得巨大成就，有赖四道防线的布置：第一道防线是临时门诊就医，国家资助 50% - 75%；第二道防线是强制医疗储蓄，即著名的"个人医疗账户"制度，解决雇员及其家属住院治疗问题；第三道防线是大病就医，帮助患重病、大病的劳动者渡过风险；第四道防线是医疗救助，政府资助低收入群体度过疾病风险。新加坡这四道防线的设置，使每一个国民患病后在任何情况之下都可及时得到治疗，担负治疗任务的主力军——公立医院和门诊部恪守一条：国家开设的医院有救死扶伤义务，不能发生拒不接纳患者的现象。所以，在新加坡的今日，患者从来不为治疗担心，即便大手术也勿需等候多久，几乎随到随就诊、随动手术，根本不问费用问题。

新加坡中央公积金制度实行强制性的个人储蓄，强化了自我保障意识，减轻了财政责任和国家的负担，避免了代际赡养和人口老龄化可能带来的支付危机。保持了经济的长期稳定的发展。新加坡的社会保障制度，以雄厚的经济实力为基础，强调以家庭为中心和发挥主导作用，维护了社会稳定，促进经济发展。实现了"自我养老，居者有其屋，疾病有所治，人人有保障"的根本宗旨。但是，公积金制度体现国民收入再分配和社会互助调剂功能较弱，缺乏互助共济的功能，影响了社会公平程度的提高。

四、"国家保险型"社会保障模式

前苏联、中国及东欧一些社会主义国家都曾建立过"国家保险型"社会保障制度。前苏联则是这一模式的首创与代表。"国家保险型"社会保障制度是社会主义国家传统的计划经济产物。其基本特征是：(1) 其社会保障制度以公有制为基础，以国家为主体；(2) 其宗旨及目的是消灭"贫困"，提高全体社会成员的福利；(3) 社会保障费用及支出全部由政府承担，国家财政负担沉重；(4) 个人基本不缴纳保障费用，权利与义务极不对称；(5) 社会保障资源浪费严重，保障目的难以实现。(6) 这些国家均经济不够发达，社会保障覆盖面窄，保障水平低。总之，这一模式由于缺乏"效率"而影响"公平"的实现。

下面我们就对前苏联、东欧等社会主义国家的社会保障制度进行考查与分析：

1917 年，俄国爆发了十月革命，人类历史上诞生了第一个社会主义国家。苏维埃政府实行生产资料全民所有制和计划经济体制，消灭阶级剥削和压迫，劳动者成为国家的主人。政府把满足全体社会成员物质文化生活需要作为重要的社会发展目标，并且把这一目标贯穿于所有经济、社会、文化制度之中，全面实施社会保障。社会主义国家也要建立社会保障，马克思、恩格斯对此早有论述。马克思在《哥达纲领批判》中指出，社会总产品应当扣除的部分包括"用来应付不幸事故、自然灾害等的后备基金或保险基金"。列宁也十分重视劳动人民的社会保障问题，提出"最好的工人保险形式是工人的国家保险"。1903 年，第二次俄国社会民主党代表大会通过的党纲确定了工人国家保险总原则。1917—1922 年，列宁先后签署了 100 多项关于劳动者社会保险和福利的法令。1918 年，俄罗斯联邦人民委员会批准了《劳动者社会保障条例》。1936 年，苏联宪法规定，对公民在年老、患病和丧失劳动能力时实行社会保障。苏联实施国家保障制度，社会保险费由企业、机关等用人单位缴纳，不从个人工资中直接扣除。

在传统的计划经济时代，苏联、东欧国家的社会保障制度突出表现在以下几个方面：（1）就业保障。苏联、东欧国家在计划经济时期提供了充分的就业保障。工作是宪法所赋予的权利，并且工作关系一旦成立，就会一直延续下去。裁减冗员或者不称职的人员几乎成为不可能。当然，这种高就业率并没有考虑到劳动生产率和企业利润率。（2）基本生活保障。在计划经济时期，苏联、东欧国家的基本生活必需品以及基本服务的消费相对于同等人均产值的国家来说较高。原因在于国家在基本生活必需品的消费和服务（例如，食品、住房、教育、医疗等）方面提供较多的补贴。此外，在收入转移支付方面国家提供了一整套的制度，例如，与收入挂钩的退休金制度、儿童补助、长期的带薪育婴假期等。（3）人力资源的培训。在苏联、东欧国家的计划经济体制中，教育是社会经济发展战略中一个重要的组成部分。这些国家实行初级和中级义务教育。根据就业的需要，在教育方面重技术和自然科学，轻人文和社会科学。全民教育水平超过发展中国家水平，甚至接近某些工业化国家的水平。另外，由于教育方面提供的可能性，妇女参加就业的比例也较高。（4）医疗保障。苏联、东欧国家为居民提供了基本的医疗保障。在经济增长没有出现停滞之前，许多医疗服务都是免费的。所有这些制度特点在经济增长时期为保障居民的生活做出了巨大贡献。

第二次世界大战后，中国和东欧一些国家建立了社会主义国家，也都效仿苏联实行国家社会保障制度。这一新型的社会保障制度是与计划经济体制相适应的，体现了社会主义制度的优越性，在保护和调动劳动者积极性方面发挥了积极作用，人们也因此增强了对社会主义的信念。但随着时间的推移，计划经济的弊端丛生，生产力发展停滞不前，社会保障制度所起的实际作用已大大削弱。

东欧剧变，苏联解体后，在向市场经济的转轨过程中，俄罗斯和东欧原有的社会保障制度受到来自各个方面的猛烈冲击。一方面，原社会保障制度的一部分内容的合理性和合法性受到了质疑；另一方面，维持该社会保障制度运行所需的资金来源受到了限制，例如，退休金、医疗费用的支付等。传统的"国家保险型"社会保障制度面临着彻底的调整和改革，以适应市场经济的需要。此外，俄罗斯和东欧国家在向市场经济的过渡中大都把社会市场经济或福利型的市场经济看做本国的目标模式。因此，重建社会保障制度成为俄罗斯和东欧经济转轨的内容之一。[1] 苏联、东欧国家发生政治体制剧变后，经济体制也开始彻底向市场经济过渡，社会保障制度问题也提到议事日程上来了。有人主张实行美国的模式，降低国家在社会保障方面的作用和干预。也有人倍加推崇北欧的社会福利体制，加大国家的作用。问题并不在于采纳哪种模式，而是在于前体制在社会福利方面留下了什么样的遗产。前社会保障制度是几十年经济社会发展的结果，它牵涉到每一个人的切身利益，牵一发而动全身，不可能无视前体制遗

---

[1]　顾俊礼主编：《福利国家论析》，经济管理出版社 2002 年版。

产的存在而推行一种全新的社会保障制度。新的社会保障制度只能立足于俄罗斯和东欧国家的现实，这就大大增加了重建社会保障体制的难度。应当说，同经济转轨战略的制定相比，社会保障制度重建的步伐大大落后了，至少说在转轨的前期，这方面的进展不大。有些措施的实行仅仅是由于受到来自财政预算方面的压力而迫不得已而为之。当然，一般而言，制度变迁总是比政策变迁要慢。宏观经济稳定、经济自由化这两个主要的转轨目标从政策的角度来看可操作性较强。而社会保障制度的改革与重建则涉及到一系列制度性的改革，例如，财政改革、私有化、大型国有企业的改革、劳动力市场的放开等，都是非常复杂的进程。这些改革需要政府各个部门之间的协调，因此，方案的制定和执行相对缓慢。另外，这种改革没有现成的样板可以借鉴，甚至专家之间在改革的设计问题上也很少达成共识。因此，社会保障制度的改革与重建面临着巨大的挑战。为了更好地解决社会福利问题，俄罗斯和东欧国家一般采取法律手段，制定《社会福利法》以及相关的一系列法律、法令。从做法上来看，俄罗斯和东欧国家一般都把原有的由国家统包了社会福利制度改造成多种经济成分参与的、多层次的社会福利制度，亦即有国家、地方政府、社会和宗教组织广泛参加的社会福利制度，进而缩小现存的社会不平等。这种新的社会福利体系战略目标虽只有一个，但要分几步走。新的社会福利制度的核心是要建立一个社会福利保护网。改造社会福利制度的基本原则是：使社会的困难阶层获得社会福利保障，保持并改善现有的生活条件，支持一些预防性的解决办法。当然，各国在具体做法上有所不同，并且进展也不一样。①

---

　　① 参见顾俊礼主编：《福利国家论析》，经济管理出版社 2002 年版。

综上可见，上述的四种模式各有利弊。其中，"国家保险型"社会保障制度是计划经济的产物，目前社会主义国家都在进行市场经济改革，不再沿用这一模式。而其他三种模式则是市场经济的产物，保险型社会保障制度突出政府、企业和个人三个方面的责任，福利型社会保障制度强调政府的责任，强制储蓄型社会保障制度则更强调个人责任。这三种模式的社会保障各自都有十分鲜明的特征，也存在着许多共性的地方。而且当今都在进行改革，互相取长补短，并随着时代的发展呈现出融合的趋势，彼此的区别越来越模糊。兼取各家之长，建立一种混合型的社会保障制度，已经成为当今社会保障制度改革的基本方向。

第三节　国外社会保障制度改革及其对我国的启示

分析和总结各国社会保障制度改革的举措及经验，可以使我们从中获得有益的借鉴和启示。我们认为当今社会保障制度改革已成全球之势，各国之间都可取长补短。尤其是我国社会保障制度建立与改革相对滞后，更应当借鉴国外先进的经验和成功的举措，这是加快我国社会保障制度建设的捷径和方法。考察和总结各国社会保障制度改革措施和经验，其中有这么几个国家特殊经验值得我们借鉴：

1. 美国医疗保险制度改革的尝试

美国医疗保险制度是世界上最昂贵的，20 世纪 70 年代以来，美国卫生费用每年以 9%—16%的速度猛涨。据统计，90 年代美国的卫生费用占国民生产总值的 12%—13%，其中卫生费用里老年人医疗保险及穷人医疗保险费用占 40%，而英国（实行全民免费医疗保障的国家）90 年代卫生费用只占国民生产总值的 6．1%，据统计，1993 年美国联邦财政社会保障收支赤字约为 3300 亿美元，占整个联邦财政赤字 2558 亿美元的 129%。由此可见，医疗费用高速膨胀，财政不堪负担，成为阻碍美国经济增长的重要因素，医疗费用急剧上升已成为十分突出的社会问题。

　　美国政府为了控制急剧上升的医疗费用和缓解老年医疗保险制度（medicare）基金危机，于 1983 年 10 月起在全国 medicare 享受者中实行以疾病诊断相关组（DRGs）为基础的预先付款制度。按疾病诊断付费制度是美国政府在控制医疗服务价格方面的一个重大措施。医疗服务价格不是以个人因素，而是以群体的标准化水平为基础，把所有疾病诊断分成不同的组别，同一组别的疾患向医院支付同一价格。这样，医院的账单由原来的"空白"支票变成了已填上"数额"的支票。这一办法的实施，实际上改变了医疗保险机构作为"第三方"（局外人）的被动局面，通过制定预付标准控制总支出，并通过预算约束来强迫医疗服务提供者承担经济风险，自觉规范自己的医疗行为。同时，通过预付制，也为医疗机构提供了一笔相对稳定并可预见的周转资金，把这部分医疗保险基金的使用、管理权交给医院和医生，利用经济利益机制，调动了医疗机构合理使用医疗保险资源的积极性。美国实行 DRG 五年后的总结报告表明，美国 65 岁以上老人的住院率每年下降 2．5%，平均住院天数，从 1982 年的平均 10．2 天，缩短为 1987 年的 8．9 天。由此，可以肯定美国老人医疗保险基金一直到 2005 年也不会出现赤字。从 1993 年以来克林顿政府就酝酿在 1998 年推出全民医疗保障计划，对医疗保险制度进行大幅度的改革，并且委任他的夫人直接领导这项改革。其改革的核心是建立所谓"区域性医疗联盟"制度。其医疗改革方案引起全国震动，经过近 3 年的激烈纷争与抨击，于 1994 年国会上宣布流产。尽管如此，美国在医疗保险制度改革方面，还是迈出了一些实质性的步伐。

2. 英国社会保障体制改革的举措

英国是最早建立社会保障制度并实行"高福利"的国家。但从 20 世纪 70 年代以来，英国社会保障制度步入困境的停滞时期。经济危机的打击对社会保障制度的消极影响日益突出，财政空虚与实施社会保障的公共开支不断扩大形成尖锐矛盾。英国社会保障体制暴露出以下四个问题：

第一，福利开支居高不下，财政负担增加。

为了维持庞大的社会福利计划，政府每年都支出巨额款项。每年的福利补贴高达 900 亿英镑。1995—1996 年度，全英社会保障支出高达 890 亿英镑。1996 年财政赤字占国民生产总值的 4%，公债占国民生产总值的 56.3%。英国也被人们讥讽为"靠借债度日的安乐国"。保障开支节节上升，国家财政入不敷出，财政赤字连年不断，通货膨胀居高不下，周而复始，形成恶性循环。

第二，人口老龄化严重，失业人口增加。

英国在 1925 年就进入了老龄型国家，劳动力年龄人口占总人口的比例从那时的 68.4%下降至 1996 年的 60%。人口老龄化必然带来老年抚养系数的提高，增加养老保险金的给付。英国现阶段失业率超过 10%，大约有 65 万人领取救济金，每年仅失业救济金就达 4 亿英镑。

第三，管理机构臃肿，办事效率低下。

英国的社会保障管理体制比较复杂。就行政主管部门而言，中央政府有三个部门分别负责不同的社会保障项目：社会保障部、卫生部、教育和就业部。整个系统的雇员分布于全国，管理机构的费用高达 16 亿英镑。

第四，缺乏效率的社会保障体制造就大批懒汉。

有英国贸工部专家指出，英国失业问题在于半个多世纪来，英国历届政府对"坐吃山空"的高福利政策不敢触及，以致失业者仰赖政府津贴仍能度日，客观上助长了不少人的惰性。最新的官方统计表明，目前英国不工作而靠政府津贴为生的单亲父母约有 100 万人，"三天打鱼两天晒网"靠政府"长期病号"津贴为生者达 175 万人。难怪有人说，英国现行的社会福利制度是"养懒汉"的制度。①

为了限制社会保障方面的开支，撒切尔政府在上个世纪 80 年代中期开始对英国社会保障制度进行全面改革，用英国评论界的话来说是"她对破坏性的、过度的福利制度提出了最勇敢的挑战"。改革内容主要有：养老金制度改革、津贴发放原则及标准的改革、住房津贴标准改革以及推行公房私有化、国民保健的改革、教育助学金制度的改革等。英国政府于 1985 年提出了《社会保障的改革》绿皮书。其改革方案的要点有：一是逐步取消国家负担退休金制度，建立私人企业负责制，退休金额不得低于国家规定的最低标准。二是失业津贴由国家负担改为由私人企业负担，失业津贴不得超过原工资的 70%。在养老保险改革方面，英国的主要特点是私有化，扩大养老保障提供领域的市场成分。英国的"超级养老金计划"，以私营的职业保障为模式，国家直

---

① 参见吕学静编著：《各国社会保障制度》，经济管理出版社 2001 年版。

接干预，使税率和养老金都和收入挂钩，并通过立法保证养老金随着平均收入、价格变化而进行调整，这种安排一方面提高了原来的养老金保障的水平，使不同收入水平者退休后都能领取原平均工资50％的养老金；另一方面充分利用了资源，减轻了财政负担。英国改革体现的指导思想是私有化加国家干预，将社会保障的部分责任从国家转移给企业、家庭。① 由于英国社会保障制度年深日久，既得利益的格局根深蒂固。加之社会保障制度不可逆转性和刚性，英国社会保障改革虽收到一定的效果，但并未伤筋动骨，英国社会保障制度目前正处于调整改革时期。

3. 智利退休金制度私有化改革的成效

20世纪80年代初，许多拉美国家为解决面临的困难，对社会保障制度进行了或大或小、或深或浅的改革，但多数未取得成效，问题依然存在，在个别国家甚至发展得相当严重。智利走了一条较为独特的道路，它没有在如何缓解资金短缺上绕圈子，像大多数拉美国家那样采取"开源节流"的办法（如提高社会保险税率，整顿管理机构，减少行政开支，削减养老金支付），而是进行结构性改革。

1980年智利经济制度的改革是在新自由主义思想指导下，旨在彻底改变国家在经济、社会生活中的角色并建立一个新的经济制度的改革。这一思想贯穿于社会保障制度改革中，创造了单

---

① 如撒切尔主义主张压缩日趋增长的社会保障支出，强调发挥市场机制作用，提倡自助，减轻国家负担，但却导致贫富差距拉大。布莱尔上台后，在经济上虽继承撒切尔主义，但又克服其负面影响，把自由市场经济同基本的社会保障结合起来。既注重效率、又兼顾公平。即为有能力工作的人提供工作，又为无能力工作的人提供保障。同时把福利变成政府、企业、社会和个人共同参与和分担的公共事业。

一资金来源的、私人管理的退休金制度。这一改革，被称为退休金制度私有化。具体改革措施是：首先，新的退休金制度通过立法取消了雇主供款，改变了原来的资金来源结构，同时将原来的普通基金转换为个人基金。资金来源的单一化和个人基金账户的建立，使得智利新的退休金制度成为强制性个人保险制度。其次，1980年的立法彻底改变了退休金制度的管理体制。基于国家只应起辅助作用的原则，并考虑到发展地方资本市场和改善社会保障基金的需要，新立法认为社会保障的管理应由私人部门取而代之。为达此目的，新法建立了一个新的组织即"退休基金管理公司"，由其负责依据法律建立的社会保障条文管理13个私人退休金基金。公司负责基金的运营增值，为基金所有者创造利润。

智利养老保险制度改革另一成功之处是以"认账券"方式解决新旧体制转轨遗留的问题。

智利新养老金制度建立后，原来的旧制度仍保持运转。两种制度并存的局面要延续数十年，直到旧制度逐步自然消失为止。新旧体制转轨必然会提出轨制成本的问题：即旧有社会保障的债务及其偿还问题。对此，智利不仅承认了政府对原有社会保障制度的债务，而且是最早将社会保障债务显性化的国家，他们对老职工的补偿采取了政府债券的方式：即政府对旧制度下的职工发放"认账债券"，债券的数额可根据他们以往工作年限所做的贡献测算，相当于他们应得的份额。待其退休时由财政总支付。"认账债券"可等值还本付息，补上历史负债。而且在转制过程中，智利采用"老人老制度"，"新人新制度"等，这都为我国养老保险制度改革及转制债券解决，提供了很好的借鉴。

实践证明智利的退休金制度的改革是卓有成效的，尽管有人对这一制度在将来为退休人口提供的经济保障表示怀疑，但是它已经为智利社会、经济发展作出了重要贡献，尤其是其经济上的贡献是令人瞩目的：第一，智利社会保障制度改革的特性之一是改革使得老年保障的成本非常透明。这使得政府能够认识到它的负债规模。这一点对其他转型中国家的政府是非常有借鉴意义的。第二，智利新的退休金制度成功的关键之一是政府愿意承担消除旧制度的成本，并创造了较好的办法来消化改革成本。实现新旧体制交替的平稳过渡。尽管改革计划实施之初也曾遇到种种政治压力，但从结果来看，新制度下退休职工是受益者；旧制度下退休人员的权益也没有受损，而且还能从新制度对经济的正面影响中受益；企业因为不再为职工交纳退休保险费用而受益；经济从退休金的迅速积累中受益；同时政府面对的不再是一个无底的赤字黑洞。

从新制度运行近 20 年的情况来看，改革取得较好的成效，显示出强劲的自我存活能力，在管理效率、经营状况以及减少不平等、增加合理性方面均有所改善，在多数国家长期为社会保障赤字所困扰的拉美地区显得颇为突出。成功的探索对于条件相同且面临类似困境的国家具有相当大的吸引力和借鉴性。90 年代以来，一批拉美国家纷纷参照智利模式，从养老金制度入手对本国社会保障制度进行结构性改革。

通过以上对各国社会保障制度分析与比较，我们从中得到有益的启示有：

首先，必须合理客观地界定社会保障的目标。[1]

----

[1]　参见吕学静编著：《各国社会保障制度》，经济管理出版社 2001 年版。

从欧洲各国社会保障所走过的道路看，高福利的目标不是我国目前社会经济发展水平所能够承受的。高福利政策，在欧洲各国已经普遍认为是一种"欧洲病"。目前，以英国、北欧等发达国家为代表的"福利社会"的保障模式受到严峻挑战，其不利结果是多方面的，主要反映为庞大的开支和过重的社会负担，鼓励消费从而抑制了生产性投入（现收现付制的保险基金运营方式，使得这部分资金基本进入消费而非资本市场）和国民储蓄，更深刻的矛盾在于抑制了人们工作的积极性。

我国社会保障的目标，应该走国家提供最基本的社会保障的道路，保障水平要与我国的社会经济发展水平相适应。具体说：一是社会保障的筹资水平要与企业和个人的承受能力相适应，支出水平的增长速度不能超过财政收入和 GDP 的增长速度；二是社会保障的覆盖面要从小逐步扩大，不能盲目地追求社会保障的覆盖面，在现阶段乃至今后一个长期的阶段内，社会保障应主要致力于覆盖城所有的就业人员，以后逐步向农村扩大。在我国当前进行的社会保障制度改革中，应立足于我国经济发展水平还比较低的现状，采取"广覆盖，低水平"的方针，合理调低目前比较高的社会保障待遇水平；对于新纳入社会保障范围的人员，在确定待遇时应从低起点起步，以后随经济的发展逐步调整。

其次，必须合理确定与我国社会经济发展水平相适应的筹资模式。

欧洲国家目前出现的社会保险支出过大、不堪重负的局面，与其现收现付制的筹资模式有着内在的必然联系。现收现付制的筹资模式的主要弊端是，将资本转化为纯粹的消费，缺乏自身的积累，随着人口老龄化，代际转移的矛盾会越来越突出。

从我国目前的生产力水平和人口结构看，在社会保障的一些主要项目上如养老、医疗等，引入部分积累的机制，建立个人账户的筹资模式是可供选择的一种方案。社会统筹与个人账户相结合的筹资和基金管理模式，是适合我国国情的。应随着经济体制改革的深化，以及企业和个人承受能力的增加，逐步加大个人账户储蓄积累的比重。

第三，建立多层次的社会保障体系。

综观世界主要发达市场经济国家，其社会保障都是多层次的，构成一个体系。在这个体系里，既有政府立法强制实施的国家基本社会保障项目；也有政府引导，雇主和雇员自主参加，由商业保险经办的保障项目。虽然目前一些发达国家法定社会保险出现了一些严重的困难，但以职业为基础的补充保险以及普通商业保险的发展态势却很好，也越来越受到政府的重视和居民的欢迎，真有点"东方不亮西方亮"的味道。同时，各种补充保险基金又是资本市场的重要力量。在英国，补充保险基金投资于股票的额度占伦敦股市的1/3，并且很受股民的欢迎和重视。建立多层次社会保障体系的核心意义在于，它使社会保障的责任尽可能地实行了全社会分担。从国际上看，以现收现付为主的国家保障体制已经不能适应人口老龄化的发展状况"，加上经济增长缓慢，这一体制越来越难以为继。因此，各国政府都在对国家包揽保障过多的制度现状进行改革，以增加个人责任，大力鼓励发展补充保险和商业保险，逐步向部分积累制过渡。

在我国社会保障制度的改革与发展过程中，必须大力发展企业补充保险和各类商业保险，形成多层次社会保障体系。自1978年实行改革开放以来，在我国已经逐步拉开地区、企业和个人的收入差距，发展多层次社会保障不仅是国家基本保障的补充，更适应了企业、个人以及不同地区、不同经济发展和收入水平的需要。同时，补充保险和商业保险的发展，可以大大扩展国家资本市场的容量和资金运用的能力。

　　第四，加强社会保障基金管理、营运和监督，确保社会保障基金保值增值。

　　这是整个社会保障制度得以建立并正常运行的核心环节。国外对社会保障基金的管理和监督，一般都是十分严格的。公共基金都是由财政部门统一管理，拨付社会保障管理部门使用。公共基金一般只能购买政府发行的债券或政府确定的基础设施投资，以确保安全为主。对企业保险和个人储蓄性保险这类私人基金，政府机构不直接管理，但要监管，并对经办私人基金的商业保险机构的投资行为加以规范，例如明确基金投资组合，规定其购买国家债券的最低比例和投向股票市场、特别是投向国外股票市场的最高比例等，以保证这部分基金在安全的基础上实现较高的增值。在社会保障基金的经营运作中，通过规范资本市场，建立完善的基金经营管理体制和严格的监督机制，防止腐败、挪用和盲目营运，来有效保证基金支付，并通过基金营运实现基金的保值增值。同时，建立雇主、雇员、政府代表和社会有关专家代表参加的社会保障基金监督机构，定期检查监督基金的管理情况，通过媒介向社会公布，以保证基金的安全。

　　我国目前在社会保障基金管理方面存在不少问题，一些地区和部门严重挤占、挪用基金，造成基金损失严重。借鉴国际经验和从我国实际出发，社会保障基金应逐步纳入国家社会保障财政预算管理。在国家社会保障预算制度建立之前，基金应纳入财政专户，实行收支两条线，专项管理。此外，各类补充保障基金的管理问题应受到重视。对补充保障基金的管理应区别于基本保障基金，补充保障基金不应再由政府部门管理，而应在政府的有力监管下，由商业金融保险机构经办。发展商业养老、医疗保险要注意日本的经验，既要防止垄断经营，又要防止过度竞争。在经济高速发展时期，日本的保险公司对客户许诺了较高的基金投资回报率，近年来日本经济发展滞缓，保险公司的投资回报率低于给客户承诺的回报率，造成商业保险的风险。我国正处在经济高速发展时期，保险公司应考虑到像养老保险这样的长期基金的特点，防止仅以短期经济发展速度来确定长期社会保障基金的回报率。

第五，依法建立社会保障制度，发挥国家的主导作用。

成熟社会保障制度的一个基本标志就是法制化。在现代社会里，社会保障是由政府管理的一项社会事务，政府本身就是社会保障法律关系的重要主体。国家应当而且也能够主动地利用对社会的干预手段，通过立法，调整利益冲突，推动建立符合社会公共利益的社会保障制度。现代市场经济的发展，要求有一个社会化、市场化的现代社会保障体系，而这个社会保障必须以社会立法为依据，政府在法律范围内执行并运行，就可以稳定社会，强化政府职能，体现政府性质。同时，严明而清晰的社会保障法律体系，更能从根本上保证社会保障制度运行处于有条不紊的稳定过程之中。此外，还必须注意，政府虽有权执行和运行社会保障，但却不能包揽过多。就是说，应在政府规范范围内设立专职社会保障运行机构来具体操作。

纵观世界社会保障发展演变的历史过程，可以发现，社会保障在各国国民经济和社会生活中正产生着越来越重要的影响。正因为如此，世界各国都普遍重视社会保障制度建设，少数尚未建立社会保障的国家正在加快建设步伐，已经建立社会保障的国家则纷纷对本国的社会保障制度进行改革和完善。改革并没有一个固定、统一的模式，各国都是根据本国国情对自己的社会保障制度进行改革。我国也从自己的国情出发，借鉴他国的经验和教训，积极探索有中国特色的社会保障制度改革之路。

主要参考文献

1.〔美〕大卫·桑普斯福特、泽弗里斯·桑纳托斯主编:《劳动经济学前沿问题》,卢昌崇、王询译,中国税务出版社 2000 年版。

2.卢昌崇、高良谋编著:《当代西方劳动经济学》,东北财经大学出版社 1997 年版。

3.陈恕祥、杨培雷著:《西方发达国家劳资关系研究》,武汉大学出版社 1998 年版。

4.杨体仁、李丽林编著:《市场经济国家劳动关系》,中国劳动社会保障出版社 2000 年版。

5.张兴茂著:《劳动力产权论》,中国经济出版社 2001 年版。

6.张抗私、周鹏、姜广东编著:《当代劳动经济学》,经济科学出版社 2000 年版。

7.陈惠雄著:《人本经济学原理》,上海财经大学出版社 1999 年版。

8.张建武著:《劳动经济学理论与政策研究》,中央编译出版社 2001 年版。

9.温海池编著:《劳动经济学》,南开大学出版社 2000 年版。

10.胡学勤、李肖夫著:《劳动经济学》,中国经济出版社 2001 年版。

11.杨先明、徐亚非、程厚思著:《劳动力市场运行研究》,

商务印书馆 1999 年版。

12.［美］丹尼尔·奎因·米尔斯著：《劳工关系》，李丽林、李俊霞等译，机械工业出版社 2000 年版。

13.［美］伊兰伯格、史密斯著：《现代劳动经济学》，中国人民大学出版社 1999 年版。

14. 陆铭著：《劳动经济学》，复旦大学出版社 2002 年版。

15. 郑功成等著：《中国社会保障制度变迁与评估》，中国人民大学出版社 2002 年版。

16. 穆怀中主编：《社会保障国际比较》，中国劳动社会保障出版社 2002 年版。

17. 廖泉文主编：《我国劳动力市场的理论与实践》，山东人民出版社 2000 年版。

18. 蔡昉主编：《2002 年：中国人口与劳动问题报告》，社会科学文献出版社 2002 年版。

19. 谷书堂、高明华著：《劳动力经济研究》，经济科学出版社 1998 年版。

20. 吕学静编著：《各国社会保障制度》，经济管理出版社 2001 年版。

21. 顾俊礼主编：《福利国家论析》，经济管理出版社 2002 年版。

22. 国务院新闻办公室：《中国的劳动和社会保障状况》，《社会保障制度》2002 年第 7 期。

23. 张左已主编：《领导干部社会保障知识读本》，中国劳动社会保障出版社 2002 年版。

24. 窦莉：《新时期下中国社会保障制度的构建与完善》，《宏观经济研究》2002 年第 4 期。

25. 王东进主编：《中国社会保障制度》，企业管理出版社1998年版。

26. 陈佳贵主编：《中国社会保障发展报告》，社会科学文献出版社2001年版。

27. 姜守明、耿亮著：《西方社会保障制度概论》，科学出版社2002年版。

28. 徐滇庆主编：《中国社会保障体制改革》，经济科学出版社1999年版。

29. 成思危主编：《中国社会保障体系的改革与完善》，民主与建设出版社2000年版。

30. 邹根宝编著：《社会保障制度》，上海财经大学出版社2001年版。

31. 和去雷主编：《社会保障制度的国际比较》，法律出版社2000年版。

32. 宋晓梧著：《中国社会保障制度改革》，清华大学出版社2001年版。

33. 冯杰等编著：《中国社会保障》，河南人民出版社2002年版。

34. 冯更新主编：《中国城市社会保障体制》，河南人民出版社2001年版。

35. 刘文海著：《发达国家社会保障制度》，时事出版社2001年版。

36. 孙月平编著：《社会主义市场经济理论与实践》，黑龙江人民出版社2002年版。

后　记

　　为适应我校研究生教学的需要，我们编写了《劳动经济问题研究》一书，供硕士研究生和在职研究生学习时参考。由于时间紧，我们的研究不够深入，对许多重大问题的思考不够成熟，书中可能存在许多错误、疏漏，但因急需，我们不揣冒昧，决定印出后供专家学者审阅，同时在教学中听取各方面意见，逐步修改完善。恳请读者不吝赐教。

　　本书由孙月平提出写作大纲，统纂全书。刘俊协助做了许多工作，硕士研究生张薇也协助校对。各章作者分工如下：孙月平（导言，第一、二、五、六、八、九章），范恒林（第七章），黄红（第十、十一章），刘俊（第三、四章）。感谢各位作者的合作。

孙　月　平

2003 年 7 月

图书在版编目(CIP)数据

劳动经济问题研究/孙月平主编 .
– 北京:人民出版社,2004.6
ISBN 7-01-004277-2

Ⅰ.劳… Ⅱ.孙… Ⅲ.劳动经济学 – 研究
Ⅳ.F240

中国版本图书馆 CIP 数据核字(2004)第 025964 号

劳动经济问题研究
LAODONG JINGJI WENTI YANJIU

孙月平 主编

人民出版社 出版发行
(100706 北京朝阳门内大街 166 号)

北京市京宇印刷厂印刷 新华书店经销
2004 年 6 月第 1 版 2004 年 6 月北京第 1 次印刷
开本:850 × 1168 毫米 1/32 印张:11.75
字数:284 千字 印数:2050 册
ISBN 7 – 01 – 004277 – 2 定价:26.00 元